2025 대비 최신 개정판

소방안전관리자 2급

실전모의고사 10회분

계산문제 MASTER + OMR 카드

모아합격전략연구소

한국소방안전원
최신개정
완벽반영

MOAG

▶ 소방안전관리자란?

• 수행직무

소방계획서의 작성, 자위소방대 및 초기대응체계의 구성·운영·교육, 피난 및 방화시설의 유지·관리, 소방훈련 및 교육, 소방시설의 유지·관리, 화기취급의 감독 업무를 수행한다.

• 진로 및 전망

소방안전관리자는 소방안전관리대상물(전국 약 32만 개소)에 의무적으로 선임하도록 법으로 규정되어 있으며, 고층 건축물 화재 등 대형재난에 효과적으로 대응하기 위한 안전관리 인력의 수요는 지속적으로 증가할 것으로 예상된다.

▶ 응시자격

대학에서 소방안전관리학과를 졸업했거나 대학 및 고등학교에서 관련 교과목을 6학점 이상 이수하고 졸업한 자, 또는 소방서 1년 이상 화재 진압 업무에 종사한 경우와 관련 국가기술자격증을 소지한 경우 등이 있다. 일반인의 경우 한국소방안전원에서 진행하는 소방안전 강습교육을 수료하면 해당 시험에 응시할 수 있는 자격을 부여받을 수 있다.

▶ 시험과목 및 배점

2과목	1과목
• 소방시설(소화설비, 경보설비, 피난구조설비)의 점검·실습·평가 • 소방계획 수립이론·실습·평가(피난약자의 피난계획 등 포함) • 자위소방대 및 초기대응체계 구성 등 이론·실습·평가 • 작동기능점검표 작성 실습·평가 • 응급처치 이론·실습·평가 • 소방안전 교육 및 훈련 이론·실습·평가 • 화재 시 초기대응 및 피난 실습·평가 • 업무수행기록의 작성유지 실습·평가	• 소방안전관리자 제도 • 소방관계법령(건축관계법령 포함) • 소방학개론 • 화기취급감독 및 화재위험작업 허가·관리 • 위험물·전기·가스 안전관리 • 피난시설, 방화구획 및 방화시설의 관리 • 소방시설의 종류 및 기준 • 소방시설(소화설비, 경보설비, 피난구조설비)의 구조

시험방법	배점	문항수	시간
객관식 (선택형, 4지 1선택)	1문제 4점	50문항 (과목별 25문항)	1시간(60분)

* 합격기준 : **모든 과목 100점 만점 기준으로 40점 이상, 전 과목 평균 70점 이상 득점한 사람**

▶ 시험일정

구분	운영횟수	원서접수, 시험일, 합격자 발표
2급	1441회	홈페이지 ➔ 소방안전교육 ➔ 시험신청 ➔ 일정확인

※ 1·2·3급 시험 운영횟수는 지역별 접수인원에 따라 변경될 수 있으며, 세부 시험일정은 등급별 "시험신청 ➔ 시험일정" 페이지에서 확인 가능

▶ 응시원서 접수방법

구분		시험 접수방법
강습교육 수료자 또는 재시험 접수 희망자		별도의 "응시자격심사" 절차 없이 시험접수 가능 (방문접수 또는 인터넷접수 가능)
학력, 경력, 자격 등의 응시자격으로 최초 시험접수 희망자	방문 접수	응시자격(증빙서류) 심사 후 시험접수 진행 ※ 단, 접수예정 또는 마감된 시험일정에는 접수할 수 없음
	인터넷 접수	① "응시자격심사" 신청(증빙서류 첨부) ② "응시자격심사" 승인 이후 시험접수 가능(방문 또는 인터넷 접수 가능)

▶ 한국소방안전원 시·도지부 안내

• 대표번호 : 1899-4819(콜센터)

  ※ 운영시간 : 평일 08:00 ~ 18:00 (점심시간 12:00 ~ 13:00, 토요일, 일요일 공휴일 제외)

• 시·도지부 연락처

구분	전화번호	구분	전화번호
서울지부	02) 850-1378	경기지부	031) 257-0131
서울동부지부	02) 850-1392	경기북부지부	031) 945-3118
부산지부	051) 553-8423	강원지부	033) 345-2119
대구경북지부	053) 431-2393	충북지부	043) 237-3119
인천지부	032) 569-1971	전북지부	063) 212-8315
광주전남지부	062) 942-6679	경남지부	055) 237-2071
대전충남지부	042) 638-4119	제주지부	064) 758-8047
울산지부	052) 256-9011	–	–

▶ 기타사항

• 응시자격, 시험과목 등은 관련법령 개정에 따라 변경될 수 있습니다.

• 소방안전관리자 강습교육 및 시험과 관련된 자세한 사항은 시·도지부로 문의하시기 바랍니다.

6일 단기완성

day 1	모의고사 1회, 2회	강의시간 약 2시간 복습 2시간
day 2	모의고사 3회, 4회	강의시간 약 2시간 복습 2시간
day 3	모의고사 5회, 6회	강의시간 약 2시간 복습 2시간
day 4	모의고사 7회, 8회	강의시간 약 2시간 복습 2시간
day 5	모의고사 9회, 10회	강의시간 약 2시간 복습 2시간

※ **학습 Comment** 실제 시험에 출제되는 문제 유형들로 제작된 모의고사입니다. 하루에 2회분씩 총 10회의 모의고사를 풀어보면서 시험에 완벽하게 대비해주시기 바랍니다. 모의고사를 풀 때는 문제와 답뿐만 아니라 상세한 해설과 중요한 개념들을 Tip으로 채워두었으니 해당 부분도 반드시 읽어보고 넘어가시기 바랍니다.

day 6	계산문제 마스터	강의시간 약 1시간 복습 1시간

※ **학습 Comment** 소방안전관리자 2급 시험에는 계산문제가 가끔씩 출제되고 있습니다. 중요한 계산문제 위주로 CHAPTER 01 ~ CHAPTER 06까지 주제별로 선별하여 상세한 풀이를 해두었으니 수포자라고 할지라도 계산문제를 버리지 마시고 꼭! 챙겨 가시길 바랍니다.

▼최신 출제경향, 기출유형 완벽 분석

소방안전관리자 자격시험의 **출제경향을 완벽 분석**, 맞춤형 문제를 수록하였으며, 시험 전 막판 실력을 향상시킬 수 있도록 **10회분의 모의고사로 구성**했습니다.

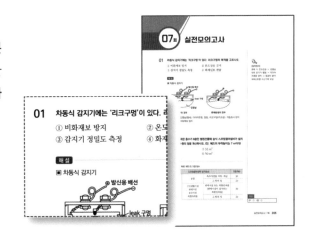

▼문제풀이의 핵심 Tip 활용

상세한 해설을 통해 문제풀이의 해법과 **문제별 Tip**을 제공하며 **문제풀이의 맥이 되는 핵심적 요소** 역시 놓치지 않도록 하였습니다.

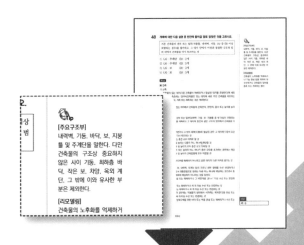

▼핵심 계산문제 마스터 문제 풀이

2급 시험에서 자주 출제되는 **계산문제**를 따로 정리했고 **관련 이론과 상세한 해설**을 추가했습니다. 이를 통해 수험생들의 **이해도**를 높이는 데 도움을 줄 수 있도록 하였습니다.

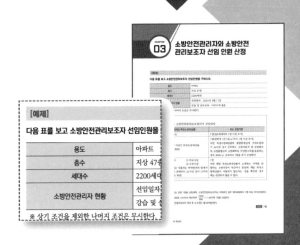

목차

PART 01 실전모의고사

PART 02 계산문제 MASTER

PART 03 OMR

PART 01

실전모의고사

MOAG

실전모의고사

01

다음과 같은 장소에 설치해야 하는 소화기 능력단위와 적정 소화기 개수를 산정하시오.

> 1. 바닥면적은 1000 m²이다.
> 2. 근린생활시설이다.
> 3. 건축물은 내화구조이며 불연재료로 내장하였다.
> 4. 3단위 소화기를 설치한다.

① 1개   ② 2개
③ 3개   ④ 5개

Tip

[소화기 설치기준]
능력단위가 2단위 이상 소화기 설치 특정소방대상물은 간이소화용구의 능력단위가 전체능력단위의 1/2 이하일 것(노유자시설은 1/2 초과 가능)

해설

■ 소화기 능력단위

특정소방대상물	소화기구 능력단위
위락시설	바닥면적 30 m²마다 능력단위 1단위
공연장, 집회장, 관람장, 문화재, 장례식장 및 의료시설	바닥면적 50 m²마다 능력단위 1단위
<u>근린생활시설</u>, 판매시설, 운수시설, 숙박시설, 노유자시설, 전시장, 공동주택, 업무시설, 방송통신시설, 공장, 창고시설, 항공기 및 자동차 관련 시설 및 관광휴게시설	**바닥면적 100 m²마다 능력단위 1단위**
그 밖의 것	바닥면적 200 m²마다 능력단위 1단위
주요구조부가 내화구조이며, 벽 및 반자의 실내와 면하는 부분이 불연재료, 준불연재료, 난연재료인 경우 기준면적의 2배 적용하여 산출	

1) 주요구조부가 내화구조이고, 벽 및 반자의 실내와 면하는 부분이 불연재료로 된 근린생활시설 바닥면적 기준 : 100 m² × 2배 = 200 m²
2) 1000 m² ÷ 200 m² = 5단위(절상)
3) 5단위 ÷ 3단위 = 1.66 ≒ 2개(절상)

정답

01 ②

02 소방안전관리자 오소방 씨가 계단에 설치되어 있는 감지기에 대해 작동 점검을 하였을 때 틀린 설명을 고르시오.

※ (1) – (6)은 회로번호임

① 연기감지기(연기스프레이)로 점검한다.
② 감지기 작동점검 시 수신기에는 화재표시등과 계단지구표시등이 점등되어야 한다.
③ 관계인은 점검 결과보고서는 점검이 끝난 날로부터 15일 이내에 소방본부장과 소방서장에게 제출한다.
④ 점검결과보고서는 3년간 보관한다.

해설

■ 감지기 작동점검
1) 계단은 수직부분이므로 연기감지기를 설치한다. 따라서 연기스프레이로 점검한다.
2) 화재가 발생하면 수신기의 화재표시등과 지구표시등이 점등되므로 연기감지기 점검 시 표시등이 점등되어야 한다.
3) 관계인은 점검이 끝난 날로부터 15일 이내에 소방본부장과 소방서장에게 결과보고서를 제출한다.
4) 점검결과보고서는 2년간 보관한다.

[감지기 작동점검]
⑴ 감지기 시험기, 연기스프레이 등을 이용하여 감지기 동작시험 실시
⑵ LED 미점등 시 감지기 회로 전압 확인
 ① 정격전압의 80 % 이상이면, 감지기가 불량이므로 감지기 교체
 ③ 감지기 회로 전압이 0 V이면, 회로가 단선이므로 회로 보수
⑶ 감지기 동작시험 재실시

정답
02 ④

03 소방안전관리자로 근무도중 수신기에서 다음과 같은 현상이 발생하여서 4층으로 올라가 확인을 해보았더니 어린아이들이 장난으로 발신기를 누른 것을 확인하였다. 틀린 설명을 고르시오.

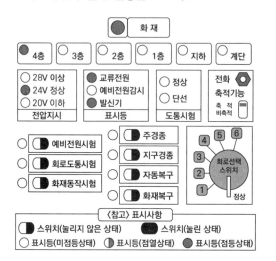

① 현재 지구경종과 주경종이 명동중이다.
② 4층의 발신기를 복구한다.
③ 수신기에서는 화재복구스위치를 누른다.
④ 수신기에서는 주경종과 지구경종을 멈추기 위해 주경종스위치와 지구경종스위치를 누른다.

해설 ───────────────

▣ 수신기

1) 주경종과 지구경종이 눌리지 않은 상태이므로 화재신호가 오면 명동한다.
2) 4층의 발신기로부터 신호가 왔기 때문에 4층의 발신기를 복구한다.
3) 화재복구스위치를 눌러서 복구한다.

Tip

[비화재보]
⑴ 실제 화재 시 발생되는 열, 연기, 불꽃 등의 연소 생성물이 아닌 다른 요인에 의해서 자동화재탐지설비가 작동되어 경보를 발하는 현상
⑵ 자동화재 탐지설비가 정상 작동되었더라도 실제 화재가 아닌 경우

정답
03 ④

04 안전관리자 오소방 씨가 가스계 소화설비의 점검을 하였다. 이때 복구 순서로 알맞은 것을 고르시오.

가	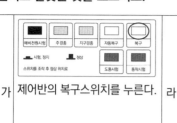 제어반의 복구스위치를 누른다.	라	 안전핀 체결 후 기동용기를 결합한다.
나	 제어반의 솔레노이드밸브 연동을 정지한다.	마	솔레노이드밸브를 복구한다.
다	 솔레노이드밸브의 안전핀을 제거한다.	바	 조작동관을 결합한다.

① 가 - 나 - 마 - 라 - 다 - 바
② 가 - 나 - 라 - 마 - 다 - 바
③ 가 - 나 - 다 - 바 - 라 - 마
④ 가 - 나 - 라 - 다 - 마 - 바

해설

■ 가스계 소화설비 점검 후 복구순서
1) 제어반의 복구스위치를 누른다.
2) 제어반의 솔레노이드밸브 연동을 정지한다.
3) 솔레노이드밸브를 복구한다.
4) 안전핀 체결 후 기동용기를 결합한다.
5) 솔레노이드밸브의 안전핀을 제거한다.
6) 조작동관을 결합한다.

Tip
[점검 전 안전조치]
⑴ 기동용기에서 선택밸브에 연결된 조작동관 분리
⑵ 기동용기에서 저장용기에 연결된 개방용 동관 분리
⑶ 제어반의 솔레노이드밸브 연동정지
⑷ 솔레노이드밸브 안전핀 체결 후 분리, 안전핀 제거 후 격발 준비

※ 출처 : 한국소방안전원

정답

04 ①

05 심폐소생술(CPR)의 위치로 알맞은 곳을 고르시오.

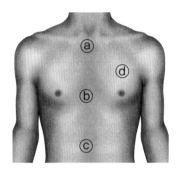

① ⓐ   ② ⓑ
③ ⓒ   ④ ⓓ

해설

■ 심폐소생술(CPR)
성인 분당 100 ~ 120회 속도로 환자의 가슴이 약 5 cm(소아 4 ~ 5 cm) 깊이로 강하게 눌리도록 체중을 실어 가슴압박

06 간이소화용구 중 삽을 상비한 80ℓ의 팽창질석 1포의 능력단위는?

① 0.5단위   ② 1단위
③ 1.5단위   ④ 2단위

해설

■ 간이소화용구의 능력단위

간이소화용구		능력단위
마른모래	삽을 상비한 50ℓ 이상의 것 1포	0.5단위
팽창질석 또는 팽창진주암	삽을 상비한 80ℓ 이상의 것 1포	

Tip

[심폐소생술(CPR)목적]
⑴ 심장의 기능이 정지하거나 호흡이 멈출 경우를 대비한 응급조치
⑵ 호흡이 없으면 즉시 심폐소생술 실시
⑶ 심정지 4 ~ 6분 경과 : 산소부족으로 뇌가 손상되어 회복되지 않음
⑷ 기본순서 : 가슴압박
→ 기도유지 → 인공호흡

정답
05 ②   06 ①

07 **준비작동식 스프링클러설비에 필요한 기기로만 열거된 것은?**

① 준비작동밸브, 비상전원, 가압송수장치, 수원, 개폐밸브
② 준비작동밸브, 수원, 개방형 스프링클러, 원격조정장치
③ 준비작동밸브, 컴프레셔, 비상전원, 수원, 드라이밸브
④ 드라이밸브, 수원, 리타딩챔버, 가압송수장치, 에어 알람스위치

[해설]

■ 준비작동식 밸브(Preaction Valve)의 구성
1) 1차 측 : 가압수, 2차 측 : 대기압
   화재 시 감지기의 작동으로 유수검지장치를 작동하여 송수되어 헤드 개방
2) 폐쇄형 스프링클러 헤드

08 **이산화탄소소화설비에 사용되는 고압식 이산화탄소소화약제 저장용기의 충전비는 얼마인가?**

① 1.5 이상, 1.9 이하
② 1.2 이상, 1.5 이하
③ 1.0 이상, 1.3 이하
④ 0.8 이상, 1.0 이하

[해설]

■ 이산화탄소소화설비의 충전비

구분	충전비
고압식	1.5 ~ 1.9
저압식	1.1 ~ 1.4

Tip
[준비작동식 스프링클러설비 특징]
(1) 동결 우려 장소 사용 가능
(2) 헤드 오동작(개방) 시 수 손피해 우려 없음
(3) 헤드개방 전 경보로 조기 대처 용이
(4) 감지장치로 교차회로 감지기 별도 시공 필요
(5) 구조 복잡, 시공비 고가
(6) 2차 측 배관 부실시공 우려

정답
07 ①   08 ①

09 모아건축물에 화재가 발생하여 소방대장은 이 건물을 소방활동구역으로 정하였다. 다음 중 소방대장이 출입을 제한할 수 있는 사람은?

① 갑 : "저는 이 건물의 소방안전관리자입니다."
② 을 : "저는 신문기자입니다. 화재현장을 취재하러 왔습니다."
③ 병 : "저는 변호사입니다. 건물주의 변호를 위해 왔습니다."
④ 정 : "저는 의사입니다. 환자를 치료하기 위해 왔습니다."

해설

▣ 소방활동구역 출입자
1) 소방활동구역 안에 있는 소방대상물의 소유자·관리자·점유자
2) 전기·가스·수도·통신·교통의 업무 종사자로서 소방활동을 위해 필요한 사람
3) 의사·간호사 그 밖의 구조·구급업무 종사자
4) 취재인력 등 보도업무 종사자
5) 수사업무 종사자
6) 그 밖에 소방대장이 소방활동을 위해 출입을 허가한 사람

[소방활동구역 설정]
⑴ 설정권자 : 소방대장
⑵ 소방활동구역을 정하여 소방활동에 필요한 사람으로서 대통령령으로 정하는 사람 외에는 그 구역에 출입하는 것을 제한

10 아래의 건축물현황만을 보고 법적으로 설치하지 않아도 되는 소방시설은 무엇인가?

가. 층수 : 지상 7층(지하층 없음)
나. 연면적 : 3500 m^2(층당 바닥면적 500 m^2)
다. 주용도 : 업무시설
라. 건축허가동의일 : 2023년 9월 5일

① 비상방송설비   ② 스프링클러설비
③ 옥내소화전설비   ④ 옥외소화전설비

해설

▣ 옥외소화전설비
1) 지상 1층 및 2층의 바닥면적의 합계가 9000 m^2 이상인 것
2) 문화유산 중 보물 또는 국보로 지정된 목조건축물
3) 공장 또는 창고시설로서 750배 이상의 특수가연물을 저장·취급하는 것

정답

09 ③ 10 ④

11 소방용수시설의 저수조에 대한 설치기준으로 옳지 않은 것은?

① 지면으로부터의 낙차가 4.5 m 이하일 것

② 흡수부분의 수심이 0.3 m 이상일 것

③ 흡수관의 투입구가 사각형의 경우에는 한 변의 길이가 60 cm 이상일 것

④ 흡수관의 투입구가 원형의 경우에는 지름이 60 cm 이상일 것

해설

■ 저수조의 설치기준

1) 지면으로부터의 낙차가 4.5 m 이하일 것

2) 흡수부분의 수심이 0.5 m 이상일 것

3) 소방펌프자동차가 쉽게 접근할 수 있도록 할 것

4) 흡수에 지장이 없도록 토사 및 쓰레기 등을 제거할 수 있는 설비를 갖출 것

5) 흡수관의 투입구가 사각형의 경우에는 한 변의 길이가 60 cm 이상, 원형의 경우에는 지름이 60 cm 이상일 것

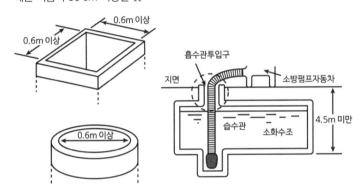

Tip

[소화전과 급수탑]
(1) 소화전
  ① 상수도와 연결하여 지하식 또는 지상식의 구조로 할 것
  ② 소화전의 연결금속구 구경 : 65 mm
(2) 급수탑
  ① 급수배관 구경 : 100 mm 이상
  ② 개폐밸브 : 지상에서 1.5 m 이상 1.7 m 이하

12 건축법상 내화구조의 설명으로 옳지 않은 것은?

① 내화구조란 화재에 견딜 수 있는 성능을 가진 구조

② 화재 후에도 재사용이 가능한 정도의 구조

③ 화재 시 일정한 시간 동안 형태나 강도 등이 크게 변하지 않는 구조

④ 화염의 확산을 막을 수 있는 성능을 가진 구조

해설

■ 내화구조, 방화구조 정의

내화구조 – 화재를 견딜 수 있는 구조

방화구조 – 화염의 확산을 막는 구조

(내화구조 ≫ 방화구조)

Tip

[방화구조]
방화구조는 화염의 확산을 막을 수 있는 성능을 가진 구조를 말하며, 연소확대를 방지할 수 있는 구조로서 [방화구조의 기준]에 정해진 기준에 적합한 것

정답

11 ② 12 ④

13 다음 그림은 습식 스프링클러설비의 계통도이다. ①, ②, ③에 대한 알맞은 설명을 고르시오.

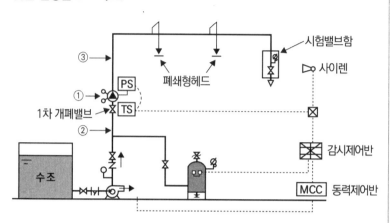

① ① 물올림장치, ② 압축공기, ③ 대기압
② ① 드라이밸브, ② 가압수, ③ 압축공기
③ ① 프리액션밸브, ② 가압수, ③ 가압수
④ ① 알람밸브, ② 가압수, ③ 가압수

해 설

■ 스프링클러설비 계통도

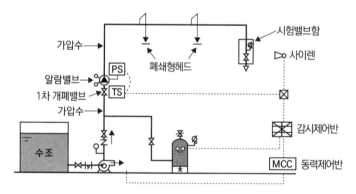

※ 출처 : 한국소방안전원

Tip

[헤드의 구조]
(1) 감열체 : 정상상태에서는 방수구를 막고 있으나 열에 의해서 일정온도 도달 시 파괴 또는 용융되어 방수구가 열려 스프링클러 헤드가 작동(퓨즈블링크형, 유리벌브형)
(2) 프레임(Frame) : 헤드 나사부분과 디플렉터의 연결이음쇠
(3) 디플렉터(Deflector) : 헤드의 방수구에서 유출되는 물을 세분화시키는 작용

정답

13 ④

14 거실이 4개인 특정소방대상물에 단독경보형 감지기를 설치하려고 한다. 거실의 면적은 각각 A실 28 m², B실 310 m², C실 35 m², D실 155 m²이다. 단독경보형 감지기는 몇 개 이상 설치하여야 하는가?

① 4개   ② 5개
③ 6개   ④ 7개

해설

◼ 단독경보형 감지기 설치기준

1) 각 실(이웃하는 실내 바닥 면적이 각각 30 m² 미만이고, 벽체의 상부의 전부 또는 일부가 개방되어 이웃하는 실내와 공기가 상호 유통되는 경우 이를 1개의 실로 본다)마다 설치하되, 바닥 면적이 150 m²를 초과하는 경우에는 150 m²마다 1개 이상 설치할 것

2) 최상층의 계단실의 천장(외기 상통하는 계단실 경우 제외)에 설치할 것

3) 건전지를 주전원으로 사용하는 단독경보형 감지기는 정상적인 작동상태를 유지할 수 있도록 건전지를 교환할 것

4) 상용전원을 주전원으로 사용하는 단독경보형 감지기의 2차 전지는 제품검사시험에 합격한 것을 사용할 것

따라서

A실 : 28/150 → 절상해서 1개 설치

B실 : 310/150 → 절상해서 3개 설치

C실 : 35/150 → 절상해서 1개 설치

D실 : 155/150 → 절상해서 2개 설치

총 7개 설치

Tip

[단독경보형감지기 설치대상]

설치대상	기준
교육연구시설 및 수련시설 내에 있는 합숙소·기숙사	바닥면적 2000 m² 미만
유치원	연면적 400 m² 미만
수련시설 (숙박시설이 있는 것)	수용인원 100명 미만
공동주택 중 연립주택 및 다세대주택	-

15 습식 스프링클러설비의 점검을 위해 시험밸브함을 열었더니 다음과 같은 상태였다. 문제점으로 알맞은 것을 고르시오.

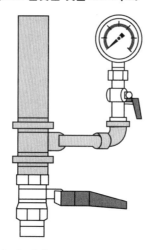

① 펌프 내의 가압수가 없다.
② 말단시험밸브가 부식되었다.
③ 펌프 내의 가압수가 과압상태이다.
④ 말단시험밸브가 잘못 설치되어 있다.

해설

▣ 습식 스프링클러설비의 유지관리

압력계 밑에 부착된 개폐밸브는 평상시에 개방하여 시험밸브 배관 내의 압력이 정상압력(0.1 MPa 이상 1.2 MPa 이하) 인지 여부를 확인해주어야 하며 가압수 배출을 위한 시험밸브는 평상시에 폐쇄 상태로 유지 관리되어야 한다.

Tip
[습식 스프링클러설비 특징]
⑴ 감지기가 없는 설비로서 구조가 간단하고, 공사비 저렴하여 가장 많이 사용
⑵ 소화가 빠르고 유지관리 용이
⑶ 동결 우려 장소 사용 제한
⑷ 헤드 오동작 시 수손피해 및 배관 부식 우려

정답
15 ①

16 다음은 가스계 소화설비의 감시제어반이다. 틀린 설명을 고르시오.

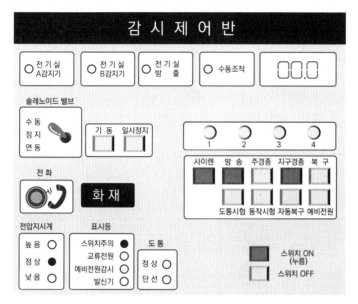

① 현재 교류전원 표시등이 소등되어진 상태이므로, 예비전원을 받고 있다.
② 사이렌 스위치가 ON되어 있기 때문에 화재가 발생하면 사이렌이 명동하지 않는다.
③ 솔레노이드밸브가 수동위치에 있기 때문에 감지기가 동작 시 솔레노이드밸브는 잘 격발한다.
④ 화재가 발생한다면 주경종과 지구경종은 명동할 것이다.

해설

■ 가스계 소화설비 감시제어반
솔레노이드밸브의 선택스위치는 평상시 연동상태에 있어야 감지기 동작 시 격발한다. 따라서 ③이 틀린 보기이다.

17 다음 중 비열이 가장 큰 것은?

① 물   ② 금
③ 수은   ④ 철

해설

■ 비열
1) 어떤 물체의 단위 중량당 1 kg을 온도 1 ℃만큼 상승시키는 열량이다.
2) 단위 : kcal/kg · ℃ (kJ/kg·K)
3) 물질마다 비열은 다르나 물은 비열이 커서 냉각효과가 뛰어나다.

Tip
[잠열과 현열]
(1) 잠열(Latent Heat) : 온도변화 없이 상태변화에만 필요한 열량

잠열	상태변화
용해 잠열	얼음 → 물(80 kcal/kg)
기화 (증발) 잠열	물 → 수증기(539 kcal/kg)

(2) 현열(Sensible Heat) 물질의 상의 변화는 없고, 온도 변화만 있을 때 필요한 열량

정답
16 ③   17 ①

18 감시제어반의 스위치가 다음과 같은 경우 동력제어반에서 점등되는 표시등을 옳게 나열한 것을 고르시오.

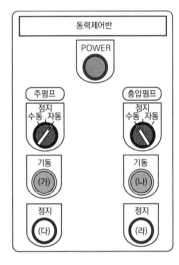

① 가, 나   ② 가, 다

③ 가, 라   ④ 다, 나

해설

■ 감시제어반과 동력제어반

감시제어반의 선택스위치가 주펌프와 충압펌프 모두 수동 기동위치에 있으며 동력제어반은 주펌프만 자동위치에, 충압펌프는 수동위치에 있다.

따라서 동력제어반의 주펌프만 감시제어반과 연동되기 때문에 주펌프 기동이며 충압펌프는 정지이다.

19

옥내소화전의 방수압력을 측정하였다. 다음 중 방수압력측정계(피토게이지)의 측정값이 정상 범위[MPa]로 옳은 것을 고르시오.

①

②

③

④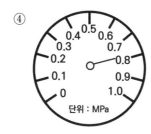

[옥내소화전설비]
(1) 화재 발생 시 관계인 및 자체소방대원이 화재 발생 초기에 사용하는 소화설비
(2) 구성 : 수원, 가압송수장치, 배관, 방수구, 호스, 노즐 등

해설

■ 옥내소화전설비 수원

> 소화수조 수원의 양 = 옥내소화전 설치 개수(최대 2개) × 2.6 m³ 이상
> • 30 ~ 49층 : 설치 개수(최대 5개) × 5.2 m³ 이상
> • 50층 이상 : 설치 개수(최대 5개) × 7.8 m³ 이상

1) 방수량 : 130 L/min 이상
2) 방수압력 : 0.17 MPa 이상 0.7 MPa 이하
3) 펌프 토출량 : 130 L/min × 설치개수
4) 수원의 양 : 130 L/min × 설치개수 × 20분(40분, 60분)

정답

19 ②

20 옥내소화전설비에서 옥내소화전 2개 설치 시 최소유량은 260 L/min 이다. 펌프성능시험에서 다음 (   )에 들어갈 것으로 옳은 것은?

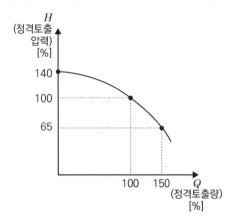

[펌프성능곡선]

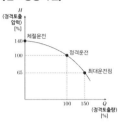

구분	체절운전 시	정격토출량 100 % 운전 시	정격토출량 150 % 운전 시
펌프 토출량	(ㄱ) L/min	260 L/min	390 L/min
펌프 토출압	1.4 MPa	1 MPa	(ㄴ) MPa 이상

① ㄱ : 0   ㄴ : 0.65
② ㄱ : 0   ㄴ : 1.5
③ ㄱ : 130   ㄴ : 0.65
④ ㄱ : 130   ㄴ : 1.5

해설

■ 펌프성능시험

1) 체절운전
   ① 펌프토출 측 밸브와 성능시험배관상의 유량조절밸브 폐쇄 상태, 즉 토출량이 "0"인 상태에서 펌프 기동
   ② 이때의 압력(체절압력)을 확인하여 정격토출압력의 140 % 이하인지 확인
   ③ 정격토출압력이 140 %를 초과하는 경우 순환배관상의 릴리프밸브를 개방(조절볼트 반시계방향으로 돌림)하여 정격토출압력의 140 % 이하로 조절

2) 정격부하운전
   ① 펌프토출 측 밸브 폐쇄 상태, 성능시험배관상의 개폐밸브 완전 개방, 유량조절밸브 서서히 개방하여 유량계의 지침이 정격토출량의 100 %를 가리킬 때까지 개방
   ② 압력계 상의 압력을 확인하여 정격토출압력의 100 % 이상인지 확인

3) 최대운전
   ① 펌프토출 측 밸브 폐쇄 상태, 성능시험배관상의 개폐밸브 완전 개방, 유량조절밸브를 더욱 개방하여 유량계의 지침이 정격토출량의 150 %를 가리킬 때까지 개방
   ② 압력계상의 압력을 확인하여 정격토출압력의 65 % 이상인지 확인

정답
20 ①

성능시험	유량	압력
체절운전	0	140 % 이하
정격운전	100 %	100 % 이상
최대운전	150 %	65 % 이상

21 다음 설명을 보고 모아아파트의 최소 수원의 저수량을 계산하시오.

> • 아파트의 층수는 8층이다.
> • 각 층에 옥내소화전설비가 4개씩 설치되어 있다.
> • 스프링클러설비가 설치되어 있다.

① 18.2 m^3

② 20.2 m^3

③ 21.2 m^3

④ 22.2 m^3

[아파트 기준개수]
※ 아파트 : 기준개수 10개
 (단, 아파트등의 각 동이
 주차장으로 서로 연결된
 구조인 경우 해당 주차장
 부분의 기준개수는 30개
 이다)

해설

■ 옥내소화전의 수원의 저수량

$$\text{수원량(m}^3) = N \times 2.6 \text{ m}^3$$
$$= 2 \times 2.6 \text{ m}^3 = 5.2 \text{ m}^3$$

N : 한 개 층 설치개수
(최대개수 층 선정/최대 2개)

■ 설치장소에 따른 헤드의 기준개수

• 수원량(Q) = $N \times 1.6 \text{ m}^3$ = 10개 $\times 1.6 \text{ m}^3 = 16 \text{ m}^3$

스프링클러설비 설치장소			기준개수
10층 이하 (지하층 제외)	공장	특수가연물 저장·취급	30
		그 밖의 것	20
	근린생활시설 판매시설 운수시설 복합건축물	판매시설 또는 복합건축물 (판매시설이 설치되는 복합건축물)	30
		그 밖의 것	20
	그 밖의 것	헤드부착높이가 8 m 이상	20
		헤드부착높이가 8 m 미만	10
아파트			10
지하층을 제외한 층수가 11층 이상(아파트 제외), 지하가 또는 지하역사			30

따라서 $5.2 \text{ m}^3 + 16 \text{ m}^3 = 21.2 \text{ m}^3$

정답

21 ③

22 다음그림과 설명을 보고 알맞은 기계제연방식을 고르시오.

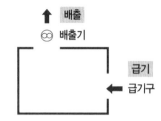

화재 시 배출기만 작동하여 화재장소의 내부압력을 낮추어 연기를 배출시키며 송풍기는 설치하지 않고 연기를 배출시킬 수 있으나 연기량이 많으면 배출이 완전하지 못한 설비로 화재 초기에 유리하다.

① 제1종 기계제연방식   ② 제2종 기계제연방식
③ 제3종 기계제연방식   ④ 스모크타워제연방식

▶ 해설

■ 기계 제연방식(강제 제연방식)
1) 제1종 기계 제연방식 : 송풍기 + 배출기방식
2) 제2종 기계 제연방식 : 송풍기방식
3) 제3종 기계 제연방식 : 배출기방식

23 백화점의 7층에 적용되지 않는 피난기구는 다음 중 어느 것인가?

① 구조대   ② 미끄럼대
③ 피난교   ④ 완강기

▶ 해설

■ 설치장소별 피난기구 적응성

구분	3층	4층 이상 10층 이하
그 밖의 것에 해당	미끄럼대 피난사다리 구조대 완강기 피난교 피난용트랩 간이완강기 공기안전매트 다수인피난장비 승강식피난기	피난사다리 구조대 완강기 피난교 간이완강기 공기안전매트 다수인피난장비 승강식피난기

Tip
[스모크 – 타워방식]
천장에 루프모니터 등이 바람에 의해 작동되면서 흡인력을 이용하여 제연

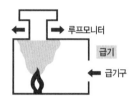

Tip
[피난기구]
4층 이상은 미끄럼대는 적응성이 없다.

정답
22 ③   23 ②

24 소방청장·소방본부장 또는 소방서장은 소방업무를 전문적이고 효과적으로 수행하기 위하여 소방대원에게 필요한 교육·훈련을 실시하여야 하는데, 다음 설명 중 옳지 않은 것은?

① 소방교육·훈련은 2년마다 1회 이상 실시하되, 교육·훈련기간은 2주 이상으로 한다.
② 법령에서 정한 것 이외의 소방교육·훈련의 실시에 관하여 필요한 사항은 소방방재청장이 정한다.
③ 교육·훈련의 종류는 화재진압훈련, 인명구조훈련, 응급처치훈련, 민방위훈련, 현장지휘훈련이 있다.
④ 현장지휘훈련은 지방소방위·지방소방경·지방소방령 및 지방소방정을 대상으로 한다.

[소방대 교육 및 훈련]
인명대피훈련은 모든 소방공무원이 받아야 한다.

해설

■ 소방대원에게 실시할 교육·훈련의 종류 등
1) 교육·훈련의 종류·교육·훈련 대상자

종류	교육·훈련을 받아야 할 대상자
화재진압훈련	① 소방공무원(화재진압 담당) ② 의무소방원 ③ 의용소방대원
인명구조훈련	① 소방공무원(구조업무 담당) ② 의무소방원 ③ 의용소방대원
응급처치훈련	① 소방공무원(구급업무 담당) ② 의무소방원 ③ 의용소방대원
인명대피훈련	① 소방공무원 ② 의무소방원 ③ 의용소방대원
현장지휘훈련	소방공무원 중 ① 지방소방정 ②지방소방령 ③ 지방소방경 ④ 지방소방위

2) 교육·훈련 횟수 및 기간

횟수	기간
2년마다 1회	2주 이상

정답
24 ③

25 건축물 등의 신축·증축 동의요구를 소재지 관할 소방본부장 또는 소방서장에게 한 경우 소방본부장 또는 소방서장은 건축허가 등의 동의요구 서류를 접수한 날부터 며칠 이내에 건축허가 등의 동의 여부를 회신하여야 하는가? (단, 허가 신청한 건축물이 연면적이 20만 m² 이상의 특정소방대상물인 경우이다)

① 5일   ② 7일
③ 10일   ④ 30일

> **해설**

■ 건축허가 등의 동의요구
1) 소방본부장 또는 소방서장
2) 동의 회신기한 : 서류 접수한 날로부터 5일
3) 회신기한 10일인 경우(특급안전관리대상물)
   ① 50층 이상(지하층 제외)   ② 지상으로부터 높이 200 m 이상인 아파트
   ③ 30층 이상(지하층 포함)   ④ 지상으로부터 120 m 이상인 아파트
   ⑤ 연면적 10만 m² 이상(아파트 제외)
   ※ 연면적 20만 m²는 10만 m² 이상이므로 특급안전관리대상물이다.

26 소방안전교육의 7원칙에 해당하지 않는 것은?

① 동기부여의 원칙   ② 교육자 중심의 원칙
③ 경험의 원칙   ④ 현실성의 원칙

> **해설**

■ 소방안전교육 7원칙

No	원칙	설명
1	학습자 중심의 원칙	1) 학습자에게 감동이 있는 교육 2) 한 번에 한 가지씩 습득 가능한 분량 교육 및 훈련 3) 쉬운 것부터 어려운 것으로 교육 실시하되 기능적 이해에 비중을 둠
2	동기부여의 원칙	1) 교육의 중요성 전달 2) 적절한 스케줄을 배정 3) 교육은 시기적절하게 실시 4) 교육의 재미를 부여 5) 핵심사항에 교육의 포커스를 맞춤 6) 학습에 대한 보상 제공 7) 다양성 활용 8) 사회적 상호작용 제공 9) 전문성 공유 10) 초기성공에 대해 격려

Tip
[건축허가 등의 동의대상물 제외]
⑴ 특정소방대상물에 설치되는 소화기구, 자동소화장치, 누전경보기, 단독경보형 감지기, 가스누설경보기, 피난구조설비(비상조명등은 제외한다)가 화재안전기준에 적합한 경우
⑵ 증축·용도변경으로 특정소방대상물에 추가로 소방시설이 설치되지 않은 경우
⑶ 소방시설공사의 착공신고 대상에 해당하지 않는 경우 해당 특정소방대상물

Tip
[소방교육 및 훈련 결과작성]
⑴ 자위소방대 및 초기대응체계 교육·훈련 실시결과 기록부 작성
⑵ 소방훈련·교육 실시결과 기록부 작성

> **정답**
> 25 ③   26 ②

No	원칙	설명
3	목적 원칙	1) 어떤 기술을 어느 정도까지 익혀야 되는 지를 명확히 제시 2) 습득하여야 할 기술이 활동 전체에서 어느 위치에 있는지 인식
4	현실성 원칙	학습자의 능력을 고려함
5	실습 원칙	1) 목적을 생각하고 적절한 방법으로 정확히 함 2) 실습을 통해 지식 습득
6	경험 원칙	사례를 들어 현실감 부여
7	관련성 원칙	실무적인 접목과 현장성이 있어야 함

27 건축물에 설치하는 방화구획의 기준에 관한 설명으로 옳지 않은 것은?

① 매 층마다 구획한다.
② 10층 이하의 층은 바닥면적 1000 m² 이내마다 구획한다.
③ 11층 이상의 층은 바닥면적 200 m² 이내마다 구획한다.
④ 스프링클러소화설비 설치 시 기준면적의 5배 이내마다 방화구획한다.

해설

■ 방화구획 기준

구획의 종류	구획의 단위	구획의 구조
면적별 구획	① 10층 이하의 층은 바닥면적 1000 m² 이내마다 구획 ② 11층 이상의 층은 바닥면적 200 m² 이내마다 구획(불연재료 : 500 m²) → 스프링클러 등 자동식 소화설비의 설치 부분은 위 면적의 3배 적용	① 내화구조 바닥, 벽 ② 60분+ 방화문 또는 60분 방화문 ③ 자동방화셔터
층별 구획	매 층마다 구획(지하 1층에서 지상으로 직접 연결하는 경사로 부위 제외)	
용도별 구획	주요구조부를 내화구조로 해야 하는 대상 부분과 기타 부분 사이의 구획	

Tip

[용어]
※ 피난시설 : 피난과 관련된 것으로써 복도, 출입구(비상구), 계단(직통계단, 피난계단 등), 피난용승강기, 옥상광장, 피난안전구역 등
※ 방화구획 : 방화구획과 관련된 것으로써 내화구조의 벽·바닥, 60분+ 또는 60분 방화문, 자동방화셔터 등
※ 방화시설 : 방화와 관련된 것으로써 내화구조, 방화구조, 방화벽, 마감재료(불연재료, 준불연재료, 난연재료), 배연설비, 소방관 진입창 등

※ **[28 ~ 29] 다음 소방안전관리대상물 현황표를 보고 물음에 답하시오.**

용도	아파트
규모	지상 30층 / 지하 3층 / 1600세대
소방안전관리자 현황	선임일자 : 2024년 4월 10일 강습 및 실무교육 : 이수이력 없음

28 **해당 소방안전관리대상물의 등급을 고르시오.**

① 특급소방안전관리대상물

② 1급소방안전관리대상물

③ 2급소방안전관리대상물

④ 3급소방안전관리대상물

해설

특급대상물	1급대상물	2급대상물	3급대상물
[아파트] • 50층 이상(지하층 제외) • 높이 200 m 이상 (지상부터)	[아파트] • 30층 이상 (지하층 제외) • 높이 120 m 이상 (지상부터)	• 지하구 • 공동주택 (옥내/SP설치) • 보물·국보목조건 축물 • 옥내소화전·스프 링클러·물분무등 설치대상	간이스프링 클러설비 또는 자동화재 탐지설비 설치된 특정소방 대상물
[아파트 제외한 모든 건축물] • 30층 이상(지하층 포함) • 높이 120 m 이상 (지상부터)	[아파트 제외한 모든 건축물] • 11층 이상 (지하층 제외)		
[모든 건축물] • 연면적 10만 m² 이상(아파트 제외)	[모든 건축물] • 연면적 1만 5천 m² 이상(아파트 및 연 립주택 제외)		
-	[가연성 가스] 1000 t 이상 저장· 취급	[가연성 가스] 100 ~ 1000 t 저장·취급 가스제조설비 도시 가스 허가시설	-
[제외 장소] • 지하구 • 위험물 저장·처리시설 중 위험물 제조소등 • 철강 등 불연물품 저장·취급 창고 • 동·식물원	[제외 장소] 호스릴방식의 물분 무 등만 설치한 경우	-	

정답

28 ②

29 소방안전관리자와 소방안전관리보조자 선임 인원을 고르시오.

① 소방안전관리자 1명, 소방안전관리보조자 1명

② 소방안전관리자 1명, 소방안전관리보조자 5명

③ 소방안전관리자 2명, 소방안전관리보조자 1명

④ 소방안전관리자 2명, 소방안전관리보조자 5명

해설

■ 소방안전관리보조자 선임

보조자선임대상 특정소방대상물	최소 선임기준
300세대 이상인 아파트	1명(300세대마다 1명 이상 추가)
연면적이 1만 5천 m² 이상인 특정소방대상물(아파트 및 연립주택 제외)	1명(연면적 1만 5천 m²마다 1명 이상 추가) 다만 특정소방대상물의 종합방재실에 자위소방대가 24시간 상시 근무하고, 소방자동차 중 소방펌프차, 소방물탱크차, 소방화학차, 무인방수차를 운용하는 경우 3000 m² 초과마다 1명 추가 선임한다.
1) 공동주택 중 기숙사 2) 의료시설 3) 노유자시설 4) 수련시설 5) 숙박시설(숙박시설로 사용되는 바닥면적의 합계가 1500 m² 미만이고 관계인이 24시간 상시 근무하고 있는 숙박시설은 제외)	1명 다만 해당 특정소방대상물이 소재하는 지역을 관할하는 소방서장이 야간이나 휴일에 해당 특정소방대상물이 이용되지 않는다는 것을 확인한 경우에는 선임하지 않을 수 있다.

※ 급수에 해당하는 소방안전관리자 1명을 선임하며, 300세대 이상인 아파트이므로 300세대를 초과할 때마다 소방안전관리보조자를 추가한다. 따라서 1600/300 = 5.33이며, 절삭하여 5명의 소방안전관리보조자를 선임한다.

※ [30 ~ 31] 다음 소방안전관리대상물의 조건을 보고 물음에 답하시오.

용도	의료시설
규모	지상 13층, 지하 2층, 연면적 8,000 m²
소방안전관리자 현황	선임일자 : 2024년 1월 15일 강습 및 실무교육 : 이수이력 없음

30 소방안전관리자의 실무교육 이수기한을 고르시오.

① 2025년 1월 14일　　② 2024년 7월 14일
③ 2025년 4월 14일　　④ 2024년 4월 14일

해설

■ 소방안전관리자 실무교육 주기

선임된 날부터 6개월 이내, 교육실시 후에는 2년마다 실시
강습 및 실무교육 이수이력이 없으므로 선임일자로부터 6개월 이내인 2024년 7월 14일까지 실무교육을 받는다.

31 해당 소방안전관리대상물의 소방안전관리자로 선임될 수 있는 사람을 고르시오.

① 소방공무원으로 5년 근무한 경력이 있는 사람
② 위험물산업기사 자격증을 취득한 사람
③ 소방설비산업기사 자격증을 취득한 사람
④ 특급 소방안전관리자 강습교육을 수료한 사람

해설

■ 소방안전관리자 교육

강습 및 실무교육	내용
실시권자	소방청장(한국소방안전원장에게 위임)
대상자	1) 소방안전관리자 및 소방안전관리보조자 2) 소방안전관리 업무를 대행하는 자를 감독할 수 있는 소방안전관리자 3) 소방안전관리자의 자격을 인정받으려는 자
실무교육 통보	교육실시 30일 전
실무교육 주기	선임된 날부터 6개월 이내, 교육실시 후에는 2년마다 실시. 다만 강습교육 또는 실무교육 수료 후 1년 이내에 선임 시, 6개월 교육은 면제된다(즉, 선임 후 2년마다 실무교육 실시).

정답

30 ②　　31 ③

강습 및 실무교육		내용
실무교육 미이행 시	벌칙	과태료 50만 원
	자격정지	1) 처분권자 : 소방청장 2) 1년 이하의 기간을 정하여 자격을 정지시킬 수 있음 　① 1차 : 경고(시정명령) 　② 2차 : 자격정지(3개월) 　③ 3차 : 자격정지(6개월)

■ 소방안전관리대상물

특급대상물	1급대상물	2급대상물
[아파트] • 50층 이상(지하층 제외) • 높이 200 m 이상 (지상부터)	[아파트] • 30층 이상(지하층 제외) • 높이 120 m 이상 (지상부터)	• 지하구 • 공동주택(옥내/SP 설치) • 보물·국보목조건축물 • 옥내소화전·스프링클러·간이스프링클러·물분무등 설치대상
[아파트 제외한 모든 건축물] • 30층 이상(지하층 포함) • 높이 120 m 이상 (지상부터)	[아파트 제외한 모든 건축물] • 11층 이상(지하층 제외)	
[모든 건축물] • 연면적 10만 m^2 이상 (아파트 제외)	[모든 건축물] • 연면적 1만 5천 m^2 이상(아파트 및 연립주택 제외)	
-	[가연성 가스] 1000 t 이상 저장·취급	[가연성 가스] 100 ~ 1000 t 저장·취급 가스제조설비 도시가스 허가시설
[제외 장소] • 지하구 • 위험물 저장·처리시설 중 위험물 제조소 등 • 철강 등 불연물품 저장·취급 창고 • 동·식물원		[제외 장소] 호스릴방식의 물분무 등만 설치한 경우

■ 1급 소방안전관리자 자격
1) 소방설비기사 또는 소방설비산업기사 자격
2) 소방공무원 7년 이상 근무 경력
3) 특급 소방안전관리자 자격이 인정되는 사람
4) 1급 소방안전관리대상물의 소방안전관리에 관한 시험에 합격

32 다음과 같은 건축물의 수평적 경계구역 개수를 구하시오. (단, 한 변의 길이는 모두 50 m 이하이며, 최소 개수를 산정하시오)

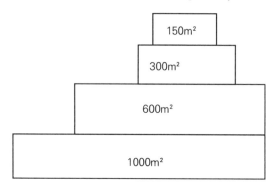

① 3개
② 4개
③ 5개
④ 6개

Tip
[수직적 경계구역]
⑴ 계단·경사로(에스컬레이터 포함)는 별도의 경계구역 산정 → 45 [m] 이하
⑵ 엘리베이터 승강로(권상기실 포함)·린넨슈트·파이프피트 및 덕트 기타 이와 유사한 부분은 별도의 경계구역 산정 → 높이 기준 없음
⑶ 지하층의 계단 및 경사로(지하층 층수 1일 경우 제외)는 별도로 경계구역 산정

해설

■ 경계구역 산정

1) 수평적 경계구역
   ⑴ 하나의 경계구역이 2 이상의 건축물 및 2 이상의 층에 미치지 않을 것
      2개의 층을 하나의 경계구역으로 산정하는 경우 : 바닥의 합이 500 m² 이하
   ⑵ 하나의 경계구역 면적 : 600 m² 이하
      ① 한 변 길이 : 50 [m] 이하
      ② 주출입구에서 내부 전체 보이는 것 : 한 변 길이가 50 m의 범위 내 1000 m² 이하

따라서
1층 : 1000/600 → 절상해서 2개
2층 : 600/600 → 1개
3층 + 4층 : 450이므로 1개
총 4개

정답
32 ②

33 다음은 침대가 없는 숙박시설이다. 수용인원을 산정하시오.

객실 202호	객실 203호	객실 204호	객실 205호
복도 면적 30m²			
객실 209호	객실 208호	객실 207호	객실 206호

- 모든 객실의 바닥면적은 150 m²이다.
- 복도의 길이는 10 m이며, 면적은 30 m²이다.
- 종사자수는 5명이다.

① 400명 ② 405명
③ 420명 ④ 500명

Tip

[수용인원산정]
⑴ 바닥면적 산정 시 복도, 계단 및 화장실은 바닥면적을 포함하지 않는다.
⑵ 소수점 이하의 수는 반올림한다.

[해설]

■ 수용인원 산정

구분	조건	수용인원 산정방법
숙박시설	침대 있음	종사자 수 + 침대 수(2인용 : 2인)
	침대 없음	종사자 수 + 바닥면적 합계 / 3 m²
숙박시설 이외	• 강의실·교무실·상담실·실습실·휴게실 용도로 쓰이는 특정소방대상물	바닥면적 합계 / 1.9 m²
	• 강당·문화 및 집회시설·운동시설·종교시설 • 관람석에 고정식 의자가 있는 경우 • 관람석에 긴 의자가 있는 경우	바닥면적 합계 / 4.6 m² 의자 수 의자의 정면너비 / 0.45 m
	그 밖의 대상물	바닥면적 합계 / 3 m²

$$\therefore \frac{150 \times 8}{3} = 400$$

400 + 종사자 수 5명 = 405명

34 다음의 설명을 보고 알맞은 밸브 명칭을 고르시오.

• 배관 내의 유체 흐름을 한 방향으로 흐르게 하는 기능
• 수평, 수직 어느 쪽 배관에도 사용 가능
• 주 급수배관이 아닌 유량이 적은 배관에 사용

① 스모렌스키 체크밸브   ② 스윙체크밸브
③ 리프트 체크밸브   ④ 풋밸브

해설

■ 체크밸브

배관 내 유체의 흐름을 한쪽 방향으로만 흐르게 하는 기능(역류방지 기능)이 있는 밸브를 체크밸브라고 하며, 현재 많이 사용하고 있는 체크밸브는 스모렌스키 체크밸브와 스윙체크밸브가 있다.

1) 스모렌스키 체크밸브 : 스프링이 내장된 리프트 체크밸브로서 평상시에는 체크밸브 기능을 하며, 수격이 발생할 수 있는 펌프 토출 측과 연결송수구 연결 배관등에 주로 설치된다.
2) 스윙체크밸브 : 주 급수배관이 아닌 물올림장치의 펌프 연결배관, 유수검지장치의 주변배관과 같은 유량이 적은 배관상에 사용된다.

※ [35 ~ 36] 다음 보기를 보고 각 물음에 답하시오.

〈보기〉
• 특정소방대상물 : 모아영화상영관
• 연면적 : 3,500 m²
• 소방시설현황 : 스프링클러설비, 옥내소화전설비, 자동화재탐지설비, 소화기구, 비상조명등, 유도등, 제연설비, 누전경보기, 비상방송설비
• 완공일 : 2020년 4월 25일
• 사용승인일 : 2020년 5월 11일

35 모아영화상영관에 대한 설명으로 틀린 것을 고르시오.

① 작동점검 제외대상이다.
② 2024년 5월에 종합점검을 실시한다.
③ 2024년 11월에 작동점검을 실시한다.
④ 종합점검과 작동점검은 소방시설관리사 또는 소방안전관리자가 실시한다.

해설

■ 작동점검 제외 대상

1) 위험물제조소등   2) 소방안전관리자를 선임하지 않은 대상
3) 특급소방안전관리대상물

[자체점검]

(1) 작동점검 : 소방시설등을 인위적으로 조작하여 정상적으로 작동하는지를 작동점검표에 따라 점검하는 것
(2) 종합점검 : 소방시설등의 작동점검을 포함하여 소방시설등의 설비별 주요 구성 부품의 구조기준이 화재안전기준과 건축법 등 관련 법령에서 정하는 기준에 적합한지 여부를 종합점검표에 따라 점검하는 것
① 최초점검 : 소방시설이 새로 설치되는 경우 건축물을 사용할 수 있게 된 날부터 60일 이내 점검
② 그 밖의 종합점검 : 최초점검을 제외한 종합점검

정답

34 ②   35 ①

36 모아영화상영관의 자체점검 시 필요한 점검 장비로 알맞은 것을 모두 고르시오.

> ㉠ 방수압력측정계 　　　㉡ 음량계
> ㉢ 차압계 　　　　　　　㉣ 조도계
> ㉤ 누전계

① ㉠, ㉡, ㉢
② ㉡, ㉢, ㉤
③ ㉠, ㉡, ㉢, ㉣, ㉤
④ ㉢, ㉣, ㉤

[해설]

■ 소방시설 점검장비
- 옥내소화전설비 : 소화전밸브압력계
- 스프링클러설비 : 헤드결합렌치
- 자동화재탐지설비 및 시각경보기 : 열·연기감지기시험기, 공기주입시험기, 음량계
- 누전경보기 : 누전계
- 무선통신보조설비 : 무선기
- 제연설비 : 풍속풍압계, 차압계, 폐쇄력측정기
- 통로유도등, 비상조명등 : 조도계

37 가연물에 대한 일반적인 설명으로 옳은 것은?

① 산소와 반응 시 흡열반응을 하는 것은 가연물이 될 수 없다.
② 구성 원소 중 산소가 포함된 유기물은 가연물이 될 수 없다.
③ 활성화에너지가 클수록 가연물이 되기 쉽다.
④ 산소와 친화력이 작을수록 가연물이 되기 쉽다.

[해설]

■ 발화점이 낮아지는 조건(위험성↑)
1) 발열량이 클수록
2) 산소의 농도가 클수록(산소와 친화력이 클수록)
3) 압력이 높을수록
4) 분자구조가 복잡할수록
5) 활성화에너지가 낮을수록
6) 열전도율이 낮을수록

Tip
[점검 전 준비사항]
⑴ 협의나 협조를 받을 건물 관계인 등의 연락처를 사전 확보
⑵ 건물관계인에 사전 안내
⑶ 음향장치 및 각 실별 방문점검을 미리 공지·숙지

Tip
발열반응을 해야 가연물이 될 수 있다.

38 다음 물질 중 연소범위가 가장 넓은 것은?

① 에틸렌
② 프로판(프로페인)
③ 메탄(메테인)
④ 수소

해설

■ 주요 물질의 연소범위

가스	하한계vol%	상한계vol%
아세틸렌	2.5	81
수소	4	75
일산화탄소	12.5	74
에틸렌	2.1	32
암모니아	15	28
메탄(메테인)	5	15
에탄(에테인)	3	12.4
프로판(프로페인)	2.1	9.5
부탄(부테인)	1.8	8.4

Tip

(1) 연소범위의 위험성 크기 비교
아세틸렌 > 수소 > 일산화탄소 > 에틸렌 > 메탄(메테인) > 에탄(에테인) > 프로판(프로페인) > 부탄(부테인)

(2) 연소범위가 넓을수록 위험도는 크다.

위험도 = $\dfrac{UFL - LFL}{LFL}$

39 펌프 점검 완료 후 동력제어반 상태가 다음과 같을 때 복구 순서로 옳은 것은?

주펌프 - 펌프선택스위치(수동)
기동등 및 펌프기동확인표시등(점등)
충압펌프 - 펌프운전선택스위치(정지)
정지등(점등)

① 주펌프 자동 → 충압펌프 자동 → 주펌프 정지
② 충압펌프 자동 → 주펌프 정지 → 주펌프 자동
③ 주펌프 정지 → 충압펌프 자동 → 주펌프 자동
④ 충압펌프 자동 → 주펌프 자동 → 주펌프 정지

해설

■ 펌프성능시험 복구
펌프 점검 완료 후 펌프 토출 측 배관에 압력을 채워 주기 위해 충압펌프로 압력을 보충
1) 주펌프 정지 전환
2) 충압펌프 자동으로 펌프 토출 측 설정압력 세팅
3) 주펌프 자동 전환

정답
38 ④   39 ③

40 **옥외소화전설비에 관한 설명 중 옳지 않은 것은?**

① 방수량은 350 L/min 이상이다.

② 수원은 소화전 설치개수(2개 이상일 때는 2개)에 7 m³을 곱한 양 이상이다.

③ 2개의 소화전(1개인 경우는 1개) 동시 사용하는 경우 방수압력은 0.25 MPa 이상 0.7 MPa 이하이다.

④ 보행거리 40 m 이하가 되도록 설치한다.

해설

▣ 옥외소화전 기준

1) 수원량(m^3) = N × 7 m³ = (N : 기준개수, 최대 2개)

2) 방수압력 : 0.25 MPa 이상 0.7 MPa 이하

3) 방수량 : 350 L/min 이상

4) 호스 구경 : 65 mm

5) <u>호스접결구까지 수평거리 : 40 m 이하</u>

41 **정온식 스포트형 감지기에서 접점을 붙여 화재신호를 수신기에 보내는 역할을 하는 것은?**

① 바이메탈
② 감열판
③ 다이아프램
④ 리크구멍

해설

▣ 정온식 스포트형 감지기 동작원리

1) 구조 : 바이메탈, 감열판 및 접점 등으로 구분

2) 동작원리 : 화재 시 감열판에 열전달 → 바이메탈이 휘어져 기동접점으로 이동
  → 접점이 붙어 화재신호를 수신기에 보냄

42 **다음과 같은 장소에 설치해야 하는 소화기 능력단위와 적정 소화기 개수를 산정하시오.**

1. 바닥면적은 1000 m²이다.
2. 위락시설이다.
3. 건축물은 내화구조이며 불연재료로 내장하였다.
4. 3단위 소화기를 설치한다.

① 1개
② 2개
③ 3개
④ 6개

▣ 소화기 개수산정

특정소방대상물	소화기구 능력단위
위락시설	바닥면적 30 m²마다 능력단위 1단위
공연장, 집회장, 관람장, 문화재, 장례식장 및 의료시설	바닥면적 50 m²마다 능력단위 1단위
근린생활시설, 판매시설, 운수시설, 숙박시 설, 노유자시설, 전시장, 공동주택, 업무시설, 방송통신시설, 공장, 창고시설, 항공기 및 자 동차 관련 시설 및 관광휴게시설	**바닥면적 100 m²마다 능력단위 1단위**
그 밖의 것	바닥면적 200 m²마다 능력단위 1단위

주요구조부가 내화구조이며, 벽 및 반자의 실내와 면하는 부분이 불연재료, 준불연
재료, 난연재료인 경우 기준면적의 2배 적용하여 산출

1) 주요구조부가 내화구조이고, 벽 및 반자의 실내와 면하는 부분이 불연재료로 된
   위락시설 바닥면적 기준 : 30 m² × 2배 = 60 m²
2) 1000 m² ÷ 60 m² = 17단위(절상)
3) 17단위 ÷ 3단위 = 5.66 → 6개(절상)

43 영화관에 객석통로의 직선부분의 길이가 40 m일 때 객석유도등은 몇
개를 설치해야 하는가?

① 5개   ② 6개
③ 8개   ④ 9개

▣ 객석유도등의 설치수량

$$설치개수 = \frac{객석통로의\ 직선부분\ 길이(m)}{4} - 1$$
$$= 40/4 - 1$$
$$= 9개$$

[유도등]
복도통로유도등과 거실통로
유도등은 20 m마다 1개 이
상 설치한다.

정답
43 ④

44 다음 조건을 참조하여 소방계획서 중 비상연락체계를 작성하였다. 이때 작성된 내용으로 틀린 것을 고르시오.

〈조건〉
연면적 5000 m²이며 지하층을 제외한 층수가 13층인 업무시설이다.

구분	대응방법 및 절차
화재경보	화재경보방식(① ☑ 일제경보, □ 우선경보)
상황전파	화재상황 전파 시 다음방법에 따라 상황 전파 ② ☑ 육성 ③ ☑ 비상방송설비 ④ ☑ 경종 ☑ 시각경보기

① 일제경보   ② 육성
③ 비상방송설비   ④ 경종

[해설]

■ 경보방식
1) 일제경보방식 : 화재 시 전 층에 경보하는 방식(소규모)
2) 우선경보방식 : 층수가 11층(공동주택 16층) 이상의 특정소방대상물
  (1) 2층 이상의 층에서 발화 시 : 발화층 및 그 직상 4개 층에 경보할 것
  (2) 1층에서 발화 시 : 발화층·그 직상 4개 층 및 지하층에 경보할 것
  (3) 지하층에서 발화 시 : 발화층·그 직상층 및 그 밖의 지하층에 경보할 것

45 다음 보기 중 방염성능기준 이상의 방염대상물품을 설치해야 하는 장소와 방염대상 물품에 대해 옳게 짝지어진 것을 모두 고르시오.

가. 의료시설 - 카펫
나. 의원 - 두께 2 mm 미만인 종이벽지류
다. 종교시설 - 커튼
라. 노래연습장 - 섬유류를 원료로 하여 제작된 소파

① 가, 나   ② 가, 나, 다
③ 가, 다, 라   ④ 가, 나, 다, 라

[해설]

■ 방염성능기준 이상의 실내장식물 등을 설치해야 하는 특정소방대상물
1) 근린생활시설 중 의원, 조산원, 산후조리원, 체력단련장, 공연장 및 종교집회장, 치과의원, 한의원
2) 건축물의 옥내에 있는 시설로서 문화 및 집회시설, 종교시설, 운동시설(수영장은 제외)

Tip
[방염처리된 물품의 사용을 권장할 수 있는 경우]
(1) 다중이용업소, 의료시설, 노유자시설, 숙박시설 또는 장례식장에서 사용하는 침구류·소파 및 의자
(2) 건축물 내부의 천장 또는 벽에 부착하거나 설치하는 가구류

정답
44 ①   45 ③

3) 의료시설   4) 교육연구시설 중 합숙소

5) 노유자시설   6) 숙박이 가능한 수련시설

7) 숙박시설   8) 방송통신시설 중 방송국 및 촬영소

9) 다중이용업소

10) 1) ~ 9) 외의 것으로서 층수가 11층 이상인 것(아파트 제외)

■ 방염대상물품

1) 제조 또는 가공 공정에서 방염처리를 한 물품

(1) 창문에 설치하는 커튼류(블라인드를 포함한다)

(2) 카펫

(3) 두께가 2 mm 미만인 벽지류(종이벽지는 제외)

(4) 전시용 합판목재 또는 섬유판, 무대용 합판목재 또는 섬유판

(5) 암막 · 무대막(영화상영관의 스크린, 골프연습장업의 스크린을 포함)

(6) 섬유류 또는 합성수지류 등을 원료로 하여 제작된 소파 · 의자(단란주점영업,
유흥주점영업 및 노래연습장업의 영업장에 설치하는 것만 해당)

2) 건축물 내부의 천장이나 벽에 부착하거나 설치하는 것(다만 가구류와 너비 10
cm 이하 반자돌림대와 내부마감재료는 제외)

(1) 종이류(두께 2 mm 이상) · 합성수지류 또는 섬유류를 주원료로 한 물품

(2) 합판이나 목재

(3) 공간을 구획하기 위하여 설치하는 간이 칸막이(접이식 등 이동 가능한 벽체나
천장 또는 반자가 실내에 접하는 부분까지 구획하지 아니하는 벽체)

(4) 흡음이나 방음을 위하여 설치하는 흡음재(흡음용 커튼을 포함) 또는 방음재(방
음용 커튼을 포함)

46 다음은 응급처치 체계도를 나타낸 것이다. ㉠, ㉡, ㉢에 들어갈 내용으
로 옳은 것을 고르시오.

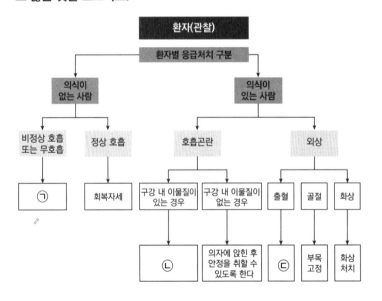

[응급처치 기본사항]

(1) 기도 확보(유지)

① 구강 내 이물질 제거하
기 위해 기침 유도, 기
침이 어려울 시 하임리
히법 실시(이물질 함부
로 제거 금지)

② 구토를 하는 경우 머리
를 옆으로 돌려 구토물
의 흡입으로 인한 질식
예방

③ 이물질 제거 후 머리를
뒤로 젖히고, 턱을 위로
들어 올려 기도 개방

(2) 지혈

출혈부위 지압으로 저산
소 출혈성 쇼크 방지

(3) 상처 보호

상처 부위에 소독거즈로
응급처치하고 붕대로 드
레싱하되, 1차 사용한 거
즈 등으로 상처를 닦는 것
은 금하고 청결하게 소독
된 거즈 사용

① ㉠ : 심폐소생술, ㉡ : 회복자세, ㉢ : 지혈
② ㉠ : 심폐소생술, ㉡ : 회복자세, ㉢ : 압박
③ ㉠ : 심폐소생술, ㉡ : 복부 밀어내기, ㉢ : 지혈
④ ㉠ : 심폐소생술, ㉡ : 복부 밀어내기, ㉢ : 압박

해설

■ 응급처치 체계도

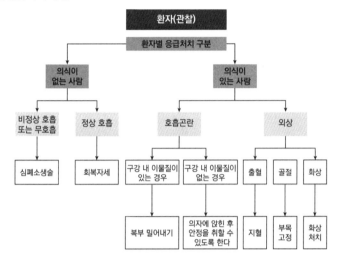

※ 출처 : 한국소방안전원

47 다음은 심폐소생술에 대한 그림이다. 틀린 설명을 고르시오.

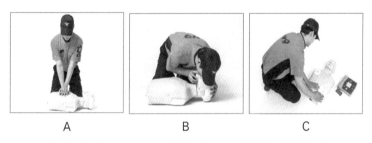

A   B   C

※ 출처 : 한국소방안전원

① 그림 A는 분당 100 ~ 120회의 속도로 환자의 가슴이 약 5 cm (소아 4 ~ 5 cm) 깊이로 눌릴 수 있게 체중을 실어 강하게 압박해야 한다.
② 환자 발견 즉시 그림 A의 모습대로 40회와 그림 B의 모습으로 2회의 인공호흡을 실시한 이후 119에 신고한다.
③ 그림 C의 응급처치 기기 사용 시 2개의 패드를 각각 오른쪽 빗장뼈 아래 위치와 왼쪽 젖꼭지 아래의 중간겨드랑선에 부착해야 한다.
④ 그림은 심폐소생술 관련 동작으로, 기본 순서는 가슴압박 → 기도유지 → 인공호흡이다.

정답

47 ②

■ 심폐소생술

조치	내용	
반응 확인	환자에게 "여보세요, 괜찮으세요?"라고 물어보고 소리를 내거나 반응이 없으면 심정지 가능성 높음	
119신고	주변사람에게 119신고 요청	
호흡 확인	얼굴과 가슴을 10초 이내 관찰하고 호흡이 없으면 심정지 판단	
가슴압박 30회 시행	성인 분당 100 ~ 120회 속도로 환자의 가슴이 약 5 cm(소아 4 ~ 5 cm) 깊이로 강하게 눌리도록 체중을 실어 가슴압박	
인공호흡 2회 시행	1) 환자의 머리를 젖히고, 턱을 들어 올려 기도 개방 2) 엄지와 검지로 환자의 코를 잡아서 막고, 입을 크게 벌려 환자의 입을 완전히 막은 후 가슴이 올라올 정도로 1초에 걸쳐 숨을 불어 넣음 3) 숨을 불어넣은 후에는 입을 떼고 코도 놓아 공기 배출	
가슴압박과 인공호흡 반복	심폐소생술 5주기 시행 30 : 2 가슴압박과 인공호흡 5회 반복	
회복자세	환자가 움직이거나 호흡이 회복되었는지 확인하고, 호흡이 회복된 경우 옆으로 눕혀 기도 개방	

48 다음 중 온도가 높은 것부터 옳게 나열한 것을 고르시오.

① 연소점 > 인화점 > 발화점
② 발화점 > 연소점 > 인화점
③ 인화점 > 연소점 > 발화점
④ 인화점 > 발화점 > 연소점

해설 ─────

▣ 인화점, 연소점, 발화점

인화점 < 연소점 < 발화점

인화점	점화원을 가했을 때 연소가 시작되는 최저온도
연소점	• 외부 점화원에 의해 발화 후 연소를 지속시킬 수 있는 최저온도 • 인화점보다 5 ~ 10 ℃ 높고, 불꽃이 최소 5초 이상 지속되는 온도
발화점	가연성 물질에 불꽃을 접하지 아니하였을 때 연소가 가능한 최저온도

49 건축법에서 사용하는 용어 중 "이전"의 정의로 알맞은 것을 고르시오.

① 기존 건축물이 있는 대지에서 건축물의 건축면적, 연면적, 층수 또는 높이를 늘리는 것
② 건축물이 천재지변이나 그 밖의 재해(災害)로 멸실된 경우 그 대지에 다시 축조하는 것
③ 건축물의 주요구조부를 해체하지 아니하고 같은 대지의 다른 위치로 옮기는 것
④ 건축물이 없는 대지(기존 건축물이 해체되거나 멸실된 대지를 포함한다)에 새로 건축물을 축조(築造)하는 것

해설 ─────

▣ 개축

기존 건축물의 전부 또는 일부(내력벽·기둥·보·지붕틀 중 셋 이상이 포함되는 경우를 말한다)를 해체하고 그 대지에 종전과 같은 규모의 범위에서 건축물을 다시 축조하는 것

Tip

[위험성]
온도가 올라갈수록 액체 위험물의 점도가 낮아져서 쉽게 점화할 수 있으므로 위험성이 더 크다.

정답

48 ② 49 ③

50 다음은 옥내소화전설비의 동력제어반과 감시제어반을 나타낸 것이다. 틀린 설명을 고르시오.

 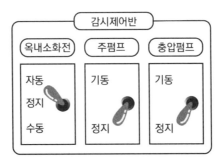

① 동력제어반의 주펌프 ON버튼을 눌러도 주펌프는 기동하지 않는다.
② 감시제어반은 정상상태이다.
③ 감시제어반의 주펌프스위치를 기동으로 두면 주펌프는 기동한다.
④ 동력제어반의 충압펌프선택스위치를 자동으로 두면 모든 제어반은 정상상태이다.

[해 설]

■ 동력제어반과 감시제어반
감시제어반과 동력제어반은 평상시 자동위치에 있어야 한다.
이때 동력제어반의 충압펌프가 수동위치에 있으므로 자동위치로 두어야 정상상태가 된다.
동력제어반의 주펌프 On버튼을 눌렀을 때 주펌프가 기동하려면 선택스위치가 수동위치에 있어야 한다.
감시제어반에서 주펌프를 기동하기 위해서는 선택스위치를 수동으로 둔 후 주펌프 기동을 해야 한다.

정답
50 ③

02회 실전모의고사

01 전기화재가 발생되는 발화 요인으로 틀린 것은?

① 역률　　　　　　　　② 누전
③ 과전류　　　　　　　④ 단락

해설

■ 전기화재 요인
- 과전류(과부하)　　　• 단락(합선)
- 누전　　　　　　　　• 낙뢰
- 전기불꽃　　　　　　• 정전기로 인한 스파크 발생

※ 역률 : 실제 일을 하는 유효전력에 비해 일을 하지 않고 소요되는 무효전력이 얼마나 적은지를 나타내는 비율

02 소방기본법상 화재 또는 구조·구급이 필요한 상황을 거짓으로 알린 사람자의 과태료는?

① 100만 원 이하　　　② 200만 원 이하
③ 300만 원 이하　　　④ 500만 원 이하

해설

■ 과태료
1) 500만 원 이하의 과태료
　(1) 화재 또는 구조·구급이 필요한 상황을 거짓으로 알린 사람
　(2) 정당한 사유 없이 화재, 재난·재해, 그 밖의 위급한 상황을 소방본부, 소방서 또는 관계 행정기관에 알리지 아니한 관계인
2) 200만 원 이하의 과태료
　(1) 소방자동차의 출동에 지장을 준 자
　(2) 소방활동구역을 출입한 사람
　(3) 한국119청소년단, 한국소방안전원 또는 이와 유사한 명칭을 사용한 자
3) 100만 원 이하의 과태료
　전용구역에 차를 주차하거나 전용구역에의 진입을 가로막는 등의 방해 행위를 한 자
4) 20만 원 이하의 과태료
　화재로 오인할 만한 우려가 있는 불을 피우거나 연막 소독을 하기 전에 신고를 하지 않아 소방자동차를 출동하게 한 자

Tip

[전기화재]
전류가 흐르고 있는 전기기기 및 배선과 관련된 화재를 말한다.

정답

01 ①　02 ④

03 방화구획의 설치기준 중 스프링클러설비, 기타 이와 유사한 자동식 소화설비를 설치한 10층 이하의 층은 몇 m²마다 구획하는지 고르시오.

① 600　　　　　　　　② 1000
③ 1500　　　　　　　④ 3000

해설

■ 방화구획의 기준

구획의 분류	구획단위
면적별	• 지상 10층 이하 : 바닥면적 1000 m² 이내마다 구획 • 지상 11층 이상 : 바닥면적 200 m² 이내마다 구획 • 지상 11층 이상 → 마감재가 불연재료 : 바닥면적 500 m² 이내마다 구획 • 자동식 소화설비구역은 상기바닥면적 × 3배 이내마다 구획
층별	• 매 층마다 구획할 것(단, 지하 1층에서 지상으로 직접 연결하는 경사로 부위는 제외)
용도별	• 필로티나 그 밖에 이와 비슷한 구조(벽면적의 2분의 1 이상이 그 층의 바닥면에서 위층 바닥 아래면까지 공간으로 된 것만 해당한다)의 부분을 주차장으로 사용하는 경우 그 부분은 건축물의 다른 부분과 구획할 것 • 주요 구조부를 내화구조로 하여야 하는 대상 부분과 기타 부분 사이
수직 관통부별	• 수직 관통 부분과 타 부분을 내화성능 벽이나 방화문으로 구획 • 계단실, 승강로, 린넨슈트, 에스컬레이터, 파이프 피트 등

※ 10층 이하의 층이기 때문에 바닥면적 1000 m² 이내마다 구획하지만 자동식소화설비를 설치하였으므로 3배인 3000 m² 이내마다 구획한다.

04 다음 물질 중 연소범위가 가장 넓은 것은?

① 에틸렌　　　　　　② 프로판(프로페인)
③ 메탄(메테인)　　　④ 수소

해설

■ 연소범위(Flammability Limit)

가스	하한계vol%	상한계vol%
아세틸렌	2.5	81
수소	4	75
일산화탄소	12.5	74
에틸렌	2.1	32
암모니아	15	28

Tip

[연소범위]
연소범위가 넓을수록 위험도는 크다.

위험도 $= \dfrac{UFL - LFL}{LFL}$

정답

03 ④　04 ④

가스	하한계vol%	상한계vol%
메탄(메테인)	5	15
에탄(에테인)	3	12.4
프로판(프로페인)	2.1	9.5
부탄(부테인)	1.8	8.4

05 비상방송설비 음향장치의 음량조정기를 설치하는 경우 음량조정기의 배선은?

① 단선식   ② 2선식
③ 3선식   ④ 4선식

해설

◼ 비상방송설비의 음량조정기
음량조정기를 설치하는 경우 음량조정기의 배선은 3선식으로 할 것

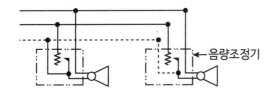

음량조정기

06 비상경보설비의 설치기준으로 옳은 것은?

① 음향장치는 정격전압의 90 % 이상의 전압에서 음향을 발할 수 있도록 할 것
② 음향장치의 음량은 부착된 음향장치의 중심으로부터 1 m 떨어진 위치에서 80 dB 이상이 되는 것으로 할 것
③ 발신기는 소방대상물의 층마다 설치하되 발신기의 수평거리가 15 m 이하가 되도록 할 것
④ 발신기는 조작이 쉬운 장소에 설치하고 조작스위치는 바닥으로부터 0.8 m 이상 1.5 m 이하의 높이에 설치할 것

해설

◼ 비상경보설비의 설치기준
1) 음향장치는 정격전압의 80 % 전압에서 음향을 발할 수 있도록 하여야 한다.
2) 음향장치의 음량은 부착된 음향장치의 중심으로부터 1 m 떨어진 위치에서 90 dB 이상이 되는 것으로 하여야 한다.
3) 해당 특정소방대상물의 각 부분으로부터 하나의 발신기까지의 수평거리가 25 m 이하가 되도록 할 것

Tip

[유도등]
⑴ 유도등은 전기회로에 점멸기를 설치하지 않고 항상 점등 상태(2선식) 유지
⑵ 특정소방대상물 또는 그 부분에 사람이 없거나 다음의 어느 하나에 해당하는 장소로서 3선식 배선에 따라 상시 충전되는 구조인 경우에는 제외
　① 외부의 빛에 의해 피난구 또는 피난방향을 쉽게 식별할 수 있는 장소
　② 공연장, 암실(暗室) 등으로서 어두워야 할 필요가 있는 장소
　③ 특정소방대상물의 관계인 또는 종사원이 주로 사용하는 장소
⑶ 3선식 배선 시 자동으로 점등되는 경우
　① 자동화재탐지설비의 감지기 또는 발신기가 작동되는 때
　② 비상경보설비의 발신기가 작동되는 때
　③ 상용전원이 정전되거나 전원선이 단선되는 때
　④ 방재업무를 통제하는 곳 또는 전기실의 배전반에서 수동으로 점등하는 때
　⑤ 자동소화설비가 작동되는 때

07 비화재보의 원인과 대책으로 틀린 것을 고르시오.

① 원인 : 습도 증가에 의한 감지기 오동작
　　대책 : 내부 먼지 제거 후 복구스위치 누름
② 원인 : 주방에 비적응성이 있는 감지기가 설치된 경우
　　대책 : 적응성이 있는 감지기인 차동식 감지기로 교체한다.
③ 원인 : 천장형 온풍기에 밀접하게 설치된 경우
　　대책 : 기류흐름 방향에서 이격하여 설치한다.
④ 원인 : 담배연기로 인한 연기감지기가 동작한 경우
　　대책 : 흡연구역에 환풍기 등을 설치한다.

해설

■ 비화재보의 원인과 대책

원인	대책
습도 증가에 의한 감지기 오동작	복구스위치 누름 or 동작된 감지기 복구
주방에 비적응성(차동식) 감지기 설치	적응성(정온식) 감지기로 교체
감지기를 천장형 온풍기에 밀접하게 설치	기류흐름 방향으로부터 이격시켜 설치
먼지·분진에 의한 감지기 오동작	내부 먼지 청소 후 복구스위치 누름 or 감지기 교체
담배연기로 인한 연기감지기 오동작	흡연구역에 환풍기 설치
건축물 누수로 인한 감지기 오동작	누수부분 방수처리 및 감지기 교체
장난으로 발신기 누름버튼 동작	입주자 소방안전교육

08 다음 중 터널에 설치하는 소방시설 중 터널 길이에 따른 설치대상이 다른 하나를 고르시오.

① 옥내소화전설비　　　② 자동화재탐지설비
③ 비상콘센트설비　　　④ 연결송수관설비

해설

■ 터널 길이에 따른 소방시설
1) 500 m 이상
　⑴ 비상경보설비　　　⑵ 비상조명등설비
　⑶ 비상콘센트설비　　⑷ 무선통신보조설비
2) 1000 m 이상
　⑴ 옥내소화전설비　　⑵ 연결송수관설비　　⑶ 자동화재탐지설비

정답
07 ②　　08 ③

09 **화재 시 일반적인 피난행동으로 옳지 않은 것을 고르시오.**

① 아파트의 경우 세대 밖으로 나가기 어려울 경우 세대 사이에 설치된 경량칸막이를 통해 옆 세대로 대피하거나 세대 내 대피공간으로 대피한다.

② 출입문을 열기 전 문손잡이가 뜨거우면 문을 열지 말고 다른 길을 찾는다.

③ 연기 발생 시 낮은 자세로 이동하고, 코와 입을 수건 등으로 막아 연기를 마시지 않도록 한다.

④ 계단보다는 엘리베이터를 이용하여 대피한다.

Tip

[피난실패 시]
⑴ 건물 밖으로 대피하지 못한 경우 밖으로 통하는 창문이 있는 방으로 들어가기
⑵ 방안으로 연기가 들어오지 못하도록 문틈을 커튼 등으로 막고, 내부 물건 등을 활용하여 자신의 위치를 알리고 구조를 기다리기

해설

▣ 화재 시 일반적 피난행동
1) 엘리베이터는 절대 이용하지 않도록 하며 계단을 이용해 옥외로 대피
2) 아래층으로 대피가 불가능한 때에는 옥상으로 대피
3) 아파트의 경우 세대 밖으로 나가기 어려울 경우 세대 사이에 설치된 경량칸막이를 통해 옆 세대로 대피하거나 세대 내 대피공간으로 대피
4) 유도등, 유도표지를 따라 대피
5) 연기 발생 시 최대한 낮은 자세로 이동하고, 코와 입을 젖은 수건 등으로 막아 연기를 마시지 않도록 주의
6) 출입문을 열기 전 문손잡이가 뜨거우면 문을 열지 말고 다른 길 찾기
7) 옷에 불이 붙었을 때에는 눈과 입을 가리고 바닥에서 뒹굴기
8) 탈출한 경우에는 절대로 다시 화재 건물로 들어가지 않기

10 **아파트를 제외한 연면적 70000 m²인 특정소방대상물에 선임해야 하는 소방안전관리보조자와 1700세대의 아파트에 선임해야 하는 소방안전관리보조자의 총 인원수를 구하시오.**

① 6명
② 8명
③ 9명
④ 10명

해설

▣ 소방안전관리보조자 선임대상

보조자선임대상 특정소방대상물	최소 선임기준
300세대 이상인 아파트	1명(300세대마다 1명 이상 추가)
연면적이 1만 5천 m² 이상인 특정소방대상물(아파트 및 연립주택 제외)	1명(연면적 1만 5천 m²마다 1명 이상 추가) 다만 특정소방대상물의 종합방재실에 자위소방대가 24시간 상시 근무하고, 소방자동차 중 소방펌프차, 소방물탱크차, 소방화학차, 무인방수차를 운용하는 경우 3000 m² 초과마다 1명 추가 선임한다.

보조자선임대상 특정소방대상물	최소 선임기준
1) 공동주택 중 기숙사 2) 의료시설 3) 노유자시설 4) 수련시설 5) 숙박시설(숙박시설로 사용되는 바닥면적의 합계가 1500 m² 미만이고 관계인이 24시간 상시 근무하고 있는 숙박시설은 제외)	1명 다만 해당 특정소방대상물이 소재하는 지역을 관할하는 소방서장이 야간이나 휴일에 해당 특정소방대상물이 이용되지 않는다는 것을 확인한 경우에는 선임하지 않을 수 있다.

- 1700세대의 아파트 : $\dfrac{1700}{300} = 5.67$ → 소수점 버림 5명

- 70000 m²인 특정소방대상물 : $\dfrac{70,000}{15,000} = 4.67$ → 소수점 버림 4명

∴ 5 + 4 = 9명

11 그림의 밸브를 작동시켰을 때 확인해야 하는 사항으로 옳지 않은 것을 고르시오.

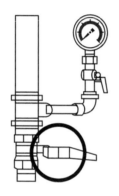

① 방출표시등 점등
② 음향장치 작동
③ 감시제어반 밸브개방표시등 점등
④ 펌프 작동상태

해설

■ 습식 스프링클러설비의 유지관리
압력계 밑에 부착된 개폐밸브는 평상시에 개방하여 시험밸브 배관 내의 압력이 정상압력(0.1 MPa 이상 1.2 MPa 이하)인지 여부를 확인해주어야 하며 가압수 배출을 위한 시험밸브는 평상시에 폐쇄 상태로 유지·관리되어야 한다.
※ 방호표시등은 가스계소화설비에 해당한다.

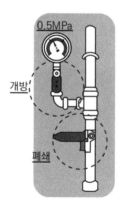

정답
11 ①

12 주거용 주방자동소화장치 중 다음 사진은 어느 부분인지 고르시오.

※ 출처 : 한국소방안전원

① 가스누설차단밸브
② 제어반
③ 감지센서 및 약제방출구
④ 가스누설탐지부

해설

■ 주거용 주방자동소화장치

※ 출처 : 한국소방안전원

소화액체저장용기

감지부

방출구

수신부

탐지부

13 메탄(메테인)이 완전연소할 때의 연소생성물을 옳게 나열한 것을 쓰시오.

① H_2O, HCl ② SO_2, CO_2
③ SO_2, HCl ④ CO_2, H_2O

해설

■ 메탄(메테인)의 완전연소방정식

$CH_4 + 2O_2 \rightarrow \underline{CO_2 + 2H_2O}$(연소생성물)

14 다음 특정소방대상물에 대한 내용을 보고 틀린 설명을 고르시오.

- 특정소방대상물 : 모아영화상영관
- 연면적 : 3500 m^2
- 소방시설현황 : 스프링클러설비, 옥내소화전설비, 자동화재탐지설비, 소화기구, 비상조명등, 유도등, 제연설비, 누전경보기, 비상방송설비
- 완공일 : 2020년 4월 25일
- 사용승인일 : 2020년 5월 11일

① 종합점검제외대상이다.
② 2024년 5월에 종합점검을 실시한다.
③ 2024년 11월에 작동점검을 실시한다.
④ 종합점검과 작동점검은 소방시설관리사 또는 소방안전관리자가 실시한다.

해설

■ 특정소방대상물 종합점검 대상

대상	기준
가. 최초점검 대상물 나. 스프링클러설비가 설치된 특정소방대상물 다. 물분무등소화설비(호스릴 방식의 물분무등소화설비만을 설치한 경우는 제외)가 설치된 연면적 5000 m^2 이상인 특정소방대상물(위험물 제조소등은 제외) 라. 다중이용업의 영업장이 설치된 특정소방대상물로서 연면적이 2000 m^2 이상인 것(단란주점과 유흥주점, 영화상영관, 비디오물감상실업, 복합영상물제공업, 노래연습장, 산후조리원, 고시원, 안마시술소) 마. 제연설비가 설치된 터널 바. 공공기관 중 연면적(터널·지하구의 경우 그 길이와 평균폭을 곱하여 계산된 값)이 1000 m^2 이상인 것으로서 옥내소화전설비 또는 자동화재탐지설비가 설치된 것(소방대가 근무하는 공공기관은 제외)	가. 관리업에 등록된 소방시설관리사 나. 소방안전관리자로 선임된 소방시설관리사 또는 소방기술사

※ 스프링클러설비가 설치되어 있으므로 종합점검대상이다.

* 건축물의 사용승인일이 속하는 달에 종합점검을 1회 이상 실시한다. 따라서 5월에 종합점검을 한다.
* 종합점검을 받은 달부터 6개월이 되는 달에 작동점검을 하므로 11월에 작동점검을 한다.

15 다음 중 소방안전관리자의 업무대행을 할 수 없는 경우?

① 2급 소방안전관리대상물
② 3급 소방안전관리대상물
③ 아파트를 제외한 층수가 11층 이상인 건축물
④ 1급 소방안전관리대상물로서 연면적 15000 m² 이상인 소방대상물

해설

■ 소방안전관리자의 업무대행의 범위
1) 2급 소방안전관리대상물
2) 3급 소방안전관리대상물
3) 아파트를 제외한 층수가 11층 이상인 건축물
4) 1급 소방안전관리대상물로서 연면적 15000 m² 미만

16 다음은 소방안전관리자가 실무교육을 받지 않은 경우 행정처분기준에 관한 사항이다. 옳게 짝지어진 것을 고르시오.

위반사항	행정처분기준		
실무교육을 받지 아니한 경우	1차	2차	3차
	㉠	㉡	㉢

① ㉠ 경고(시정명령), ㉡ 자격정지(1개월), ㉢ 자격정지(3개월)
② ㉠ 경고(시정명령), ㉡ 자격정지(3개월), ㉢ 자격정지(6개월)
③ ㉠ 자격정지(1개월), ㉡ 자격정지(3개월), ㉢ 자격정지(6개월)
④ ㉠ 자격정지(1개월), ㉡ (자격정지 3개월), ㉢ 자격취소

Tip

[관계인과 소방안전관리자의 업무]
⑴ 피난시설, 방화구획 및 방화시설의 관리(업무대행 가능)
⑵ 소방시설이나 그 밖의 소방 관련 시설의 관리(업무대행 가능)
⑶ 화기 취급의 감독
⑷ 화재 발생 시 초기대응
⑸ 그 밖에 소방안전관리에 필요한 업무

[소방안전관리자만의 업무]
⑴ 피난계획에 관한 사항과 소방계획서의 작성 및 시행
⑵ 자위소방대 및 초기대응체계의 구성·운영·교육
⑶ 소방훈련 및 교육
⑷ 소방안전관리에 관한 업무 수행에 관한 기록·관리 (월 1회 이상, 2년간 보관)

정답
15 ④ 16 ②

■ 소방안전관리자 자격의 정지 및 취소 기준

위반사항	근거법령	행정처분기준		
		1차 위반	2차 위반	3차 이상 위반
가. 거짓이나 그 밖의 부정한 방법으로 소방안전관리자 자격증을 발급받은 경우	법 제31조 제1항 제1호	자격취소		
나. 법 제24조 제5항에 따른 소방안전관리업무를 게을리한 경우	법 제31조 제1항 제2호	경고 (시정 명령)	자격정지 (3개월)	자격정지 (6개월)
다. 법 제30조 제4항을 위반하여 소방안전관리자 자격증을 다른 사람에게 빌려준 경우	법 제31조 제1항 제3호	자격취소		
라. 제34조에 따른 실무교육을 받지 않는 경우	법 제31조 제1항 제4호	경고 (시정 명령)	자격정지 (3개월)	자격정지 (6개월)

17 다음의 감시제어반 스위치의 위치를 보고 동력제어반에서 점등되어야 하는 표시등을 모두 고르시오.

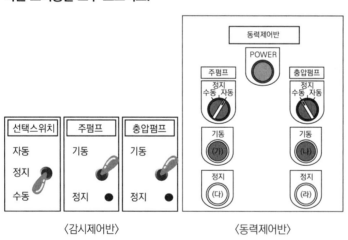

〈감시제어반〉　　　　　〈동력제어반〉

① (가), (나)　　　　② (가), (다)
③ (가), (라)　　　　④ (다), (라)

■ 제어반

감시제어반에서 주펌프와 충압펌프를 수동기동시켰다. 이때 동력제어반에서는 주펌프만 자동, 충압펌프를 수동위치에 두었기 때문에 주펌프는 기동, 충압펌프는 정지에 점등된다.

18 다음의 감시제어반 스위치의 위치를 보고 동력제어반에서 점등되어야 하는 표시등을 모두 고르시오.

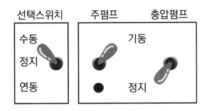

〈감시제어반〉

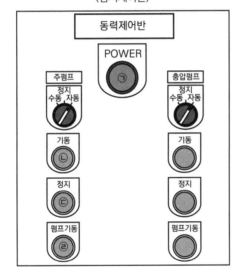

〈동력제어반〉

① ㄱ, ㄹ
② ㄱ, ㄴ
③ ㄱ, ㄴ, ㄹ
④ ㄴ, ㄹ

■ 제어반

감시제어반에서 주펌프를 수동기동시켰으며 충압펌프는 정지상태이다.
따라서 동력제어반의 주펌프와 충압펌프가 자동에 위치해있을 때 감시제어반과 연동되어 주펌프는 기동, 펌프기동에 점등되며 충압펌프는 정지에 점등된다.
또한 POWER는 상시점등이다.

정답

18 ③

19 다음 그림의 감시제어반을 보고 틀린 설명을 고르시오.

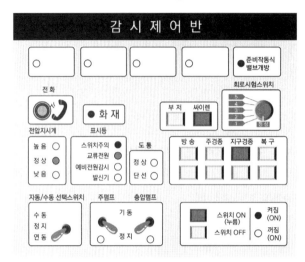

① 주경종과 사이렌이 작동하고 있다.
② 화재가 발생하였다.
③ 지구경종은 울리지 않고 있다.
④ 준비작동식 유수검지장치인 프리액션밸브 압력스위치가 작동
하였다.

해설

■ 감시제어반
화재가 발생하여 화재표시등이 점등된 상태이다. 이때 사이렌과 지구경종스위치가
눌려있으므로 사이렌은 울리지 않는다.

20 제1류 위험물에 해당되는 것은?

① 질산염류   ② 특수인화물
③ 과염소산   ④ 유기과산화물

해설

■ 제1류 위험물(산화성 고체)의 종류
1) 염소산염류, 아염소산류, 과염소산염류
2) 브로민산염류, 아이오드산염류, 과망가니즈산염류
3) 질산염류, 다이크로뮴산염류
4) 무기과산화물

Tip
[위험물의 분류]

구분	개요
제1류 위험물	산화성 고체(강산화 성 물질)
제2류 위험물	가연성 고체(환원성 물질)
제3류 위험물	자연발화성 ·금수성 물질
제4류 위험물	인화성 액체
제5류 위험물	자기반응성 물질
제6류 위험물	산화성 액체

정답
19 ① 20 ①

21 화학적 소화방법에 해당하는 것은?

① 모닥불에 물을 뿌려 소화한다.

② 모닥불을 모래로 덮어 소화한다.

③ 유류화재를 할론 1301로 소화한다.

④ 지하실 화재를 이산화탄소로 소화한다.

해설

■ 부촉매소화

1) 화학적 소화

2) 연쇄반응을 차단하여 소화

3) 활성기의 생성을 억제하는 소화방법

4) 할론·할로겐화합물 소화약제

※ [22 ~ 24] 다음 표를 보고 각 물음에 답하시오.

용도	의료시설
규모	지상 15층, 지하 3층, 연면적 10000 m^2
소방시설	스프링클러설비, 소화기, 옥내소화전설비, 유도등, 연결송수관설비, 비상조명등, 비상방송설비
소방안전관리자 현황	선임날짜 : 2024년 4월 12일
	강습 및 실무교육 : 이수이력 없음

※ 상기조건을 제외한 나머지 조건은 무시한다.

22 소방안전관리자의 실무교육 이수기한을 고르시오.

① 2024년 4월 30일   ② 2024년 5월 11일

③ 2024년 10월 11일   ④ 2025년 4월 11일

해설

■ 소방안전관리자 실무교육

강습 및 실무교육	내용
실시권자	소방청장(한국소방안전원장에게 위임)
대상자	1) 소방안전관리자 및 소방안전관리보조자 2) 소방안전관리 업무를 대행하는 자를 감독할 수 있는 소방안전관리자 3) 소방안전관리자의 자격을 인정받으려는 자
실무교육 통보	교육실시 30일 전

강습 및 실무교육		내용
실무교육 주기		선임된 날부터 6개월 이내, 교육실시 후에는 2년마다 실시 다만 강습교육 또는 실무교육 수료 후 1년 이내에 선임 시, 6개월 교육은 면제된다(즉, 선임 후 2년마다 실무교육 실시).
실무 교육 미이행 시	벌칙	과태료 50만 원
	자격 정지	1) 처분권자 : 소방청장 2) 1년 이하의 기간을 정하여 자격을 정지시킬 수 있음 　(1) 1차 : 경고(시정명령) 　(2) 2차 : 자격정지(3개월) 　(3) 3차 : 자격정지(6개월)

※ 강습교육 또는 실무교육의 이력이 없기 때문에 선임된 날로부터 6개월 이내인
10월 11일에 교육을 받는다.

23 소방안전관리대상물의 등급을 고르시오.

① 특급　　　　　　　　　② 1급
③ 2급　　　　　　　　　④ 3급

해설

■ 소방안전관리대상물 등급

특급 대상물	1급 대상물	2급 대상물	3급 대상물
[아파트] • 50층 이상 　(지하층 제외) • 높이 200 m 이상 　(지상부터)	[아파트] • 30층 이상 　(지하층 제외) • 높이 120 m 이상 　(지상부터)	• 지하구 • 공동주택 　(의무관리) • 보물·국보목조건 　축물 • 옥내·스프링클러· 　간이스프링클러· 　물분무등 설치대상 　(호스릴 제외)	자동화재 탐지설비 설치된 특정소방 대상물
[아파트 제외한 모든 건축물] • 30층 이상 　(지하층 포함) • 높이 120 m 이상 　(지상부터)	[아파트 제외한 모든 건축물] • 11층 이상 　(지하층 제외)		
[모든 건축물] • 연면적 10만 m^2 　이상	[모든 건축물] • 연면적 1만 　5천 m^2 이상		
-	[가연성 가스] 1000 t 이상	[가연성 가스] 100 ~ 1000 t 가스제조설비 도시가스 허가시설	-

※ 지하층을 제외한 층수가 11층 이상이기 때문에 1급 소방안전관리대상물이다.

정답

23 ②

60　PART 01. 실전모의고사

24 소방안전관리보조자 선임인원을 고르시오.

① 1명   ② 2명

③ 3명   ④ 대상이 아님

해설

■ 소방안전관리보조자 선임대상

보조자선임대상 특정소방대상물	최소 선임기준
300세대 이상인 아파트	1명(300세대마다 1명 이상 추가)
연면적이 1만 5천 m^2 이상인 특정소방대상물(아파트 및 연립주택 제외)	1명(연면적 1만 5천 m^2마다 1명 이상 추가) 다만 특정소방대상물의 종합방재실에 자위소방대가 24시간 상시 근무하고, 소방자동차 중 소방펌프차, 소방물탱크차, 소방화학차, 무인방수차를 운용하는 경우 3000 m^2 초과마다 1명 추가 선임한다.
1) 공동주택 중 기숙사 2) 의료시설 3) 노유자시설 4) 수련시설 5) 숙박시설(숙박시설로 사용되는 바닥면적의 합계가 1500 m^2 미만이고 관계인이 24시간 상시 근무하고 있는 숙박시설은 제외)	1명 다만 해당 특정소방대상물이 소재하는 지역을 관할하는 소방서장이 야간이나 휴일에 해당 특정소방대상물이 이용되지 않는다는 것을 확인한 경우에는 선임하지 않을 수 있다.

※ 의료시설이므로 연면적이 1만 5천 m^2 이상이 아니더라도 소방안전관리보조자를 한 명 선임한다.

25 바닥면적이 900 m^2인 근린생활시설에 3단위 소화기를 설치하려고 한다. 소화기의 최소 설치 개수를 구하시오. (단, 주요구조부는 내화구조이며, 벽 및 반자의 실내와 면하는 부분이 불연재료이다)

① 2개   ② 3개

③ 4개   ④ 5개

해설

■ 특정소방대상물별 소화기구 능력단위 기준

특정소방대상물	소화기구의 능력단위(이상)
위락시설	바닥면적 30 m^2마다 1단위
공연장, 집회장, 관람장, 문화재, 장례식장 및 의료시설	바닥면적 50 m^2마다 1단위

Tip

[능력단위산정]
주요구조부와 벽 및 반자의 실내에 면하는 부분 둘 다 만족해야 기준면적의 2배를 한다.

정답

24 ①   25 ①

특정소방대상물	소화기구의 능력단위(이상)
근린생활시설, 판매시설, 운수시설, 숙박시설, 노유자시설, 전시장, 공동주택, 업무시설, 방송통신시설, 공장, 창고시설, 항공기 및 자동차 관련 시설 및 관광휴게시설	바닥면적 100 m²마다 1단위
그 밖의 것	바닥면적 200 m²마다 1단위

소화기구의 능력단위를 산출함에 있어서 건축물의 주요구조부가 내화구조이고, 벽 및 반자의 실내에 면하는 부분이 불연재료 · 준불연재료 또는 난연재료로 된 특정소방대상물에 있어서는 위 표의 기준면적의 2배를 해당 특정소방대상물의 기준면적으로 한다.

주요구조부가 내화구조이고, 벽 및 반자의 실내에 면하는 부분이 불연재료 · 준불연재료 또는 난연재료로 된 특정소방대상물이므로 기준 바닥면적이 100 m²의 2배인 200m²마다 능력단위를 산정한다. 따라서 900/200 = 4.5 절상해서 5단위가 나온다.
3단위 소화기를 설치하므로 5/3 =1.67 절상해서 2개를 설치한다.

26 다음 중 무창층에 대한 설명으로 옳은 것을 모두 고르시오.

ⓐ 지하층 중 개구부의 면적의 합계가 해당 층의 바닥면적의 30분의 1 이하가 되는 층
ⓑ 개구부의 크기는 지름 60 cm 이상 인원이 통과 할 수 있을 것
ⓒ 개구부는 해당 층의 바닥면으로부터 밑부분까지의 높이가 1.2 m 이내일 것
ⓓ 개구부는 내부 또는 외부에서 쉽게 부수거나 열 수 없을 것

① ⓐ
② ⓒ
③ ⓐ, ⓑ
④ ⓐ, ⓒ

해설

■ 무창층
지상층 중 다음 각 목의 요건을 모두 갖춘 개구부의 면적의 합계가 해당 층의 바닥면적의 30분의 1 이하가 되는 층
1) 크기는 지름 50 cm 이상의 원이 통과할 수 있는 크기일 것
2) 해당 층의 바닥면으로부터 개구부 밑 부분까지의 높이가 1.2 m 이내일 것
3) 도로 또는 차량이 진입할 수 있는 빈터를 향할 것
4) 화재 시 건축물로부터 쉽게 피난할 수 있도록 창살이나 그 밖의 장애물이 설치되지 아니할 것
5) 내부 또는 외부에서 쉽게 부수거나 열 수 있을 것

27 다음과 같은 건축물의 수평적 경계구역 개수를 산정하시오. (단, 한 변의 길이는 모두 50 m 이하이다)

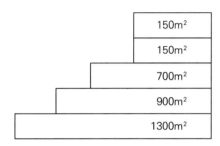

150m²	
150m²	
700m²	
900m²	
1300m²	

① 5개
② 6개
③ 7개
④ 8개

🏫 Tip
[수직적 경계구역]
⑴ 계단 · 경사로(에스컬레이터 포함)는 별도의 경계구역 산정 → 45 m 이하
⑵ 엘리베이터 승강로(권상기실 포함) · 린넨슈트 · 파이프피트 및 덕트 기타 이와 유사한 부분은 별도의 경계구역 산정 → 높이 기준 없음
⑶ 지하층의 계단 및 경사로 (지하층 층수 1일 경우 제외)는 별도로 경계구역 산정

해설

▣ 경계구역 산정
1) 수평적 경계구역
   ⑴ 하나의 경계구역이 2 이상의 건축물 및 2 이상의 층에 미치지 않을 것
      2개의 층을 하나의 경계구역으로 산정하는 경우 : 바닥의 합이 500 m² 이하
   ⑵ 하나의 경계구역 면적 : 600 m² 이하
      ① 한 변 길이 : 50 m 이하
      ② 주출입구에서 내부 전체 보이는 것 : 한 변 길이가 50 m의 범위 내 1000 m² 이하
따라서
1층 : 1300/600 → 절상해서 3개
2층 : 900/600 → 절상해서 2개
3층 : 700/600 → 절상해서 2개
4 + 5층 : 300이므로 1개
총 8개

28 가연물에 대한 일반적인 설명으로 옳은 것을 고르시오.

① 산소와 반응 시 흡열반응을 하는 것은 가연물이 될 수 없다.
② 열전도율이 클수록 발화점은 낮아진다.
③ 활성화에너지가 클수록 가연물이 되기 쉽다.
④ 산소와 친화력이 작을수록 가연물이 되기 쉽다.

해설

▣ 발화점이 낮아지는 조건(위험성↑)
1) 발열량이 클수록
2) 산소의 농도가 클수록(산소와 친화력이 클수록)
3) 압력이 높을수록
4) 분자구조가 복잡할수록
5) 활성화에너지가 낮을수록
6) 열전도율이 낮을수록

정답
27	④	28	①

29 다음 중 벌칙기준이 다른 하나를 고르시오.

① 소방시설등에 대하여 스스로 점검을 하지 않거나 관리업자 등으로 하여금 정기적으로 점검하게 하지 않은 자
② 저장소 또는 제조소등이 아닌 장소에서 지정수량 이상의 위험물을 저장 또는 취급한 자
③ 소방안전관리자 자격증을 다른 사람에게 빌려 주거나 빌리거나 이를 알선한 자
④ 화재예방안전진단을 받지 아니한 자

해설

◼ 벌칙기준
② : 3년, 3000만 원
①, ③, ④ : 1년 1000만 원

[벌칙기준]
최근 벌칙문제는 모든 법을 혼용하여 출제가 되고 있다.

30 소방안전관리보조자 선임대상인 특정소방대상물로 알맞은 것을 보기에서 모두 고르시오.

ㄱ. 의료시설	ㄴ. 창고시설
ㄷ. 근린생활시설	ㄹ. 수련시설
ㅁ. 공동주택 중 기숙사	

① ㄱ, ㄴ
② ㄱ, ㄴ, ㄹ
③ ㄱ, ㄹ, ㅁ
④ ㄱ, ㄴ, ㄷ, ㄹ, ㅁ

해설

◼ 소방안전관리 보조자 선임대상

보조자선임대상 특정소방대상물	최소 선임기준
300세대 이상인 아파트	1명(300세대마다 1명 이상 추가)
연면적이 1만 5천 m² 이상인 특정소방대상물(아파트 및 연립주택 제외)	1명(연면적 1만 5천 m²마다 1명 이상 추가) 다만 특정소방대상물의 종합방재실에 자위소방대가 24시간 상시 근무하고, 소방자동차 중 소방펌프차, 소방물탱크차, 소방화학차, 무인방수차를 운용하는 경우 3000 m² 초과마다 1명 추가 선임한다.

정답
29 ② 30 ③

보조자선임대상 특정소방대상물	최소 선임기준
1) 공동주택 중 기숙사 2) 의료시설 3) 노유자시설 4) 수련시설 5) 숙박시설(숙박시설로 사용되는 바닥면적의 합계가 1500 m² 미만이고 관계인이 24시간 상시 근무하고 있는 숙박시설은 제외)	1명 다만 해당 특정소방대상물이 소재하는 지역을 관할하는 소방서장이 야간이나 휴일에 해당 특정소방대상물이 이용되지 않는다는 것을 확인한 경우에는 선임하지 않을 수 있다.

31 옥내소화전설비의 방수압력이 0.2 MPa일 때 방수량을 구하고 정상 여부를 고르시오.

① 130 L/min, 정상
② 155 L/min, 정상
③ 170 L/min, 정상
④ 350 L/min, 정상

해 설

▣ 방수압력 및 방수량 측정

1) 반드시 직사형 관창을 이용하여 측정
2) 초기 방수 시 물속에 존재하는 이물질이나 공기 등이 완전히 배출된 후에 측정하여야 방수압력측정계(피토게이지)의 입구 구경이 작기 때문에 발생하는 막힘이나 고장 방지 가능
3) 방수압력측정계(피토게이지)는 봉상주수 상태에서 직각으로 측정
4) 노즐선단에 방수압력측정계(피토게이지)를 노즐구경 절반(D/2)에 위치
5) 방수량 : $Q = 2.065 \times D^2 \times \sqrt{p}$

Q : 분당방수량[L/min]
D : 관경 또는 노즐의 구경[mm](옥내소화전 : 13 mm, 옥외소화전 : 19 mm)
p : 방수입력[MPa]

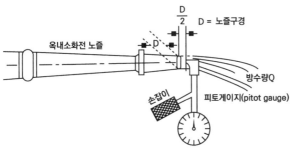

$$\therefore Q = 2.065 \times D^2 \times \sqrt{p} = 2.065 \times 13^2 \times \sqrt{0.2} = 155 L/min$$

정답

31 ②

32 아파트에 설치하는 주방용 자동소화장치의 설치기준 중 부적합한 것은?

① 아파트의 각 세대별 주방에 설치한다.
② 소화약제 방출구는 환기구의 청소부분과 분리되어 있어야 한다.
③ 주방용 자동소화장치의 탐지부는 연료를 LPG로 사용할 경우 천정에서 30 cm 이내에 설치한다.
④ 주방용 자동소화장치의 탐지부는 수신부와 분리하여 설치하되, 공기보다 무거운 가스 사용 시 바닥에서 30 cm 이하에 설치한다.

[주거용 주방자동소화장치]
아파트와 오피스텔의 모든 층에 설치한다.

해설

■ 주거용 주방 자동소화장치 설치기준

구분		설치기준
방출구		환기구의 청소부분과 분리
		형식승인 받은 유효설치 높이 및 방호면적에 따라 설치
감지부		형식승인 받은 유효한 높이 및 위치에 설치
차단장치		상시 확인 및 점검이 가능한 곳
가스용	탐지부	수신부와 분리하여 설치
		공기보다 가벼운 가스 - 천장 면으로부터 30 cm 이하
		공기보다 무거운 가스 - 바닥 면으로부터 30 cm 이하
	수신부	주위의 열기류, 습기 등과 주위온도에 영향을 받지 않고, 사용자가 상시 볼 수 있는 장소

33 다음은 스프링클러설비가 설치되어 있는 감시제어반이다. 감시제어반에서 충압펌프를 수동기동했을 경우 옳은 것을 고르시오.

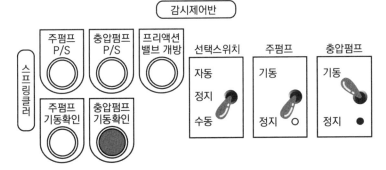

① 주펌프는 기동하지 않는다.
② 프리액션밸브는 개방되었다.
③ 현재 충압펌프는 자동으로 작동하고 있다.
④ 평상시에도 선택스위치를 수동에 둔다.

[해설]

▣ 제어반
감시제어반에서 수동으로 충압펌프를 기동시켰으며 충압펌프기동확인등이 점등되었으므로 충압펌프만 기동, 주펌프는 정지상태이다.

34 위험물의 제조소등을 설치하고자 하는 자는 누구의 허가를 받아야 하는가?

① 시·도지사
② 한국소방산업기술원장
③ 소방본부장 또는 소방서장
④ 행정안전부장관

[해설]

▣ 위험물의 제조소등
위험물의 제조소등을 설치하고자 할 때는 시·도지사의 허가를 받아야 한다.

Tip
[제조소등]
제조소·저장소 및 취급소

정답
33 ① 34 ①

35 피난층의 의미는?

① 직접 지상으로 갈 수 있는 출입구가 있는 층
② 지상 1층
③ 지상에 통하는 직통계단이 있는 층
④ 2층 이상으로 피난에 가능한 층

해설

▣ 피난층
곧바로 지상으로 갈 수 있는 출입구가 있는 층

[무창층]
지상층 중 다음 각 목의 요건을 모두 갖춘 개구부의 면적의 합계가 해당 층의 바닥면적의 30분의 1 이하가 되는 층

36 피난구유도등은 어떤 색상으로 표시하여야 하는가?

① 녹색바탕에 백색 ② 백색바탕에 적색
③ 백색바탕에 녹색 ④ 적색바탕에 백색

해설

▣ 유도등

피난구유도등　복도통로유도등　거실통로유도등　계단통로유도등　객석유도등

[통로유도등]
백색바탕에 녹색문자

37 청각장애인용 시각경보장치의 설치 높이로 알맞은 것은?

① 바닥으로부터 0.3 m 이상 0.8 m 이하의 장소
② 바닥으로부터 0.8 m 이상 1.2 m 이하의 장소
③ 바닥으로부터 2.0 m 이상 2.5 m 이하의 장소
④ 천장으로부터 0.15 m 이내의 장소

해설

▣ 청각장애인용 시각 경보장치 설치기준
1) 복도·통로·청각장애인용 객실 및 공용으로 사용하는 거실에 설치하며, 각 부분으로부터 유효하게 경보를 발할 수 있는 위치에 설치
2) 공연장·집회장·관람장 또는 이와 유사한 장소에 시선이 집중되는 무대부 부분에 설치
3) 설치높이 : 바닥으로부터 2 m 이상 2.5 m 이하(단, 천장의 높이가 2 m 이하인 경우에는 천장으로부터 0.15 m 이내)

정답

| 35 ① | 36 ① | 37 ③ |

38 지하층을 제외한 층수가 11층 이상인 특정소방대상물의 스프링클러헤드 기준개수를 고르시오.

① 10
② 20
③ 30
④ 50

Tip
[아파트]
기준개수 10개(단, 아파트등의 각 동이 주차장으로 서로 연결된 구조인 경우 해당 주차장 부분의 기준개수는 30개이다)

해설

■ 설치장소에 따른 헤드의 기준개수

스프링클러설비 설치장소			기준개수
10층 이하 (지하층 제외)	공장	특수가연물 저장·취급	30
		그 밖의 것	20
	근린생활시설 판매시설 운수시설 복합건축물	판매시설 또는 복합건축물 (판매시설이 설치되는 복합건축물)	30
		그 밖의 것	20
	그 밖의 것	헤드부착높이가 8 m 이상	20
		헤드부착높이가 8 m 미만	10
지하층을 제외한 층수가 11층 이상(아파트 제외), 지하가 또는 지하역사			30

39 다음은 R형 수신기의 표시등 현황이다. 각 표시등별 점등원인으로 틀리게 짝지어진 것을 고르시오.

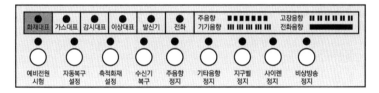

① 화재대표 – 스프링클러설비작동, 발신기동작, 화재발생
② 가스대표 – 전류누설
③ 감시대표 – 스프링클러설비작동
④ 이상대표 – 감지기 회로선 단선

해설

■ R형 수신기
가스대표 : 가스누설 시 점등된다.

40 다음 그림을 보고 옥내소화전설비의 사용방법을 순서대로 고르시오.

㉠ 밸브개방	㉡ 호스전개	㉢ 소화전함개방	㉣ 방사

※ 출처 : 한국소방안전원

① ㉠, ㉡, ㉢, ㉣　　　　② ㉠, ㉢, ㉣, ㉡
③ ㉢, ㉡, ㉠, ㉣　　　　④ ㉢, ㉠, ㉡, ㉣

해설

■ 옥내소화전 사용방법

소화전함 개방 – 호스전개 – 밸브개방 – 방사

41 분말소화기에 표시된 A, B, C 중 A, B의 의미는 무엇인가?

① A급 – 일반화재, B급 – 유류화재
② A급 – 전기화재, B급 – 유류화재
③ A급 – 금속화재, B급 – 유류화재
④ A급 – 주방화재, B급 – 유류화재

해설

■ 분말소화기의 화재 적응성 표현

1) A급 – 일반화재
2) B급 – 유류화재
3) C급 – 전기화재
4) K급 – 주방화재

42 옥내소화전이 1층에 4개, 2층에 4개, 3층에 2개가 설치된 소방대상물이 있다. 옥내소화전설비를 위해 필요한 최소 수원의 양은?

① 2.6 m³   ② 5.2 m³
③ 13 m³   ④ 26 m³

해설

■ 옥내소화전의 수원

수원량(m³) = N × 2.6 m³
             = 2 × 2.6 m³ = 5.2 m³
          N : 한 개 층 설치개수
          (최대개수 층 선정/최대 2개)

43 통로유도등은 어떤 색상으로 표시하여야 하는가?

① 녹색바탕에 백색   ② 백색바탕에 적색
③ 백색바탕에 녹색   ④ 적색바탕에 백색

해설

※ 36번 해설 참조

44 청각장애인용 시각경보장치의 설치 높이로 알맞은 것은?

① 바닥으로부터 0.3 m 이상 0.8 m 이하의 장소
② 바닥으로부터 0.8 m 이상 1.2 m 이하의 장소
③ 바닥으로부터 2.0 m 이상 2.5 m 이하의 장소
④ 천장으로부터 0.15 m 이내의 장소

해설

■ 청각장애인용 시각 경보장치 설치기준
1) 복도·통로·청각장애인용 객실 및 공용으로 사용하는 거실에 설치하며, 각 부분으로부터 유효하게 경보를 발할 수 있는 위치에 설치
2) 공연장·집회장·관람장 또는 이와 유사한 장소에 시선이 집중되는 무대부 부분에 설치
3) 설치높이 : 바닥으로부터 2 m 이상 2.5 m 이하(단, 천장의 높이가 2 m 이하인 경우에는 천장으로부터 0.15 m 이내)

Tip

[옥내소화전설비]
⑴ 방수량 : 130 L/min 이상
⑵ 방수압력 : 0.17 MPa 이상 0.7 MPa 이하
⑶ 펌프 토출량 : 130 L/min × 설치개수
⑷ 수원의 양 : 130 L/min × 설치개수 × 20분 (40분, 60분)

정답

42 ②   43 ③   44 ③

45 특수가연물을 저장하는 공장의 스프링클러헤드 기준개수를 고르시오.

① 10   ② 20
③ 30   ④ 50

[해설]

■ 설치장소에 따른 헤드의 기준개수

스프링클러설비 설치장소			기준개수
10층 이하 (지하층 제외)	공장	특수가연물 저장·취급	30
		그 밖의 것	20
	근린생활시설 판매시설 운수시설 복합건축물	판매시설 또는 복합건축물 (판매시설이 설치되는 복합건축물)	30
		그 밖의 것	20
	그 밖의 것	헤드부착높이가 8 m 이상	20
		헤드부착높이가 8 m 미만	10
지하층을 제외한 층수가 11층 이상(아파트 제외), 지하가 또는 지하역사			30

※ 아파트 : 기준개수 10개(단, 아파트등의 각 동이 주차장으로 서로 연결된 구조인 경우 해당 주차장 부분의 기준개수는 30개이다)

46 무창층 여부 판단 시 개구부 요건기준으로 옳은 것은?

① 해당 층의 바닥면으로부터 개구부 밑부분까지의 높이가 1.5 m 이내일 것
② 개구부의 크기가 지름 50 cm 이상의 원이 통과할 수 있는 것
③ 개구부는 도로 또는 차량이 진입할 수 없는 빈터를 향할 것
④ 내부 또는 외부에서 쉽게 파괴 또는 개방할 수 없는 것

[해설]

■ 무창층의 정의
1) 지상층 중 개구부의 면적의 합계가 해당 층의 바닥면적의 30분의 1 이하가 되는 층
2) 개구부의 기준(조건을 모두 만족할 것)
　⑴ 크기는 지름 50 cm 이상 원이 통과
　⑵ 높이는 바닥면부터 개구부 밑 부분까지 높이가 1.2 m 이내
　⑶ 도로 또는 차량이 진입할 수 있는 빈터를 향할 것
　⑷ 화재 시 건축물로부터 쉽게 피난할 수 있도록 창살이나 그 밖의 장애물이 설치되지 아니할 것
　⑸ 내부 또는 외부에서 쉽게 부수거나 열 수 있을 것

Tip
개구부의 크기가 어느 정도 되어야 피난하기 수월하다.

정답
45 ③   46 ②

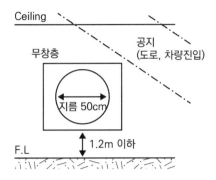

47 방화구조의 기준을 옳게 나타낸 것은?

① 철망모르타르로서 그 바름두께가 2 cm 이상인 것
② 시멘트모르타르 위에 타일을 붙인 것으로서 그 두께의 합계가 1.5 cm 이하인 것
③ 두께 1.5 cm 이상의 암면보온판 위에 석면 시멘트판을 붙인 것
④ 두께 1.2 cm 미만의 석고판 위에 석면 시멘트판을 붙인 것

해설

▣ 방화구조
1) 화염의 확산을 막을 수 있는 성능을 가진 구조로서 건축법령이 정하는 구조
2) 방화구조의 기준

구조	두께
철망모르타르	2 cm 이상
석고판 위에 시멘트모르타르를 바른 것 석고판 위에 회반죽을 바른 것 시멘트모르타르 위에 타일을 붙인 것	2.5 cm 이상
심벽에 흙으로 맞벽치기를 한 것	모두 해당
산업표준화법에 의한 한국산업규격이 정하는 바에 의하여 시험한 결과 방화 2급 이상 해당	

48 지하층이라 함은 건축물의 바닥이 지표면 아래에 있는 층으로서 바닥에서 지표면까지의 평균 높이가 해당 층 높이의 얼마 이상인 것을 말하는가?

① 1/2   ② 1/3
③ 1/4   ④ 1/5

해설

■ 지하층의 정의

건축물의 바닥이 지표면 아래에 있는 층으로 바닥에서 지표면까지의 평균 높이가 해당 층 높이의 1/2 이상인 것

49 2023년 소방계획서를 작성하고 있다. 다음 조건을 보고 자체점검 사항 (점검내용, 점검시기, 점검방식)을 옳게 작성한 것은?

> ■ 대상 : ○○프라자
> ■ 주용도 : 근린생활시설
> ■ 규모 : 지하 2층/지상 7층, 연면적 7000 m^2
> ■ 사용승인일 : 2015년 3월 10일
>
> ※ 상기 조건 외 나머지 조건은 무시한다.

보기	점검내용	점검시기	점검방식
①	■ 작동점검	23년 9월 10일	□ 자체 ■ 외주
	■ 종합점검	23년 3월 10일	□ 자체 ■ 외주
②	■ 작동점검	23년 1월 10일	□ 자체 ■ 외주
	■ 종합점검	23년 6월 10일	□ 자체 ■ 외주
③	■ 작동점검	23년 2월 10일	□ 자체 ■ 외주
	■ 종합점검	23년 8월 10일	□ 자체 ■ 외주
④	■ 작동점검	23년 10월 10일	□ 자체 ■ 외주
	■ 종합점검	23년 4월 10일	□ 자체 ■ 외주

■ 특정소방대상물 자체점검의 내용, 일시, 방식

1) 해당 ○○프라자는 스프링클러설비가 있어서 종합점검 대상이다.
2) 종합점검 대상 일정
   건축물 사용승인일이 속하는 달(3월 1일 ~ 31일 이내)에 소방시설관리업자(외주)
   에게 의뢰하여 실시한다.
3) 작동점검일
   종합점검을 실시한 달로부터 6개월 이내가 되는 달(9월 1일 ~ 31일)에 자체점검
   또는 소방시설관리업자(외주)에게 의뢰하여 실시한다.

50 다음 그림은 감시제어반이다. 감시제어반이 아래와 같이 준비작동식밸
브가 동작상태일 경우 확인사항 중 옳지 않은 것은?

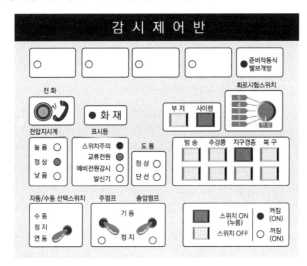

① 사이렌이 작동되고 있다.
② 지구경종은 명동되지 않고 있다.
③ 준비작동식 밸브의 압력스위치가 작동하였다.
④ 화재표시등이 점등되었다.

해설

■ 감시제어반의 상태 확인

1) 스위치 주의등이 적색으로 점등되어 확인 결과 사이렌과 지구경종은 작동정지상태
   로 경보가 안 되고 있다.
2) 화재표시등이 점등되었다.
3) 준비작동식밸브의 압력스위치가 작동하였다.

Tip
사이렌과 지구경종의 스위치
가 눌러져 있다.

정답

50 ①

03회 실전모의고사

01 다음 중 소화기구 능력단위가 바닥면적 100 m²가 아닌 것을 고르시오.

① 근린생활시설
② 노유자시설
③ 위락시설
④ 주요구조부가 내화구조이며 벽 및 실내에 면하는 부분이 불연재료인 공연장

해설

■ 소화기구 능력단위

특정소방대상물	소화기구의 능력단위(이상)
위락시설	바닥면적 30 m²마다 1단위
공연장, 집회장, 관람장, 문화재, 장례식장 및 의료시설	바닥면적 50 m²마다 1단위
근린생활시설, 판매시설, 운수시설, 숙박시설, 노유자시설, 전시장, 공동주택, 업무시설, 방송통신시설, 공장, 창고시설, 항공기 및 자동차 관련 시설 및 관광휴게시설	바닥면적 100 m²마다 1단위
그 밖의 것	바닥면적 200 m²마다 1단위

소화기구의 능력단위를 산출함에 있어서 건축물의 주요구조부가 내화구조이고, 벽 및 반자의 실내에 면하는 부분이 불연재료·준불연재료 또는 난연재료로 된 특정소방대상물에 있어서는 위 표의 기준면적의 2배를 해당 특정소방대상물의 기준면적으로 한다.

02 설치 현장에서 방염처리를 하는 합판·목재류의 경우 방염성능검사의 권한을 가진 자를 고르시오.

① 소방청장
② 소방본부장
③ 시·도지사
④ 관계인

Tip

[방염대상물품]
제조 또는 가공 공정에서 방염처리를 한 물품
(1) 창문에 설치하는 커튼류(블라인드를 포함한다)
(2) 카펫
(3) 두께가 2 mm 미만인 벽지류(종이벽지는 제외)
(4) 전시용 합판목재 또는 섬유판, 무대용 합판목재 또는 섬유판
(5) 암막·무대막(영화상영관의 스크린, 골프연습장업의 스크린을 포함)
(6) 섬유류 또는 합성수지류 등을 원료로 하여 제작된 소파·의자(단란주점영업, 유흥주점영업 및 노래연습장업의 영업장에 설치하는 것만 해당)

정답

01 ③ 02 ③

▣ 방염성능검사

1) 방염대상물품 성능검사자 : 소방청장
   현장에 설치된 합판, 목재 성능검사자 : 시·도지사
2) 방염처리업의 등록을 한 자는 방염성능검사를 할 때에 거짓 시료를 제출하여서는 아니 된다.
3) 방염성능검사의 방법과 검사 결과에 따른 합격 표시 등에 필요한 사항 : 행정안전부령

03 어느 건축물의 7층 바닥면적이 15000 m²이며, 불연재료로 되어 있고 스프링클러설비가 설치되어 있다. 방화구획수를 산정하시오.

① 2개
② 4개
③ 5개
④ 7개

▣ 방화구획의 기준

구획의 분류	구획단위
면적별	• 지상 10층 이하 : 바닥면적 1000 m² 이내마다 구획 • 지상 11층 이상 : 바닥면적 200 m² 이내마다 구획 • 지상 11층 이상 → 마감재가 불연재료 : 바닥면적 500 m² 이내마다 구획 • 자동식 소화설비구역은 상기바닥면적 × 3배 이내마다 구획
층별	• 매 층마다 구획할 것 (단, 지하 1층에서 지상으로 직접 연결하는 경사로 부위는 제외)
용도별	• 필로티나 그 밖에 이와 비슷한 구조(벽면적의 2분의 1 이상이 그 층의 바닥면에서 위층 바닥 아래면까지 공간으로 된 것만 해당한다)의 부분을 주차장으로 사용하는 경우 그 부분은 건축물의 다른 부분과 구획할 것 • 주요구조부를 내화구조로 하여야 하는 대상 부분과 기타 부분 사이
수직 관통부별	• 수직 관통 부분과 타 부분을 내화성능 벽이나 방화문으로 구획 • 계단실, 승강로, 린넨슈트, 에스컬레이터, 파이프 피트 등

10층 이하이며 자동식 소화설비가 설치되어 있기 때문에 기준면적 1000 m²의 × 3배 이내마다 구획한다. 따라서 15000/3000 = 5개

[방화구획]
방화구획으로 사용하는 60분+ 방화문 또는 60분 방화문은 언제나 닫힌 상태를 유지하거나 화재로 인한 연기 또는 불꽃을 감지하여 자동적으로 닫히는 구조로 할 것. 다만 연기 또는 불꽃을 감지하여 자동적으로 닫히는 구조로 할 수 없는 경우에는 온도를 감지하여 자동적으로 닫히는 구조로 할 수 있다.

정답
03 ③

04 다음 중 화재예방강화지구가 아닌 것을 고르시오.

① 시장지역
② 노후건축물이 있는 지역
③ 소방출동로가 없는 지역
④ 목조건물이 밀집한 지역

해설

(1) 시장지역
(2) 공장·창고가 밀집한 지역
(3) 목조건물이 밀집한 지역
(4) 노후·불량건축물이 밀집한 지역
(5) 위험물의 저장 및 처리시설이 밀집한 지역
(6) 석유화학제품을 생산하는 공장이 있는 지역
(7) 산업입지 및 개발에 관한 법률에 따른 산업단지
(8) 소방시설·소방용수시설·소방출동로가 없는 지역
(9) 물류단지

05 0 ℃ 얼음 10 kg이 100 ℃ 수증기로 변할 때 필요한 총 열량[kcal]을 계산하시오.

① 3595
② 7190
③ 8270
④ 9750

Tip

[현열과 잠열]
(1) 잠열(Latent Heat) :
온도변화 없이 상태변화에만 필요한 열량
(2) 현열(Sensible Heat) :
물질의 상의 변화는 없고, 온도 변화만 있을 때 필요한 열량

해설

■ 잠열
융해잠열 : 80 kcal/kg
증발잠열 : 539 kcal/kg

소요 열량

0 ℃ → 0 ℃ → 100 ℃ → 100 ℃
얼음 → 물 → 물 → 증기

현열 $Q_S = GC\Delta T$
잠열 $Q_L = G \cdot r$

$Q_L = 10 \times 80 = 800 kcal$

$Q_S = 10 \times 1 \times (100 - 0) = 1000 kcal$

$Q_L = 10 \times 539 = 5390 kcal$

∴ $800 + 1000 + 5390 = 7190 kcal$

06 소방안전관리보조자를 두어야 하는 특정소방대상물이 아닌 것을 고르시오. (단, 야간과 휴일에도 이용이 되며 연면적이 15000 m² 미만인 경우이다)

① 수련시설
② 치료감호시설
③ 의료시설
④ 노유자시설

해설

■ 소방안전관리보조자 선임대상

보조자선임대상 특정소방대상물	최소 선임기준
300세대 이상인 아파트	1명(300세대마다 1명 이상 추가)
연면적이 1만 5천 m² 이상인 특정소방대상물(아파트 및 연립주택 제외)	1명(연면적 1만 5천 m²마다 1명 이상 추가) 다만 특정소방대상물의 종합방재실에 자위소방대가 24시간 상시 근무하고, 소방자동차 중 소방펌프차, 소방물탱크차, 소방화학차, 무인방수차를 운용하는 경우 3000 m² 초과마다 1명 추가 선임한다.
1) 공동주택 중 기숙사 2) 의료시설 3) 노유자시설 4) 수련시설 5) 숙박시설(숙박시설로 사용되는 바닥면적의 합계가 1500 m² 미만이고 관계인이 24시간 상시 근무하고 있는 숙박시설은 제외)	1명 다만 해당 특정소방대상물이 소재하는 지역을 관할하는 소방서장이 야간이나 휴일에 해당 특정소방대상물이 이용되지 않는다는 것을 확인한 경우에는 선임하지 않을 수 있다.

07 다음 특정소방대상물의 감지기 수량을 산정하시오.

> 1. A실은 차동식 1종을, B실은 정온식 1종을 설치한다.
> 2. 내화구조이다.

| A실 210m² 층고 5m | B실 180m² 층고 3m |

① A실 : 5개, B실 : 3개
② A실 : 4개, B실 : 3개
③ A실 : 6개, B실 : 2개
④ A실 : 7개, B실 : 2개

해설

■ 감지기 설치수량

부착높이 및 특정소방대상물의 구분		감지기의 종류				
		차동식 /보상식 스포트		정온식 스포트		
		1종	2종	특종	1종	2종
4 m 미만	내화 구조	90	70	70	60	20
	기타 구조	50	40	40	30	15
4 m 이상 8 m 미만	내화 구조	45	35	35	30	-
	기타 구조	30	25	25	15	-

- A실 : 45 m²마다 감지기를 설치한다. 따라서 210/45 = 4.67이므로 절상해서 5개를 설치한다.
- B실 : 60 m²마다 감지기를 설치한다. 따라서 180/60 = 3개를 설치한다.

Tip

[감지기 설치]
부착높이가 높을수록 더 많은 감지기를 설치해야 한다. 또한 감지기 설치 수량을 계산 시 소숫점이 나오면 절상한다.

정답
07 ①

08 다음의 감시제어반을 보고 틀린 설명을 고르시오.

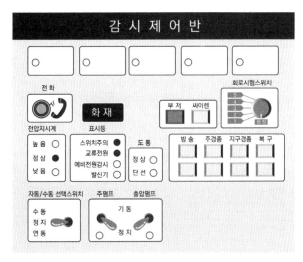

① 화재가 발생하면 주경종과 지구경종이 잘 명동할 것이다.
② 주펌프스위치를 기동으로 두면 주펌프가 기동한다.
③ 현재 교류전원을 받고 있다.
④ 부저 스위치를 원상복구해야 한다.

해설

■ 감시제어반
② 자동/수동 선택스위치가 정지위치에 있으므로 주펌프를 기동으로 두어도 주펌프가 기동하지 않는다. 자동/수동 선택스위치를 수동으로 두고 기동시켜야 기동한다.

09 층수가 11층인 아파트의 2층에서 화재가 발생하였다. 경보가 울려야 하는 층으로 알맞은 것을 고르시오.

① 전 층
② 2층, 3층
③ 2층, 3층, 4층, 5층
④ 2층, 3층, 4층, 5층, 6층

해설

■ 경보방식
1) 일제경보방식 : 화재 시 전 층에 경보하는 방식(소규모)
2) 우선경보방식 : 층수가 11층(공동주택의 경우에는 16층) 이상의 특정소방대상물은 다음과 같은 경보를 발할 수 있어야 한다.
　① 2층 이상의 층에서 발화한 때에는 발화층 및 그 직상 4개 층에 경보
　② 1층에서 발화한 때에는 발화층, 그 직상 4개 층 및 지하층에 경보
　③ 지하층에서 발화한 때에는 발화층, 그 직상층 및 기타 지하층 경보

Tip
아파트는 공동주택이므로 16층 이상일 때 우선경보방식이다.

정답
08 ② 　09 ①

10 화재확산방지, 위험물시설에 대한 제어 및 비상반출은 자위소방활동 중 어떤 활동인가?

① 비상연락
② 초기소화
③ 응급구조
④ 방호안전

해설

■ 자위소방대 편성조직의 업무(자위소방활동)

편성조직	업무 내용
비상연락팀	화재사실의 전파 및 신고 업무
초기소화팀	화재 발생 시 초기화재 진압 활동
피난유도팀	재실자 및 장애인, 노인, 임산부, 영유아 및 어린이 등 이동이 어려운 사람(피난약자)을 안전한 장소로 대피시키는 업무
응급구조팀	인명 구조하고, 부상자에 대한 응급조치
방호안전팀	화재확산방지 및 위험시설의 제어 및 비상반출 등 방호안전업무

11 다음과 같은 소방대상물의 수평적 경계구역을 산정하시오. (단, 한 변의 길이는 50 m 이하이다)

- 1층의 바닥면적 : 1100 m²
- 2층의 바닥면적 : 900 m²
- 3층의 바닥면적 : 700 m²
- 4층의 바닥면적 : 300 m²
- 5층의 바닥면적 : 150 m²

① 6개
② 7개
③ 10개
④ 12개

Tip

[수직적 경계구역]
(1) 계단·경사로(에스컬레이터 포함)는 별도의 경계구역 산정 → 45 m 이하
(2) 엘리베이터 승강로(권상기실 포함)·린넨슈트·파이프피트 및 덕트 기타 이와 유사한 부분은 별도의 경계구역 산정 → 높이 기준 없음
(3) 지하층의 계단 및 경사로(지하층 층수 1일 경우 제외)는 별도로 경계구역 산정

해설

■ 수평적 경계구역
1) 하나의 경계구역이 2 이상의 건축물 및 2 이상의 층에 미치지 않을 것
   2개의 층을 하나의 경계구역으로 산정하는 경우 : 바닥의 합이 500 m² 이하
2) 하나의 경계구역 면적 : 600 m² 이하
   ① 한 변 길이 : 50 m 이하
   ② 주출입구에서 내부 전체 보이는 것 : 한 변 길이가 50 [m]의 범위 내 1000 m² 이하
   1층 : 1100/600 = 1.83이므로 절상해서 2개
   2층 : 900/600 = 1.5이므로 절상해서 2개
   3층 : 700/600 = 1.167이므로 절상해서 2개
   4층 + 5층 : 500 m² 이하이므로 1개
   따라서 총 7개의 경계구역

정답

10 ④   11 ②

12 다음 중 소방시설공사의 하자보수 보증기간이 같은 것으로 짝지어진 것을 고르시오.

① 피난기구, 비상조명등, 스프링클러설비
② 비상경보설비, 간이스프링클러설비, 상수도소화용수설비
③ 비상조명등, 무선통신보조설비, 자동화재탐지설비
④ 스프링클러설비, 물분무등소화설비, 옥내소화전설비

해설

■ 하자보수 보증기간

2년	3년
• 피난기구, 유도등, 유도표지 • 비상경보설비, 비상조명등, 비상방송설비 • 무선통신보조설비	• 자동소화장치 • 옥내·옥외소화전설비 • 스프링클러설비, 간이스프링클러설비 • 물분무등소화설비 • 자동화재탐지설비 • 상수도소화용수설비 • 소화활동설비(무선통신보조설비 제외)

※ [13 ~ 15] 다음에서 보여주는 소방안전관리대상물의 조건을 보고 각 물음에 답하시오.

용도	기숙사
규모	지상 13층 / 지하 2층, 연면적 16000 m²
소방시설	소화기, 스프링클러설비, 옥내소화전설비, 자동화재탐지설비, 연결송수관설비, 유도등, 비상조명등, 휴대용비상조명등, 비상방송설비
소방안전 관리자 현황	선임일자 : 2024년 8월 10일
	강습교육 : 2024년 6월 14일 이수

※ 상기 조건을 제외한 나머지 조건은 무시한다.

13 소방안전관리자의 실무교육 이수기한을 고르시오.

① 2024년 9월 10일
② 2024년 12월 31일
③ 2026년 8월 10일
④ 2026년 6월 13일

Tip

※ 강습교육 또는 실무교육의 이력이 있기 때문에 선임된 날로부터 6개월 이내의 교육은 제외되며 강습교육을 받은 날로부터 2년마다 실무교육을 받는다.

정답

12 ④   13 ④

해설

■ 소방안전관리자 실무교육

강습 및 실무교육		내용
실시권자		소방청장(한국소방안전원장에게 위임)
대상자		1) 소방안전관리자 및 소방안전관리보조자 2) 소방안전관리 업무를 대행하는 자를 감독할 수 있는 소방안전관리자 3) 소방안전관리자의 자격을 인정받으려는 자
실무교육 통보		교육실시 30일 전
실무교육 주기		선임된 날부터 6개월 이내, 교육실시 후에는 2년마다 실시 다만 강습교육 또는 실무교육 수료 후 1년 이내에 선임 시, 6개월 교육은 면제된다(즉, 선임 후 2년마다 실무교육 실시).
실무 교육 미이행 시	벌칙	과태료 50만 원
	자격 정지	1) 처분권자 : 소방청장 2) 1년 이하의 기간을 정하여 자격을 정지시킬 수 있음 　(1) 1차 : 경고(시정명령) 　(2) 2차 : 자격정지(3개월) 　(3) 3차 : 자격정지(6개월)

※ 강습교육 또는 실무교육 수료 후 1년 이내에 선임되었으므로 6개월 교육은 면제되며 강습교육 또는 실무교육 수료날을 기준으로 2년마다 실무교육을 실시한다.

14 소방안전관리자의 선임신고 기한을 고르시오.

① 2024년 8월 23일　　② 2024년 9월 24일
③ 2026년 9월 23일　　④ 2025년 10월 24일

해설

■ 소방안전관리자 선임

1) 선임권자 : 관계인
2) 선임기한 : 30일 이내에 선임하고, 14일 이내에 소방본부장이나 소방서장에게 신고
※ 2024년 8월 10일에 선임하였기 때문에 그로부터 14일 이내인 2024년 8월 23일까지 신고한다.

선임기준	해당일
신축·증축·개축·재축·대수선 또는 용도변경 시 신규 선임	특정소방대상물의 사용승인일
증축 또는 용도변경	특정소방대상물의 사용승인일 또는 용도변경 사실을 건축물관리대장에 기재한 날
양수하거나 경매, 환가, 압류재산의 매각	• 해당 권리를 취득한 날 • 관할 소방서장으로부터 소방안전관리자 선임안내를 받은 날

정답

14 ①

선임기준	해당일
공동 소방안전관리대상이 되는 경우	소방본부장 또는 소방서장이 공동 소방안전관리대상으로 지정한 날
소방안전관리자를 해임, 퇴직 등으로 업무가 종료된 경우	소방안전관리자를 해임, 퇴직 등 근무를 종료한 날
소방안전관리업무를 대행하는 자를 감독하는 자를 소방안전관리자로 선임한 경우로서 그 업무대행 계약이 해지 또는 종료된 경우	소방안전관리업무 대행이 끝난 날
소방안전관리자 자격이 정지 또는 취소된 경우	소방안전관리자 자격이 정지 또는 취소된 날

15 해당 소방안전관리대상물의 등급과 소방안전관리보조자 선임인원을 옳게 짝지은 것을 고르시오.

① 1급, 소방안전관리보조자 선임대상이 아님
② 1급, 1명
③ 2급, 소방안전관리보조자 선임대상이 아님
④ 2급, 1명

해설

■ 소방안전관리대상물 등급

특급 대상물	1급 대상물	2급 대상물	3급 대상물
[아파트] • 50층 이상 (지하층 제외) • 높이 200 m 이상 (지상부터)	[아파트] • 30층 이상 (지하층 제외) • 높이 120 m 이상 (지상부터)	• 지하구 • 공동주택 (의무관리) • 보물·국보목조건축물 • 옥내·스프링클러·간이스프링클러·물분무등 설치대상 (호스릴 제외)	자동화재탐지설비 설치된 특정소방대상물
[아파트 제외한 모든 건축물] • 30층 이상 (지하층 포함) • 높이 120 m 이상 (지상부터)	[아파트 제외한 모든 건축물] • 11층 이상 (지하층 제외)		
[모든 건축물] • 연면적 10만 m^2 이상	[모든 건축물] • 연면적 1만 5천 m^2 이상		
-	[가연성 가스] 1000 t 이상	[가연성 가스] 100 ~ 1000 t 가스제조설비 도시가스 허가시설	-

※ 11층 이상인 건축물이기 때문에 1급 대상물이다.

정답

15 ②

■ 소방안전관리보조자 선임대상

보조자선임대상 특정소방대상물	최소 선임기준
300세대 이상인 아파트	1명(300세대마다 1명 이상 추가)
연면적이 1만 5천 m² 이상인 특정소방대상물(아파트 및 연립주택 제외)	1명(연면적 1만 5천 m²마다 1명 이상 추가) 다만 특정소방대상물의 종합방재실에 자위소방대가 24시간 상시 근무하고, 소방자동차 중 소방펌프차, 소방물탱크차, 소방화학차, 무인방수차를 운용하는 경우 3000 m² 초과마다 1명 추가 선임한다.
1) 공동주택 중 기숙사 2) 의료시설 3) 노유자시설 4) 수련시설 5) 숙박시설(숙박시설로 사용되는 바닥면적의 합계가 1500 m² 미만이고 관계인이 24시간 상시 근무하고 있는 숙박시설은 제외)	1명 다만 해당 특정소방대상물이 소재하는 지역을 관할하는 소방서장이 야간이나 휴일에 해당 특정소방대상물이 이용되지 않는다는 것을 확인한 경우에는 선임하지 않을 수 있다.

※ 면적이 1만 5천 m² 이상인 특정소방대상물이므로 16000/15000 = 1.067 소숫점 절삭하여 1명의 소방안전관리보조자를 선임한다.

16 다음 중 종합점검에 해당하는 기술인력이 아닌 자를 고르시오.

① 관리업에 등록된 소방시설관리사
② 소방안전관리자로 선임된 소방시설관리사
③ 소방안전관리자로 선임된 소방기술사
④ 특급 소방안전관리자

해설

■ 소방시설 설치 및 관리에 관한 법률 시행규칙 [별표 3]
소방시설등 자체점검의 구분 및 대상, 점검자의 자격, 점검 장비, 점검 방법 및 횟수 등 자체점검 시 준수해야 할 사항

나. 종합점검은 다음 어느 하나에 해당하는 기술인력이 점검할 수 있다.
　　1) 관리업에 등록된 소방시설관리사
　　2) 소방안전관리자로 선임된 소방시설관리사 및 소방기술사

정답

16 ④

17 대지면적이 900 m²인 건축물의 구조가 다음과 같다. 용적률을 산정하시오.

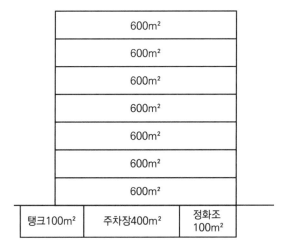

① 66.67 %	② 108.98 %
③ 220.12 %	④ 466.67 %

Tip
[건폐율]
대지면적에 대한 건축면적
(대지에 건축물이 둘 이상 있
는 경우에는 이들 건축면적
의 합계로 한다)의 비율
※ 용적률은 100 %를 초과
할 수 있지만 건폐율을 초
과 할 수 없다.

해 설

■ 용적률의 산정
대지면적에 대한 연면적(대지에 건축물이 둘 이상 있는 경우에는 이들 연면적의 합계로 한다)의 비율
※ 위의 그림상의 연면적 : 600 × 7 = 4200 m²

따라서 $\dfrac{4200}{900} \times 100 = 466.67\%$

※ 지하 주차장, 정화조, 탱크는 제외한다.

18 다음의 감시제어반을 보고 알맞은 설명을 고르시오.

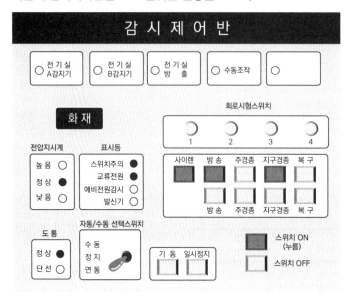

① 화재가 발생하여 전기실 B감지기가 작동할 경우 화재표시등이 점등된다.
② 화재발생 시 사이렌이 울린다.
③ 화재가 발생하여 가스가 방출되면 전기실 방출 표시등이 소등된다.
④ 솔레노이드밸브는 감지기 A, B 중 하나만 동작하여도 격발된다.

해설

■ 감시제어반
1) 화재가 발생해서 감지기 A 또는 B 둘 중 하나 작동할 경우 화재표시등이 점등된다.
2) 화재가 발생하여도 현재 사이렌 스위치가 눌려있으므로 명동하지 않는다.
3) 화재가 발생하여 가스가 방출되면 전기실 방출 표시등이 점등된다.
4) 솔레노이드밸브는 감지기 A와 B 둘 다 동작해야 격발된다.

정답

18 ①

19 다음의 동력제어반을 보고 틀린 설명을 고르시오.

① 현재 동력제어반의 선택스위치는 정상위치에 있다.
② 감시제어반에서 충압펌프를 수동기동위치에 두었다.
③ 감시제어반에서 주펌프를 수동기동위치에 두었다.
④ 주펌프는 기동중이며 충압펌프는 정지중이다.

해설

■ 동력제어반
② 현재 동력제어반의 충압펌프의 선택스위치가 자동위치에 있지만 정지에 점등이 되었으므로 기동하지 않는 상태이다.

20 다음 [보기]에 제시된 소화방법으로 알맞은 것을 고르시오.

〈보기〉
1. 가스밸브를 잠근다.
2. 가연물을 직접 제거한다.
3. 촛불을 입으로 강하게 불어 가연성 증기를 날려 보낸다.

① 질식소화　　② 제거소화
③ 냉각소화　　④ 억제소화

Tip
[화학적 소화 = 부촉매소화]
• 연쇄반응 차단에 의한 소화
• 적용 : 할론소화설비, 청정 할로겐 강화액 및 분말소화 설비 등

■ 소화

구분	소화	내용
물리적 소화	냉각 소화	• 점화원을 냉각하여 소화 • 주수로 물의 증발잠열(기화잠열)을 이용 • CO_2 소화설비 : 줄 – 톰슨효과에 의한 냉각 • 적용 : 스프링클러설비, 옥내·옥외소화전, 포소화설비 등
	질식 소화	• 산소농도를 15 % 이하로 희박하게 하여 소화 • 유류화재에서의 포소화설비 • CO_2 소화설비 : 피복을 입혀 소화 • 적용 : 마른모래, 팽창질석, 팽창진주암
	제거 소화	• 가연물을 이동·제거하여 소화 • 적용 : 산림벌목, 촛불 끄기

21 다음은 유도등을 나타낸 그림이다. 잘못 설명하고 있는 것은?

(가)　　　　　(나)　　　　　(다)

① (가)는 피난구유도등이며 바닥으로부터 1.5 m 이상에 설치한다.

② (나) 중 복도통로유도등은 바닥으로부터 1 m 이하에 설치한다.

③ (다)는 객석통로로유도등이며, 통로, 바닥, 천장에 설치한다.

④ (나) 중 거실통로유도등은 바닥으로부터 1.5 m 이상에 설치한다.

■ 유도등

1) 피난구유도등 설치 높이 : 바닥으로부터 높이 1.5 m 이상 위치에 설치

2) 통로유도등

　① 복도통로유도등 : 바닥으로부터 높이 1 m 이하의 위치에 설치(지하층 또는 무
　　창층의 용도가 도매시장·소매시장·여객자동차터미널·지하역사·지하상
　　가인 경우 복도·통로 중앙부분의 바닥에 설치)

　② 거실통로유도등 : 바닥으로부터 높이 1.5 m 이상의 위치에 설치(거실 통로에
　　기둥 설치 시 기둥부분의 바닥으로부터 1.5 m 이하 위치에 설치 가능)

　③ 계단통로유도등 : 바닥으로부터 높이 1 m 이하의 위치에 설치

3) 객석유도등 : 객석의 통로, 바닥 또는 벽에 설치

정답

21 ③

22 펌프의 체절운전 시 수온이 상승하면 펌프에 무리가 발생하므로 순환배관상의 어떠한 밸브를 통해 과압을 방출하여 수온상승을 방지한다. 이 밸브를 고르시오.

① 개폐밸브　　　　　　② 후드밸브
③ 체크밸브　　　　　　④ 릴리프밸브

해설

■ 소화펌프 토출 측에 설치하는 부품
1) 수조가 펌프보다 낮게 설치된 경우 – 물올림탱크
2) 성능시험배관
3) 압력계
4) 릴리프밸브(수온상승방지용 순환배관)
※ 연성계 : 소화수조가 소화펌프보다 낮을 때 흡입 측 배관에 설치

23 가연성 가스가 아닌 것은?

① 프로판(프로페인)　　② 암모니아
③ 일산화탄소　　　　　④ 이산화탄소

해설

■ 가연물이 될 수 없는 물질

구분	해당 물질	이유
산소와 결합하여 더 이상 산소와 반응하지 않는 물질	물(H_2O) 이산화탄소(CO_2) 산화알루미늄(Al_2O_3)	산소와 이미 결합되어 산화반응을 하지 않음 → 완전연소생성물 산소공급원
0족의 불활성 기체	헬륨(He), 네온(Ne) 아르곤(Ar), 크립톤(Kr) 크세논(Xe), 라돈(Rn)	최외곽 전자가 8개로 안정되어 더 이상 화학 반응을 하지 않음

24 지상층 중 개구부 면적 합계가 해당 층의 바닥면적의 1/30 이하가 되는 층을 무엇이라 하는가?

① 비상층　　　　　　　② 지하층
③ 피난층　　　　　　　④ 무창층

해설

■ 무창층과 피난층
1) 무창층 : 지상층 중 다음 요건을 모두 갖춘 개구부의 면적의 합계가 해당 층의 바닥면적 30분의 1 이하가 되는 층
2) 피난층 : 곧바로 지상으로 갈 수 있는 출입구가 있는 층

Tip

[가연물의 위험성]

작을수록 위험
열전도도 활성화에너지 인화점 · 착화점 점성 · 비중 끓는점 · 녹는점

클수록 위험
온도 · 압력 · 열량 연소속도 연소범위 화학적 활성도 건조도 · 연소열

정답

22 ④　23 ④　24 ④

25 준비작동식 스프링클러설비의 작동순서로 옳은 것은?

① 화재발생 → 감지기 작동 → 솔레노이드밸브 작동 → 준비작동식 밸브 개방 → 준비작동식 밸브의 압력스위치 작동(사이렌 경보, 수신반의 화재표시등, 밸브개방표시등 점등) → 펌프 기동

② 화재발생 → 감지기 작동(사이렌 경보, 수신반의 화재표시등 점등) → 솔레노이드밸브 작동 → 준비작동식 밸브 개방 → 압력챔버의 압력스위치 작동(수신반의 밸브개방표시등 점등) → 솔레노이드밸브의 압력스위치 작동 → 펌프 기동

③ 화재발생 → 수동기동장치를 통해 수동기동 → 준비작동식 밸브 개방 → 솔레노이드밸브 작동 → 수신반의 밸브개방표시등 점등 → 압력챔버의 압력스위치 작동 → 펌프 기동

④ 화재발생 → 감지기 작동(사이렌 경보, 수신반의 화재표시등 점등) → 솔레노이드밸브 작동 → 준비작동식 밸브 개방 → 준비작동식 밸브의 압력스위치 작동(수신반의 밸브개방표시등 점등) → 압력챔버의 압력스위치 작동 → 펌프 기동

해설

■ 준비작동식 스프링클러설비 작동순서
1) 화재발생
2) 교차회로 방식의 A or B 감지기 작동(경종 또는 사이렌 경보, 감시제어반의 화재표시등 점등)
3) A and B 감지기 모두 작동
4) 준비작동식 유수검지장치(준비작동식 밸브)의 전자밸브(솔레노이드밸브) 작동
5) 중간챔버에 채워져 있던 물이 배수되며(감압) 준비작동식 밸브 개방
6) 1차 측 가압수의 2차 측으로의 유수를 통해 준비작동식 밸브의 압력스위치 작동
7) 감시제어반의 밸브개방표시등 점등
8) 감열에 의한 폐쇄형 헤드 개방
9) 배관 내 압력저하로 기동용 수압개폐장치(압력챔버)의 압력스위치 작동
10) 펌프 기동

26 공기 중에 산소는 약 몇 vol%가 존재하는가?

① 18   ② 21
③ 23   ④ 78

해설

■ 공기성분
1) 산소 : 21 vol%   2) 질소 : 78 vol%
3) 아르곤 : 0.93 vol%   4) 이산화탄소 : 0.04 vol%
5) 기타 : 0.03 vol%

🌐Tip

[건식 스프링클러설비 작동순서]
화재발생 → 열에 의해 폐쇄형 헤드 개방 및 압축공기 방출 → 유수검지장치의 클래퍼 개방 → 압력스위치 작동 → 사이렌 경보와 감시제어반의 화재표시등 및 밸브개방표시등 점등 → 압력챔버의 압력스위치 작동 → 펌프 기동

정답
25 ④ 26 ②

27 다음의 건축물현황을 보고 법적으로 설치하지 않아도 되는 소방시설을 고르시오.

> 가. 층수 : 지상 8층 (지하층 없음)
> 나. 연면적 : 4000 m²
> 다. 주용도 : 업무시설

① 비상방송설비   ② 옥내소화전설비
③ 스프링클러설비   ④ 옥외소화전설비

해설

◾ 옥외소화전설비 설치대상
1) 지상 1층 및 2층의 바닥면적의 합계가 9000 m² 이상인 것
2) 문화유산 중 보물 또는 국보로 지정된 목조건축물
3) 공장 또는 창고시설로서 750배 이상의 특수가연물을 저장·취급하는 것
  ※ 옥외소화전설비 설치 제외
  ① 아파트등
  ② 위험물 저장 및 처리시설 중 가스시설
  ③ 지하구 및 터널
따라서 1층과 2층의 바닥면적 합계가 9000 m² 이상이 아니므로 옥외소화전설비는 설치하지 않아도 된다.

28 다음 소방시설의 종류 중 피난기구가 아닌 것을 고르시오.

① 공기호흡기   ② 피난사다리
③ 구조대   ④ 완강기

해설

◾ 피난기구의 종류

구분	정의
구조대	건축물의 창과 같이 개방할 수 있는 부분에서 지상까지 통상의 포대를 설치하여 그 포대의 내부를 활강하는 피난기구
완강기	지지대에 걸어서 사용자의 몸무게에 의하여 자동적으로 내려올 수 있는 기구 중 사용자가 교대하여 연속적으로 사용할 수 있는 것으로서 속도조절기, 속도조절기의 연결부, 로프, 연결금속구, 벨트로 구성
간이완강기	지지대에 걸어서 사용자의 몸무게에 의하여 자동적으로 내려올 수 있는 기구 중 사용자가 교대하여 연속적으로 사용할 수 없는 일회용의 것
피난사다리	안전한 장소로 피난하기 위해서 건축물의 개구부에 설치하는 기구로서 고정식사다리, 올림식사다리, 내림식사다리로 분류

Tip

[인명구조기구]

구분	정의
방열복	고온의 복사열에 가까이 접근하여 소방활동을 수행할 수 있는 내열피복
공기호흡기	소화활동 시 화재로 인하여 발생하는 각종 유독가스 중에서 일정시간 사용할 수 있도록 제조된 압축공기식 개인 호흡장비(보조마스크 포함)
인공소생기	호흡 부전 상태인 사람에게 인공호흡을 시켜 환자를 보호, 구급하는 기구
방화복	화재진압 등의 소방활동을 수행할 수 있는 피복(안전모, 보호장갑, 안전화 포함)

정답

27 ④   28 ①

구분	정의
미끄럼대	2층 또는 3층에 설치하여 화재 시 신속하게 지상으로 피난
다수인피난장비	2인 이상의 피난자가 동시에 지상 또는 피난층으로 하강하는 피난기구
피난교	건축물의 옥상층 또는 그 이하의 층에서 화재 발생 시 옆 건축물로 피난하기 위해 다리모양으로 설치하는 피난기구
피난용 트랩	건축물의 개구부에 설치하며 도난을 방지하기 위해서 옥외에 설치하는 경우에는 피난용 트랩을 위로 접어 올려두는 피난기구
공기안전매트	고층건축물 화재 발생 시 또는 유사한 위험한 상황에서 사람이 건축물에서 외부로 긴급히 뛰어내릴 때 충격을 흡수하여 안전하게 지상에 도달할 수 있도록 포지에 공기를 주입하는 피난기구
승강식피난기	사용자의 몸무게에 의하여 자동으로 하강하고 내려서면 자동으로 상승하여 연속사용이 가능한 무동력 피난기구

29 다음 중 피난사다리 종류가 아닌 것을 고르시오.

① 올림식　　　　　② 내림식
③ 접이식　　　　　④ 고정식

해설

■ 피난사다리 종류

고정식사다리, 올림식사다리, 내림식사다리

30 지하층 또는 무창층으로서 용도가 소매시장인 곳에 설치된 비상조명등의 유효 작동시간을 고르시오.

① 10분　　　　　② 30분
③ 60분　　　　　④ 100분

해설

■ 비상조명등 설치기준

구분		설치기준
설치장소		각 거실과 그로부터 지상에 이르는 복도·계단 및 통로
조도		바닥에서 1 Lx 이상
유효 작동시간	20분 이상	일반건축물
	60분 이상	① 지하층을 제외한 층수가 11층 이상의 층 ② 지하층 또는 무창층으로서 용도가 도매시장·소매시장·여객자동차터미널·지하역사 또는 지하상가

정답

29 ③　30 ③

31 3선식 유도등이 자동으로 점등되어야 하는 경우가 아닌 것을 고르시오.

① 비상경보설비의 발신기가 작동되는 때
② 자동화재탐지설비의 감지기 또는 발신기가 작동되는 때
③ 상용전원이 정전되거나 전원선이 단선되는 때
④ 수동소화설비가 작동했을 때

해설

◪ 3선식 유도등 점등
1) 자동화재탐지설비의 감지기 또는 발신기가 작동되는 때
2) 비상경보설비의 발신기가 작동되는 때
3) 상용전원이 정전되거나 전원선이 단선되는 때
4) 방재업무를 통제하는 곳 또는 전기실의 배전반에 수동으로 점등하는 때
5) 자동소화설비가 작동되는 때

32 응급처치의 중요성이 아닌 것을 고르시오.

① 긴급한 환자의 생명 유지
② 환자의 고통 결감
③ 입원치료의 기간 연장
④ 현장처치의 원활화로 의료비 절감

해설

◪ 응급처치
1) 갑자기 발생한 외상이나 질환에 대해 주로 발생하는 장소 또는 반송된 의료기관에서 최소한도의 치료를 행하는 것, 즉 의사에게 치료를 받기 전까지의 즉각적인 임시조치를 말함
2) 중요성
   (1) 환자의 고통 경감
   (2) 긴급환자의 생명 유지
   (3) 응급처치로 인한 치료기간 단축
   (4) 현장처치의 원활화로 의료비 절감

Tip

[응급처치의 일반원칙]
⑴ 긴박한 상황에서도 구조자는 자신의 안전을 최우선으로 할 것
⑵ 응급처치 시 사전에 보호자 또는 당사자의 이해와 동의를 얻어 실시
⑶ 당황하거나 흥분하지 말고 침착하게 사고의 정도와 환자의 모든 상태 확인
⑷ 응급처치와 동시에 119구조·구급대, 경찰, 병원 등에 응급구조 요청
⑸ 환자상태를 관찰하며 모든 손상을 발견하여 처치하되 불확실한 처치 금지
⑹ 119구급차 이용에 따른 비용징수 문제

33 다음 물질 중 연소범위가 가장 넓은 것은?

① 프로페인
② 부테인
③ 메테인
④ 일산화탄소

■ 연소범위(Flammability Limit)

1) 연소범위의 위험성 크기 비교

아세틸렌 > 수소 > 일산화탄소 > 에틸렌 > 메탄(메테인) > 에탄(에테인) > 프로판(프로페인) > 부탄(부테인)

2) 연소범위가 넓을수록 위험도는 크다.

위험도 = $\dfrac{UFL - LFL}{LFL}$

5) 주요 물질의 연소범위

가스	하한계vol%	상한계vol%
아세틸렌	2.5	81
수소	4	75
일산화탄소	12.5	74
에틸렌	2.1	32
암모니아	15	28
메탄(메테인)	5	15
에탄(에테인)	3	12.4
프로판(프로페인)	2.1	9.5
부탄(부테인)	1.8	8.4

34 다음 중 화재 시 대응 요령과 관련 없는 것을 고르시오.

① 화재전파 및 접수
② 화재신고
③ 대원소집 및 임무부여
④ 소방훈련

■ 화재대응 요령

1) 화재전파 및 접수 : 불을 발견하면 "불이야" 하고 외쳐 다른 사람에게 알리고, 화재경보장치(발신기)를 누름

2) 화재신고 : 화재를 인지/접수한 경우 침착하게 불이 난 사실과 현재 위치, 화재진행 상황 및 피해 현황 등을 소방기관(119)에 신고

3) 비상방송 : 담당 대원은 비상방송설비(일반방송설비 또는 확성기 등 장비)를 사용하여 신속하게 화재사실을 전파하며 필요한 경우 즉각적인 피난 개시명령

4) 대원소집 및 임무부여 : 화재가 접수되면 초기대응체계를 구축하여 신속하게 화재에 대응하고 이후 화재의 확대 여부 등을 고려하여 자위소방대장 또는 부대장은 자위소방대원을 소집하고 임무 부여

5) 관계기관 통보, 연락 : 소방안전관리자 또는 자위소방조직상 담당 대원은 비상연락체계를 통해 유관기관, 협력업체 등에 화재사실을 전파하고 신속한 대응준비 지시

정답

34 ④

6) 초기소화 : 화재를 인지한 경우 화재현장에서 소화기 또는 옥내소화전을 사용하여 신속한 초기소화 작업을 실시하고, 초기소화가 어려운 경우에는 열 또는 연기 확산 방지를 위해 출입문을 닫고 즉시 피난

35 습식 스프링클러설비의 점검을 위해 시험밸브함을 열었더니 다음과 같은 상태였다. 틀린 설명을 고르시오.

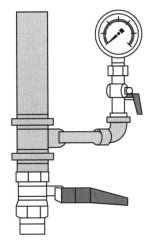

① 두 개의 밸브는 정상상태를 유지하고 있다.
② 압력계 지침이 0을 가리키고 있다.
③ 펌프 내의 가압수가 없는 상태이다.
④ 말단시험밸브가 잘못 설치되어 있다.

해설

▣ 습식 스프링클러설비의 유지관리
압력계 밑에 부착된 개폐밸브는 평상시에 개방하여 시험밸브 배관 내의 압력이 정상압력(0.1 MPa 이상 1.2 MPa 이하)인지 여부를 확인해주어야 하며 가압수 배출을 위한 시험밸브는 평상시에 폐쇄 상태로 유지 관리되어야 한다.

36 전기화재의 주요 원인으로 옳지 않은 것을 고르시오.

① 누전차단기 고장에 의한 발화
② 배선의 절연으로 인한 발화
③ 전선이 눌렸을 때 단락에 의한 발화
④ 멀티콘센트의 허용전류를 초과해서 발생하는 과전류에 의한 발화

Tip
[전기화재]
전류가 흐르고 있는 전기기기 및 배선과 관련된 화재를 말한다.

정답

35 ④   36 ②

■ 전기화재의 원인

구분	내용
과전류	줄의 법칙에 의해 발열
단락(합선)	1000 A 이상의 단락전류
지락	단락전류가 목재, 금속체 등에 흐를 때 발화
누전	절연이 파괴되어 누설전류의 발열
접속부 과열	접촉저항 등 접촉상태가 불완전할 때 발열
스파크	스위치의 ON, OFF 시 스파크에 의한 발열
정전기	부도체의 마찰에 의해 전하가 축적되어 방전, 발화
열적경과	방열이 잘 되지 않는 장소에서의 열축적
절연열화 또는 탄화	절연체 등이 시간경과에 의해 절연성이 저하되거나 탄화되어 발열
낙뢰	번개 등으로 순간적으로 수 만 A 이상의 전류

37 다음 빈칸에 들어갈 말로 순서대로 나열된 것을 고르시오.

> 옥외소화전설비는 소방대상물의 각 부분으로부터 호스접결구까지의
> (   )가 (   )이 되도록 설치해야 하며, 이때 호스의 구경은 (   )인
> 것으로 설치하여야 한다.

① 수평거리, 40 m 이하, 65 mm
② 수평거리, 40 m 이상, 65 mm
③ 보행거리, 20 m 이하, 45 mm
④ 보행거리, 20 m 이하, 65 mm

■ 옥외소화전 기준
1) 수원량(m³) = N × 7 m³(N : 기준개수, 최대 2개)
2) 방수압력 : 0.25 MPa 이상 0.7 MPa 이하
3) 방수량 : 350 L/min 이상
4) 호스 구경 : 65 mm
5) 호스접결구까지 수평거리 : 40 m 이하

정답
37 ①

38 소방안전관리자 및 소방안전관리보조자가 실무교육을 받지 않았을 때 과태료 기준을 고르시오.

① 50만 원

② 100만 원

③ 300만 원

④ 500만 원

해설

■ 과태료 개별기준

위반행위	과태료 금액(만 원)		
	1차	2차	3차 이상
1. 화재예방강화지구에서 법을 위반하여 화기취급 등을 한 경우	300		
1) 모닥불, 흡연 등 화기취급을 한 경우	300		
2) 풍등 등 소형열기구 날리기를 한 경우	300		
3) 용접·용단 등 불꽃을 발생시키는 행위를 한 경우	300		
2. 소방안전관리자를 겸한 경우	300		
3. 소방안전관리업무를 하지 아니한 관계인 또는 소방안전관리자	100	200	300
4. 소방안전관리업무의 지도·감독을 하지 아니한 경우	300		
5. 건설현장 소방안전관리대상물의 소방안전관리자의 업무를 하지 아니한 경우	100	200	300
6. 피난유도 안내정보를 제공하지 아니한 경우	100	200	300
7. 소방훈련 및 교육을 하지 아니한 경우	100	200	300
8. 화재예방진단 결과를 제출하지 아니한 경우	−		
1) 지연제출기간이 1개월 미만인 경우	100		
2) 지연제출기간이 1개월 이상 3개월 미만인 경우	200		
3) 지연제출기간이 3개월 이상 또는 제출하지 않은 경우	300		
9. 불을 사용할 때 지켜야 하는 사항 및 특수가연물의 저장 및 취급 기준을 위반한 경우	200		
10. 소방설비 등의 설치 명령을 정당한 사유 없이 따르지 아니한 경우	200		
11. 기간 내에 선임신고를 하지 아니하거나 소방안전관리자의 성명 등을 게시하지 아니한 경우	−		
1) 지연신고기간이 1개월 미만인 경우	50		
2) 지연신고기간이 1개월 이상 3개월 미만인 경우	100		
3) 지연신고기간이 3개월 이상이거나 신고하지 않은 경우	200		
4) 소방안전관리자의 성명 등을 게시하지 않은 경우	50	100	200

정답

38 ①

위반행위	과태료 금액(만 원)		
	1차	2차	3차 이상
12. 기간 내에 건설현장 소방안전관리자 선임신고를 하지 않거나 소방안전관리자의 성명 등을 게시하지 않은 경우	-		
1) 지연신고기간이 1개월 미만인 경우	50		
2) 지연신고기간이 1개월 이상 3개월 미만인 경우	100		
3) 지연신고기간이 3개월 이상이거나 신고하지 않은 경우	200		

39 고층건축물에서 연기의 제어 및 차단은 중요한 문제이다. 연기제어의 기본방법이 아닌 것은?

① 희석   ② 차단
③ 배기   ④ 복사

해설

■ 연기제어

방법	내용
희석	신선한 공기를 공급하여 연기의 농도를 낮추는 것
배기	건물 내의 압력차에 의하여 연기를 외부로 배출시키는 것
차단	연기가 일정한 장소 내로 들어오지 못하도록 하는 것

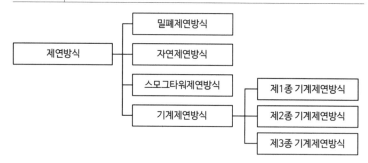

40 다음 중 건설현장 소방안전관리자의 업무가 아닌 것은?

① 공사진행 단계별 피난안전구역, 피난로 등의 확보와 관리
② 임시소방시설설의 설치 및 관리에 대한 감독
③ 초기대응체계의 구성·운영 및 교육
④ 화재 최성기 시 진압

해설

■ 건설현장 소방안전관리자 업무
1) 건설현장의 소방계획서 작성
2) 임시소방시설설의 설치 및 관리에 대한 감독
3) 공사진행 단계별 피난안전구역, 피난로 등의 확보와 관리
4) 건설현장의 작업자에 대한 소방안전 교육 및 훈련
5) 초기대응체계의 구성·운영 및 교육
6) 화기취급의 감독, 화재위험작업의 허가 및 관리
7) 그 밖에 건설현장의 소방안전관리와 관련하여 소방청장이 고시하는 업무

Tip

[건설현장 소방안전관리
대상물]

(1) 신축·증축·개축·재축·
이전·용도변경 또는 대수
선을 하려는 부분의 연면
적 15000 m² 이상인 것
(2) 신축·증축·개축·재축·
이전·용도변경 또는 대수
선을 하려는 부분의 연면
적 5000 m² 이상인 것으
로서 다음 어느 하나에 해
당하는 것
① 지하층의 층수가 2개
층 이상인 것
② 지상층의 층수가 11층
이상인 것
③ 냉동창고, 냉장창고 또
는 냉동·냉장창고

41 건물 내에서 계단실의 수직이동방향 속도는 약 몇 m/s인가?

① 0.1 ~ 0.2   ② 0.3 ~ 0.8
③ 2 ~ 3   ④ 3 ~ 5

해설

■ 연기의 이동 속도

이동방향	이동속도
수평 방향	0.5 ~ 1.0 m/s
수직 방향	2 ~ 3 m/s
계단실 내의 수직이동속도	3 ~ 5 m/s

42 자동화재탐지설비 및 시각경보장치의 화재안전기준에 따라 자동화재탐지설비의 주음향장치의 설치 장소로 옳은 것은?

① 발신기의 내부   ② 수신기의 내부 혹은 직근
③ 누전경보기의 내부   ④ 자동화재속보설비의 내부

해설

■ 음향장치 설치위치
주경종(주음향장치) : 수신기 내부 혹은 수신기의 직근에 설치
지구경종(지구음향장치) : 발신기세트함

정답
40 ④   41 ④   42 ②

43 화재발생 시 재실자 및 장애인, 노인, 임산부, 영유아 및 어린이 등 이동이 어려운 사람(피난약자)을 안전한 장소로 대피시키는 업무를 수행하는 자위소방대의 편성조직은?

① 비상연락팀 ② 피난유도팀
③ 방호안전팀 ④ 응급구조팀

해설

■ 자위소방대 편성조직의 업무(자위소방활동)

편성조직	업무 내용
비상연락팀	화재사실의 전파 및 신고 업무
초기소화팀	화재발생 시 초기화재 진압 활동
피난유도팀	재실자 및 장애인, 노인, 임산부, 영유아 및 어린이 등 이동이 어려운 사람(피난약자)을 안전한 장소로 대피시키는 업무
응급구조팀	인명 구조하고, 부상자에 대한 응급조치
방호안전팀	화재확산방지 및 위험시설의 제어 및 비상반출 등 방호안전업무

44 내화구조 건축물의 화재 특징은?

① 저온 장시간형 ② 고온 단시간형
③ 고온 장시간형 ④ 저온 단시간형

해설

■ 건축물 화재의 특성 비교

구분	목조 건축물	내화 건축물
화재성상	고온, 단기형	저온, 장기형
최성기 온도	1100 ~ 1300 ℃ (최성기 10분)	800 ~ 1000 ℃ (20 ~ 30분)
건물화재 연소특성		

45 다음 중 간이소화용구가 아닌 것은?

① 자동확산소화용구
② 스프링클러설비
③ 소화약제에 의한 간이소화용구
④ 삽을 상비한 마른모래

Tip

[간이소화용구]
능력단위 1단위 미만의 소화용구 및 소화약제 외의 것을 이용한 소화용구

해설

■ 간이소화용구의 종류
1) 자동확산소화용구
2) 소화약제에 의한 간이소화용구
3) 삽을 상비한 팽창질석 또는 팽창진주암
4) 삽을 상비한 마른모래

46 다음 중 물분무등소화설비가 아닌 것은?

① 미분무소화설비   ② 할론소화설비
③ 간이스프링클러설비   ④ 고체에어로졸소화설비

해설

■ 물분무등소화설비의 종류
1) 물분무소화설비, 미분무소화설비
2) 포, 이산화탄소, 분말, 할론소화설비
3) 할로겐화합물 및 불활성기체소화설비
4) 강화액소화설비
5) 고체에어로졸소화설비

47 교차배관에서 분기되는 지점을 기준으로 한쪽의 가지배관에 설치되는 하향식 스프링클러헤드는 몇 개 이하로 설치하는가? (단, 수리역학적 배관방식의 경우는 제외)

① 7개   ② 8개
③ 9개   ④ 10개

해설

■ 스프링클러설비의 배관
1) 가지배관 : 스프링클러설비가 설치되어 있는 배관
  ① 토너먼트방식이 아닐 것
  ② 교차배관에서 분기되는 지점을 기준으로 한쪽 가지배관에 설치되는 헤드의 개수 : 8개 이하

정답

45 ② 46 ③ 47 ②

2) 교차배관 : 직접 또는 수직배관을 통하여 가지배관에 급수하는 배관
   ① 위치 : 가지배관과 수평 또는 밑에 설치
   ② 교차배관 끝에 청소구를 설치하고 나사보호용의 캡으로 마감
3) 배관부속품, 물올림장치, 순환배관, 펌프성능시험배관은 옥내소화전설비 준용

48 화재의 예방 및 안전관리에 관한 법령상 정당한 사유 없이 화재의 예방 조치에 관한 명령에 따르지 아니한 경우에 대한 벌칙은?

① 100만 원 이하의 벌금
② 200만 원 이하의 벌금
③ 300만 원 이하의 벌금
④ 500만 원 이하의 벌금

해설

■ 300만 원 이하의 벌금
1. 화재안전조사를 정당한 사유 없이 거부·방해 또는 기피한 자
2. <u>화재발생 위험이 크거나 소화 활동에 지장을 줄 수 있다고 인정되는 행위나 물건에 따른 명령을 정당한 사유 없이 따르지 아니하거나 방해한 자</u>
   1) 다음에 해당하는 행위의 금지 또는 제한
      ① 모닥불, 흡연 등 화기의 취급
      ② 풍등 등 소형열기구 날리기
      ③ 용접·용단 등 불꽃을 발생시키는 행위
      ④ 그 밖에 대통령령으로 정하는 화재발생 위험이 있는 행위
   2) 목재, 플라스틱 등 가연성이 큰 물건의 제거, 이격, 적재 금지 등
   3) 소방차량의 통행이나 소화 활동에 지장을 줄 수 있는 물건의 이동
3. 소방안전관리자, 총괄소방안전관리자 또는 소방안전관리보조자를 선임하지 아니한 자
4. 소방시설·피난시설·방화시설 및 방화구획 등이 법령에 위반된 것을 발견하였음에도 필요한 조치를 할 것을 요구하지 아니한 소방안전관리자
5. 소방안전관리자에게 불이익한 처우를 한 관계인
6. 화재예방안전진단, 위탁받은 업무를 위반하여 업무를 수행하면서 알게 된 비밀을 정한 목적 외의 용도로 사용하거나 다른 사람, 기관에 제공, 누설한 자

49 소화펌프방식에서 압력챔버의 주역할은?

① 유수의 흐름을 알기 위함
② 소화펌프를 가동시키기 위함
③ 배관 내의 압력을 일정하게 하기 위함
④ 일정한 방사압을 유지하기 위함

해설

■ 기동용 수압개폐장치(압력챔버)
1) 용적 : 100 L 이상
2) 펌프의 자동기동 및 정지
3) 압력변화의 완충작용 → 수격 방지 및 설비 보호

50 소화기구(자동식 소화기 및 자동확산 소화용구, 고체 에어로졸 자동소화기를 제외한다)는 바닥으로부터 몇 m 이하의 곳에 비치하여야 하는가?

① 0.5　　　　　　　② 1.0
③ 1.5　　　　　　　④ 2.0

해설

■ 소화기구의 설치기준(자동확산소화기 제외)

구분	설치기준
높이	바닥으로부터 1.5 m 이하
표지판	"소화기", "투척용소화용구", "소화용모래", "소화질석" 표지 부착

Tip

[압력챔버 구성]
⑴ 기동용 수압개폐장치(압력챔버) : 용적 100 L 이상
⑵ 안전밸브 : 과압방출
⑶ 압력스위치 : 압력의 증감을 전기적 신호로 변환
⑷ 배수밸브 : 압력챔버의 물 배수
⑸ 개폐밸브 : 점검 및 보수 시 급수 차단
⑹ 압력계 : 압력챔버 내 압력 표시

정답

49 ② 　50 ③

실전모의고사

01 한국소방안전원의 업무로 알맞지 않은 것을 고르시오.

① 소방기술과 안전관리에 관한 교육 및 조사·연구
② 화재 예방과 안전관리의식 고취를 위한 대국민 홍보
③ 소방안전에 관한 국제협력
④ 화재안전기술 해설서 발간

해 설

■ 한국소방안전원의 업무
1) 소방기술과 안전관리에 관한 교육 및 조사·연구
2) 소방기술과 안전관리에 관한 각종 간행물 발간
3) 화재 예방과 안전관리의식 고취를 위한 대국민 홍보
4) 소방업무에 관하여 행정기관이 위탁하는 업무
5) 소방안전에 관한 국제협력
6) 그 밖에 회원에 대한 기술지원 등 정관으로 정하는 사항

02 다음 중 전기화재의 예방을 위한 것으로 틀린 것을 고르시오.

① 하나의 콘센트에 여러 가지 전기기구를 꽂아서 사용할 것
② 플러그를 뽑을 때는 선을 당기지 말고 몸체를 잡고 뽑을 것
③ 과전류 차단장치 설치할 것
④ 3전선은 묶거나 꼬이지 않도록 주의할 것

해 설

■ 전기화재 예방
1) 하나의 콘센트에 여러 가지 전기기구를 꽂아서 사용하지 않을 것
2) 사용하지 않는 기구는 전원을 끄고 플러그를 뽑아 둘 것
3) 플러그를 뽑을 때는 선을 당기지 말고 몸체를 잡고 뽑을 것
4) 과전류 차단장치 설치할 것
5) 규격 퓨즈를 사용하고 끊어질 경우 그 원인을 해결할 것
6) 전기시설 설치 시 전문 면허업체에 의뢰하여 정확하게 시공할 것
7) 콘센트에 플러그는 흔들리지 않게 완전히 꽂아 사용할 것
8) 누전차단기를 설치하고 월 1 ~ 2회 동작 여부 확인할 것
9) 전선은 묶거나 꼬이지 않도록 주의할 것
10) 전기담요는 접힌 부분에 열이 발생하므로 밟거나 접어서 사용하지 않을 것

Tip

[전기화재]
전류가 흐르고 있는 전기기기 및 배선과 관련된 화재를 말한다.

정답
01 ④ 02 ①

11) 비닐전선은 열에 약하므로 백열전등이나 전열기구 등 고열을 발생하는 기구에는 고무코드 전선을 사용할 것
12) 비닐장판이나 양탄자 밑으로는 전선이 지나지 않도록 할 것
13) 전기기구는 'KS' 제품을 사용하고 사용 전 사용설명서 읽어볼 것
14) 전선이 쇠붙이나 움직이는 물체와 접촉되지 않도록 할 것

03 다음 중 출혈의 증상으로 틀린 것을 고르시오.

① 호흡과 맥박이 빠르고 약하며 불규칙해진다.
② 탈수현상으로 인한 갈증이 발생한다.
③ 저체온, 고혈압 및 호흡곤란(피부 창백)이 일어난다.
④ 구토가 발생한다.

Tip
[출혈]
(1) 외출혈 : 혈액이 피부 밖으로 흘러나오는 것
(2) 내출혈 : 피부 안쪽에 고이는 것

해설

■ 출혈
1) 호흡과 맥박이 빠르고 약하며 불규칙
2) 저체온, 저혈압 및 호흡곤란(피부 창백)
3) 탈수현상으로 인한 갈증
4) 동공 확대 및 두려움이나 불안 호소
5) 구토 발생

04 다음은 소방계획서의 작성에 관한 사항이다. 틀린 내용을 고르시오.

① 소방계획서에는 소방안전관리대상물의 위치·구조·연면적·용도 및 수용인원 등 일반 현황을 포함한다.
② 소방계획서에는 화재 예방을 위한 자체점검계획 및 진압대책을 포함한다.
③ 소방안전관리에 대한 업무수행에 관한 기록 및 유지에 관한 사항은 월 1회 이상 작성하며 5년간 보관한다.
④ 소방훈련 및 교육에 관한 계획을 포함한다.

Tip
소방안전관리에 대한 업무수행에 관한 기록 및 유지에 관한 사항은 대부분 2년간 보관이다.

해설

■ 소방계획서 작성
1) 소방안전관리대상물의 위치·구조·연면적·용도 및 수용인원 등 일반 현황
2) 소방안전관리대상물에 설치한 소방시설·방화시설, 전기시설·가스시설 및 위험물시설의 현황
3) 화재 예방을 위한 자체점검계획 및 진압대책
4) 소방시설·피난시설 및 방화시설의 점검·정비계획
5) 피난층 및 피난시설의 위치와 피난경로의 설정, 장애인 및 노약자의 피난계획 등을 포함한 피난계획

정답
03 ③   04 ③

6) 방화구획, 제연구획, 건축물의 내부 마감재료 및 방염물품의 사용현황과 그 밖의 방화구조 및 설비의 유지·관리계획

7) 관리의 권원이 분리된 특정소방대상물의 소방안전관리에 관한 사항

8) 소방훈련 및 교육에 관한 계획

9) 특정소방대상물의 근무자 및 거주자의 자위소방대 조직과 대원의 임무(화재안전취약자의 피난보조 임무를 포함)에 관한 사항

10) 화기 취급 작업에 대한 사전 안전조치 및 감독 등 공사 중 소방안전관리에 관한 사항

11) 소화에 관한 사항과 연소 방지에 관한 사항

12) 위험물의 저장·취급에 관한 사항(예방규정을 정하는 제조소 등은 제외)

13) 소방안전관리에 대한 업무수행에 관한 기록 및 유지에 관한 사항(월 1회 이상 작성, 2년간 보관)

14) 화재 발생 시 화재경보, 초기소화 및 피난유도 등 초기대응에 관한 사항

15) 그 밖에 소방안전관리를 위하여 소방본부장 또는 소방서장이 소방안전관리대상물의 위치·구조·설비 또는 관리 상황 등을 고려하여 소방안전관리에 필요하여 요청하는 사항

05 화재를 진압하고 화재, 재난, 재해 그 밖의 위급한 상황에서 구조와 구급 활동 등을 하기 위하여 구성된 조직으로 해당하지 않는 것을 고르시오.

① 소방공무원
② 의무소방원
③ 의용소방대원
④ 경찰공무원

해설

■ 소방기본법

용어	정의
소방대상물	건축물, 차량, 산림·그 밖의 인공 구조물 또는 물건 항구에 매어 둔 선박(정박 중인), 선박 건조 구조물
관계지역	소방대상물이 있는 장소 및 그 이웃 지역으로 화재의 예방·경계·진압, 구조·구급 등의 활동에 필요한 지역
관계인	소방대상물의 소유자·관리자 또는 점유자
소방대	소방공무원, 의무소방원, 의용소방대원
소방대장	소방본부장 또는 소방서장 등 화재, 재난·재해, 그 밖의 위급한 상황이 발생한 현장에서 소방대를 지휘하는 사람

정답

05 ④

06 다음 중 표면연소에 해당하지 않는 것을 고르시오.

① 숯
② 코크스
③ 마그네슘
④ 양초

Tip
[양초의 연소]
증발연소

해설

▣ 연소

구분	내용	종류
증발연소	열분해 없이 그대로 증발하여 연소	유황, 나프탈렌, 파라핀, 가솔린, 등유, 양초
분해연소	열분해에 의해 생성된 가연성 가스가 공기와 혼합하여 연소	목재, 석탄, 종이 플라스틱, 고무
표면연소	불꽃이 없는 연소로서 표면에서 연소	숯, 목탄, 코크스 금속분
자기연소	물질 자체에 산소를 함유하고 있어서 별도의 산소 없이 연소	나이트로셀룰로오스 나이트로글리세린 유기과산화물
확산연소	확산화염에 의한 연소	메탄(메테인), 암모니아, 수소, 아세틸렌
예혼합연소	미리 공기와 혼합된 연료가 연소	LNG, LPG, 가연성 가스

07 다음 중 가스누설경보기의 설치에관한 사항으로 틀린 것을 고르시오.

① 증기비중이 1보다 큰 가스의 경우 연소기로부터 수평거리 4 m 이내에 설치한다.
② 증기비중이 1보다 큰 가스의 경우 탐지부의 하단은 바닥면으로부터 30 cm 이내의 위치에 설치한다.
③ 증기비중이 1보다 작은 가스의 경우 연소기로부터 수평거리 8 m 이내에 설치한다.
④ 증기비중이 1보다 작은 가스의 경우 탐지부의 하단은 천장으로부터 30 cm 이내에 설치한다.

Tip
[LPG와 LNG]
LPG는 주성분이 프로판(프로페인)과 부탄(부테인)이며 공기보다 무겁다.
LNG는 주성분이 메탄(메테인)이며 공기보다 가볍다.

해설

▣ 가스누설경보기 설치기준
1) 공기보다 무거운 가스의 경우(LPG)
  ① 탐지기 상단은 바닥면으로부터 30 cm 이내에 설치
  ② 가스연소기 또는 관통부로부터 수평거리 4 m 이내에 설치
2) 공기보다 가벼운 가스의 경우(LNG)
  ① 탐지기 하단은 천정면에서 30 cm 이내에 설치
  ② 가스연소기로부터 수평거리 8 m 이내

정답
06 ④ 07 ②

08 10층 건물로서 옥내소화전이 1층에 4개, 2 ~ 7층에 3개, 8 ~ 10층에 5개가 설치되어 있다. 옥내소화전 설치개수에 따른 최소 저수량으로 옳은 것은?

① 4.8 m³   ② 5.2 m³
③ 6.2 m³   ④ 7.8 m³

해설

■ 옥내소화전의 수원의 저수량

수원량(m³) = N × 2.6 m³
= 2 × 2.6 m³ = 5.2 m³
N : 한 개 층 설치개수
(최대개수 층 선정/최대 2개)

09 다음은 소방관계법령을 위반한 사람들을 나타낸 것이다. 가장 높은 벌금에 해당하는 사람을 고르시오.

① A : 정당한 사유 없이 소방용수시설을 사용한 자
② B : 정당한 사유 없이 소방대의 생활안전활동을 방해한 자
③ C : 피난명령을 위반한 자
④ D : 화재 또는 구조, 구급이 필요한 상황을 거짓으로 알린 자

해설

① A : 정당한 사유 없이 소방용수시설을 사용한 자 – 5년 이하의 징역 또는 5천만 원 이하의 벌금
② B : 정당한 사유 없이 소방대의 생활안전활동을 방해한 자 – 100만 원 이하의 벌금
③ C : 피난명령을 위반한 자 – 100만 원 이하의 벌금
④ D : 화재 또는 구조, 구급이 필요한 상황을 거짓으로 알린 자 – 500만 원 이하의 과태료

정답
08 ② 09 ①

10 다음 중 발화요인으로 가장 높은 발생률을 나타낸 것을 고르시오.

① 부주의
② 화학적 요인
③ 전기적 요인
④ 기계적 요인

Tip

[부주의에 의한 발화 중 원인 별 순서]
담배꽁초(31 %) ⇨ 음식물 조리 중(17 %) ⇨ 쓰레기 소 각(13 %) ⇨ 불씨, 불꽃, 화 원방치(13 %) ⇨ 용접, 절단, 연마(5 %) ⇨ 가연물 근접 방 치(5 %) ⇨ 기타(16 %)

해설

■ 발화요인
부주의 > 전기적 요인 > 기계적 요인 > 화학적 요인

1. 발화요인의 분류

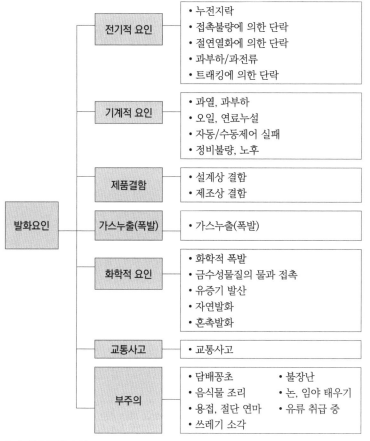

2. 발화요인의 순서
부주의(49.7 %) ⇨ 전기적 요인(23 %) ⇨ 기계적 요인(10.2 %)
⇨ 미상(9.3 %) ⇨ 방화

11 다음은 화재 발생 위험이 큰 물건에 대하여 해당 물건의 소유자 등을 알 수 없는 경우에 관한 내용이다. 틀린 것을 고르시오.

① 소속 공무원으로 하여금 위험물을 옮기게 한다.
② 옮긴 물건은 14일 동안 인터넷 홈페이지에 그 사실을 공고한다.
③ 공고기간의 종료일 다음날부터 10일 동안 물건 등을 보관한다.
④ 보관기간이 종료되는 때에는 보관하고 있는 옮긴 물건을 매각한다.

해설

■ 물건의 보관 및 처리

1) 소방관서장은 화재 발생 위험이 크거나 소화 활동에 지장을 줄 수 있다고 인정되는 행위나 물건에 대하여 행위 당사자나 그 물건의 소유자, 관리자 또는 점유자에게 다음 각 호의 명령을 할 수 있다. 다만 물건의 소유자, 관리자 또는 점유자를 알 수 없는 경우 소속 공무원으로 하여금 그 물건을 옮기거나 보관하는 등 필요한 조치를 하게 할 수 있다.
  ① 목재, 플라스틱 등 가연성이 큰 물건의 제거, 이격, 적재 금지 등
  ② 소방차량의 통행이나 소화 활동에 지장을 줄 수 있는 물건의 이동
2) 옮기거나 치운 물건 등은 보관해야 한다.
3) 공고기간 : 그 날부터 14일 동안 소방관서의 인터넷 홈페이지에 그 사실 공고
4) 보관기간 : 공고기간의 종료일 다음 날부터 7일
5) 보관기간이 종료되는 때에는 보관하고 있는 옮긴 물건을 매각 : 소방관서장
  단, 보관하고 있는 옮긴 물건이 부패·파손 또는 이와 유사한 사유로 정해진 용도에 계속 사용할 수 없는 경우 보관기간 종료 이전에 매각 또는 폐기

12 화재예방강화지구의 지정권자를 고르시오.

① 소방청장   ② 소방본부장
③ 소방서장   ④ 시·도지사

해설

■ 화재예방강화지구

시·도지사가 화재발생 우려가 크거나 화재가 발생할 경우 피해가 클 것으로 예상되는 지역에 대하여 화재의 예방 및 안전관리를 강화하기 위해 지정·관리하는 지역을 화재예방강화지구라 한다.

정답
11 ③   12 ④

※ [13 ~ 15] 다음에서 보여주는 소방안전관리대상물의 조건을 보고 각 물음에 답하시오.

용도	업무시설
규모	지상 9층, 지하 4층, 연면적 12000 m^2
소방시설	스프링클러설비, 소화기, 옥내소화전설비, 유도등, 비상방송설비
소방안전관리자 현황	자격 : 2급 소방안전관리자 자격취득자
	강습 및 실무교육 : 2024년 1월 5일
건축물 사용승인일	2024년 1월 15일

※ 상기조건을 제외한 나머지 조건은 무시한다.

13 소방안전관리자의 선임 기한을 고르시오.

① 2024년 7월 14일 ② 2024년 2월 14일
③ 2024년 12월 30일 ④ 2026년 2월 14일

해설

■ 소방안전관리자 선임
1) 선임권자 : 관계인
2) 선임 : 30일 이내
3) 선임 신고 : 14일 이내 소방본부장, 소방서장에게 신고하고, 소방안전관리대상물의 출입자가 쉽게 알 수 있도록 소방안전관리자의 성명과 그 밖에 행정안전부령으로 정하는 사항을 게시하여야 함
   따라서 건축물 사용승인일로부터 30일 이내인 2024년 2월 14일에 선임한다.

14 해당 소방안전관리대상물의 등급과 소방안전관리보조자 선임인원을 옳게 짝지은 것을 고르시오.

① 1급, 소방안전관리보조자 1명
② 1급, 소방안전관리보조자 2명
③ 2급, 소방안전관리보조자 선임대상이 아님
④ 2급, 소방안전관리보조자 1명

해 설

■ 소방안전관리자 선임

보조자선임대상 특정소방대상물	최소 선임기준
300세대 이상인 아파트	1명(300세대마다 1명 이상 추가)
연면적이 1만 5천 m² 이상인 특정소방대상물(아파트 및 연립주택 제외)	1명(연면적 1만 5천 m²마다 1명 이상 추가) 다만 특정소방대상물의 종합방재실에 자위소방대가 24시간 상시 근무하고, 소방자동차 중 소방펌프차, 소방물탱크차, 소방화학차, 무인방수차를 운용하는 경우 3000 m² 초과마다 1명 추가 선임한다.
1) 공동주택 중 기숙사 2) 의료시설 3) 노유자시설 4) 수련시설 5) 숙박시설(숙박시설로 사용되는 바닥면적의 합계가 1500 m² 미만이고 관계인이 24시간 상시 근무하고 있는 숙박시설은 제외)	1명 다만 해당 특정소방대상물이 소재하는 지역을 관할하는 소방서장이 야간이나 휴일에 해당 특정소방대상물이 이용되지 않는다는 것을 확인한 경우에는 선임하지 않을 수 있다.

* 11층 이상 및 연면적 15000 m² 이상이 아니므로 2급 소방안전관리대상물이다.
* 연면적 15000 m² 이상이 아니므로 소방안전관리보조자는 선임하지 않는다.

15 소방안전관리자가 건축물 사용승인일에 선임되었다. 이 소방안전관리자의 실무교육 이수기한을 고르시오.

① 2024년 2월 4일 　　② 2024년 7월 4일
③ 2026년 1월 5일 　　④ 2026년 1월 4일

해 설

■ 실무교육 이수기한

강습 및 실무교육	내용
실시권자	소방청장(한국소방안전원장에게 위임)
대상자	1) 소방안전관리자 및 소방안전관리보조자 2) 소방안전관리 업무를 대행하는 자를 감독할 수 있는 소방안전관리자 3) 소방안전관리자의 자격을 인정받으려는 자
실무교육 통보	교육실시 30일 전
실무교육 주기	선임된 날부터 6개월 이내, 교육실시 후에는 2년마다 실시 다만 강습교육 또는 실무교육 수료 후 1년 이내에 선임 시, 6개월 교육은 면제된다(즉, 선임 후 2년마다 실무교육 실시).

정답

15 ④

강습 및 실무교육		내용
실무 교육 미이행 시	벌칙	과태료 50만 원
	자격 정지	1) 처분권자 : 소방청장 2) 1년 이하의 기간을 정하여 자격을 정지시킬 수 있음 ⑴ 1차 : 경고(시정명령) ⑵ 2차 : 자격정지(3개월) ⑶ 3차 : 자격정지(6개월)

※ 강습교육 또는 실무교육을 받은 후 1년 이내에 소방안전관리자로 선임되었으므로 6개월 이내의 교육은 면제되며 교육을 받은 날로부터 2년마다 실무교육을 실시한다.

16 다음 소방안전관리대상물을 보고 알맞은 등급을 고르시오.

○ 용도 : 아파트
○ 층수 : 지하 7층, 지상 37층, 3개의 동
○ 연면적 : 130,000 m²
○ 세대수 : 980세대
○ 소방시설 설치현황 : 스프링클러설비, 옥내소화전설비, 비상방송설비

① 특급   ② 1급
③ 2급   ④ 3급

[1급대상물]
아파트는 30층 이상, 아파트를 제외한 모든 건축물은 11층 이상인 경우 1급대상물이다.

해설

■ 소방안전관리대상물

특급대상물	1급대상물	2급대상물	3급대상물
[아파트] • 50층 이상(지하층 제외) • 높이 200 m 이상 (지상부터)	[아파트] • 30층 이상(지하층 제외) • 높이 120 m 이상 (지상부터)	• 지하구 • 공동주택 (옥내/SP설치) • 보물·국보목조건축물 • 옥내소화전·스프링클러·간이스프링클러·물분무등 설치대상	간이스프링클러설비 또는 자동화재탐지설비 설치된 특정소방대상물
[아파트 제외한 모든 건축물] • 30층 이상(지하층 포함) • 높이 120 m 이상 (지상부터)	[아파트 제외한 모든 건축물] • 11층 이상(지하층 제외)		
[모든 건축물] • 연면적 10만 m² 이상(아파트 제외)	[모든 건축물] • 연면적 1만 5천 m² 이상(아파트 및 연립주택 제외)		

정답
16 ②

특급대상물	1급대상물	2급대상물	3급대상물
-	[가연성 가스] 1000 t 이상 저장·취급	[가연성 가스] 100 ~ 1000 t 저장·취급 가스제조설비 도시가스 허가시설	
[제외 장소] • 지하구 • 위험물 저장·처리시설 중 위험물 제조소 등 • 철강 등 불연물품 저장·취급 창고 • 동·식물원		[제외 장소] 호스릴방식의 물분무 등만 설치한 경우	-

※ 30층 이상인 아파트이므로 1급대상물이다.

17 화재의 예방 및 안전관리에 관한 법령상 관리의 권원이 분리된 특정소방대상물의 소방안전관리자를 선임해야 할 대상이 아닌 것은?

① 판매시설 중 도매시장 및 소매시장
② 전통시장
③ 지하층을 제외한 층수가 7층 이상인 고층건축물
④ 복합건축물로서 연면적이 3만 m² 이상인 것

해설

■ 관리의 권원이 분리된 특정소방대상물
1) 관리의 권원이 분리된 특정소방대상물의 소방안전관리 : 대통령령
2) 소방안전관리자 선임 대상
   (1) 복합건축물(지하층 제외한 층수가 11층 이상 또는 연면적 3만 m² 이상)
   (2) 지하상가
   (3) 판매시설 중 도매시장, 소매시장 및 전통시장

18 소방안전관리대상물의 관계인은 피난유도 안내정보 제공방법 중 1가지의 방법을 선택하여 정기적으로 피난유도 안내정보를 제공해야 한다. 피난유도 안내정보를 제공하는 방법으로 옳은 것을 모두 고르시오.

ㄱ. 연 2회 피난안내 교육을 실시하는 방법
ㄴ. 반기별 1회 이상 피난안내방송을 실시하는 방법
ㄷ. 피난안내도를 층마다 보기 쉬운 위치에 게시하는 방법
ㄹ. 엘리베이터, 출입구 등 시청이 용이한 지역에 피난안내영상을 제공하는 방법

① ㄱ
② ㄱ, ㄴ, ㄷ
③ ㄱ, ㄷ, ㄹ
④ ㄱ, ㄴ, ㄷ, ㄹ

Tip

[피난계획에 포함되어야 하는 사항]
(1) 화재경보의 수단 및 방식
(2) 층별, 구역별 피난대상 인원의 현황
(3) 어린이, 노인, 장애인 등 화재의 예방 및 안전관리에 취약한 자(화재안전취약자)의 현황
(4) 각 거실에서 옥외(옥상 또는 피난안전구역을 포함)로 이르는 피난경로
(5) 화재안전취약자 및 화재안전취약자를 동반한 사람의 피난동선과 피난방법
(6) 피난시설, 방화구획, 그 밖에 피난에 영향을 줄 수 있는 제반 사항

정답

17 ③   18 ③

▣ 피난유도 안내정보

1) 연 2회 피난안내 교육을 실시하는 방법
2) 분기별 1회 이상 피난안내방송을 실시하는 방법
3) 피난안내도를 층마다 보기 쉬운 위치에 게시하는 방법
4) 엘리베이터, 출입구 등 시청이 용이한 지역에 피난안내영상을 제공하는 방법

19 무창층 여부를 판단하는 개구부로서 갖추어야 할 조건으로 옳은 것은?

① 개구부 크기가 지름 30 cm의 원이 내접할 수 있는 것
② 해당 층의 바닥면으로부터 개구부 밑부분까지의 높이가 1.5 m 인 것
③ 내부 또는 외부에서 쉽게 파괴 또는 개방할 수 있을 것
④ 창에 방범을 위하여 40 cm 간격으로 창살을 설치한 것

▣ 무창층

1) 크기 : 지름 50 cm 이상의 원이 내접
2) 개구부 밑 부분까지의 높이 : 1.2 m 이내
3) 도로 또는 차량이 진입 가능한 빈터를 향할 것
4) 화재 시 쉽게 피난할 수 있도록 창살이나 장애물이 설치되지 아니할 것
5) 내부, 외부에서 쉽게 부수거나 열 수 있을 것

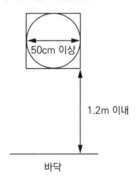

20 다음 중 연소상한계가 가장 큰 물질을 고르시오.

① 수소   ② 프로판(프로페인)
③ 부탄(부테인)   ④ 아세틸렌

Tip

[아세틸렌]
아세틸렌은 가연성 가스 중 폭발범위가 가장 넓으며 가장 위험하다.

■ 연소범위

1) 연소범위의 위험성 크기 비교

아세틸렌 > 수소 > 일산화탄소 > 에틸렌 > 메탄(메테인) > 에탄(에테인) > 프로판(프로페인) > 부탄(부테인)

2) 연소범위가 넓을수록 위험도는 크다.

위험도 $= \dfrac{UFL - LFL}{LFL}$

5) 주요 물질의 연소범위

가스	하한계vol%	상한계vol%
아세틸렌	2.5	81
수소	4	75
일산화탄소	12.5	74
에틸렌	2.1	32
암모니아	15	28
메탄(메테인)	5	15
에탄(에테인)	3	12.4
프로판(프로페인)	2.1	9.5
부탄(부테인)	1.8	8.4

21 다음에서 설명하는 열전달 개념을 고르시오.

ㄱ. 화재 시 열의 이동에 가장 크게 작용하는 열 이동방식이다.
ㄴ. 파장의 형태로 열을 전달한다.
ㄷ. 햇볕을 쬐면 따뜻함을 느끼는 것과 같다.

① 전도   ② 대류
③ 복사   ④ 전달

■ 열전달

종류	내용
전도(Conduction)	• 고체 간의 열전달 현상으로 고온체와 저온체의 직접적인 접촉에 의해 열이 이동한다.
대류(Convection)	• 유체의 흐름에 의하여 열이 이동한다.
복사(Radiation)	• 열전달 매질이 없이 전자파 형태로 열이 이동한다. • 화재 시 열 이동에 가장 크게 작용하며, 플래시 오버에 큰 영향을 미친다.

정답

21 ③

22 가연성 액화가스의 용기가 과열로 파손되어 가스가 분출된 후 불이 붙어 폭발하는 현상을 고르시오.

① 블레비(Bleve)
② 폭굉(Detonation)
③ 블로오프(Blow Off)
④ 플래시오버(Flash Over)

Tip

[플래시오버]
화재로 인하여 실내의 온도가 급격히 상승하여 화재가 순간적으로 실내 전체에 확산되는 현상

해설

▣ 블레비
가연성 액화가스 주위에 화재가 발생한 경우 기상부 탱크가 부분적으로 가열되어 그 강도가 약해져서 탱크가 파열되고 내부의 액화가스가 급속히 팽창하면서 분출 및 폭발하는 현상으로서 비등액체팽창증기폭발이라 한다.

23 다음 위험물의 공통적인 특징으로 틀린 것을 고르시오.

경유, 중유, 휘발유

① 물보다 가볍고 증기는 공기보다 무겁다.
② 인화가 용이하다.
③ 주수소화가 가능하다.
④ 산소를 함유하고 있지 않다.

Tip

[위험물]

구분	개요
제1류 위험물	산화성 고체 (강산화성 물질)
제2류 위험물	가연성 고체 (환원성 물질)
제3류 위험물	자연발화성·금수성 물질
제4류 위험물	인화성 액체
제5류 위험물	자기반응성 물질
제6류 위험물	산화성 액체

해설

▣ 인화성 액체
1) 인화하기 쉬움
2) 화기 엄금, 정전기 방지 조치
3) 대부분 물보다 가볍고, 증기는 공기보다 무거움
4) 증기는 공기와 혼합되어 연소·폭발
5) 착화온도가 낮은 것은 위험
6) 소화방법
  (1) 포, CO_2, 할론, 할로겐화합물 및 불활성기체 소화약제 등으로 질식소화
  (2) 대부분 물에 녹지 않아 주수소화 불가능

정답
22 ①   23 ③

24 소방기본법상 소방용수시설의 저수조는 지면으로부터 낙차가 몇 m 이하가 되어야 하는가?

① 3.5   ② 4
③ 4.5   ④ 6

> **해설**

▣ 소방용수시설

1) 소화전
- 상수도와 연결, 지하식 · 지상식 구조
- 연결금속구 구경 : 65 mm

2) 급수탑
- 급수배관 구경 : 100 mm 이상
- 개폐밸브 : 지상 1.5 m 이상 1.7 m 이하

3) 저수조
- 지면으로부터의 낙차 : 4.5 m 이하
- 흡수부분 수심 : 0.5 m 이상일 것
- 흡수관 투입구 : 사각형 한 변 60 cm, 원형 지름 60 cm 이상

25 소방시설 설치 및 관리에 관한 법령상 수용인원 산정방법 중 침대가 없는 숙박시설로 해당 특정소방대상물 종사자의 수는 5명, 복도, 계단 및 화장실의 바닥면적을 제외한 바닥 면적 158 m²인 경우 수용인원은 약 몇 명인가?

① 37   ② 45
③ 58   ④ 84

Tip

[수용인원 산정]
(1) 바닥면적 산정 시 복도, 계단 및 화장실은 바닥면적을 포함하지 않는다.
(2) 소수점 이하의 수는 반올림한다.

> **해설**

▣ 수용인원 산정

구분	조건	수용인원 산정방법
숙박시설	침대 있음	종사자 수 + 침대 수(2인용 : 2인)
	침대 없음	종사자 수 + 바닥면적 합계 / 3 m²

$$\therefore \text{종사자 수} + \frac{\text{바닥면적 합계}}{3m^2} = 5 + \frac{158}{3} = 57.66 \rightarrow 58\text{명(반올림)}$$

26 소방시설 설치 및 관리에 관한 법령상 주택의 소유자가 소방시설을 설치하여야 하는 대상이 아닌 것은?

① 아파트
② 연립주택
③ 다세대주택
④ 다가구주택

해설

■ 주택용 소방시설
1) 주택용 소방시설의 종류 : 소화기, 단독경보형 감지기
2) 설치대상
  • 단독주택
  • 공동주택(아파트 및 기숙사 제외)(연립주택, 다세대주택, 다가구주택)

27 화재의 예방 및 안전관리에 관한 법률상 불꽃을 사용하는 용접 · 용단 기구의 용접 또는 용단 작업장에서 지켜야 하는 사항 중 다음 (   ) 안에 알맞은 것은?

> 용접 또는 용단 작업장 주변부터 반경 (㉠) m 이내에 소화기를 갖추어 둘 것. 용접 또는 용단 작업장 주변 반경 (㉡) m 이내에는 가연물을 쌓아 두거나 높여두지 말 것. 다만 가연물의 제거가 곤란하여 방지포 등으로 방호조치를 한 경우는 제외한다.

① ㉠ 3, ㉡ 5
② ㉠ 5, ㉡ 3
③ ㉠ 5, ㉡ 10
④ ㉠ 10, ㉡ 5

해설

■ 용접 또는 용단
• 용접, 용단 작업장 주변부터 반경 5 m 이내 소화기를 갖출 것
• 용접, 용단 작업장 주변 반경 10 m 이내 가연물을 쌓아 두거나 놓아두지 말 것

28 위험물안전관리법령에 따라 위험물안전관리자를 해임하거나 퇴직한 때에는 해임하거나 퇴직한 날부터 며칠 이내에 다시 안전관리자를 선임하여야 하는가?

① 30일
② 35일
③ 40일
④ 55일

해설

■ 위험물안전관리자

1) 선임신고 : 선임한 날부터 14일 이내에 소방본부장 또는 소방서장에 신고

2) 해임, 퇴직 시 : 30일 이내에 재선임

29 축압식 소화기의 압력게이지가 녹색(0.7 ~ 0.98 MPa)을 지시하고 있다. 알맞은 설명을 고르시오.

① 압력이 부족한 상태이다.

② 과압인 상태이다.

③ 압력이 정상상태이다.

④ 소화기를 파기해야 한다.

해설

■ 축압식 소화기 압력계이지

황색	압력부족
녹색	정상
적색	과압

30 건식 스프링클러설비의 작동순서로 옳은 것을 고르시오.

① 화재발생 → 헤드개방 → 2차 측 공기압 저하 →
  1차 측 물의 2차 측 유수 → 클래퍼 개방 → 펌프기동

② 화재발생 → 헤드개방 → 2차 측 공기압 저하 →
  클래퍼 개방 → 1차 측 물의 2차 측 유수 → 펌프기동

③ 화재발생 → 헤드개방 → 1차 측 물의 2차 측 유수 →
  클리퍼 개방 → 2차 측 공기압 저하 → 펌프기동

④ 화재발생 → 헤드개방 → 클래퍼 개방→ 2차 측 공기압 저하 →
  1차 측 물의 2차 측 유수 → 펌프기동

Tip

[축압식 소화기]
⑴ 용기 내 축압가스(질소)로
   가압하여 소화약제 방출
⑵ 압력계를 설치하며 0.7 ~
   0.98 MPa를 유지한다.

[가압식 소화기]
⑴ 별도의 가압용기의 압력
   에 의해 약제가 방출
⑵ 압력계가 불필요하다.

정답

29 ③　30 ②

■ 건식 스프링클러설비

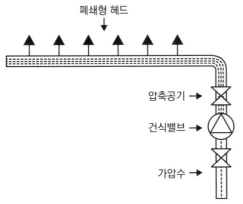

폐쇄형 헤드

압축공기 →

건식밸브 →

가압수 →

1) 화재발생
2) 열에 의해 폐쇄형 헤드 개방 및 압축공기 방출
3) 2차 측 배관 압력 저하
4) 1차 측 압력에 의해 건식 유수검지장치(건식 밸브)의 클래퍼 개방
5) 1차 측 가압수의 2차 측으로의 유수를 통해 헤드로 방출 및 건식 밸브의 압력스위치 작동
6) 사이렌 경보, 감시제어반의 화재표시등 및 밸브개방표시등 점등
7) 배관 내 압력저하로 기동용 수압개폐장치(압력챔버)의 압력스위치 작동
8) 펌프 기동

31 다음은 축적/비축적 스위치에 대한 설명이다. 괄호 안에 들어갈 알맞은 내용을 고르시오.

> (㉠) 시 축적/비축적 스위치는 (㉡) 위치에 놓고 시험을 한다.

① ㉠ : 도통시험, ㉡ : 축적
② ㉠ : 도통시험, ㉡ : 비축적
③ ㉠ : 동작시험, ㉡ : 비축적
④ ㉠ : 동작시험, ㉡ : 축적

■ 동작시험
동작시험 시 축적/비축적 스위치는 비축적 위치에 두어야 빠르게 동작한다.

Tip

[동작시험스위치]
수신기에 화재신호를 수동으로 입력하여 수신기가 정상적으로 동작되는지를 점검하는 시험스위치

정답

31 ③

32 다음 중 화재감시자를 배치하여야 하는 경우로 틀린 것을 고르시오.

① 작업반경 11미터 이내에 건물구조 자체나 내부(개구부등으로 개방된 부분을 포함한다)에 가연성물질이 있는 장소

② 작업반경 11미터 이내의 바닥 하부에 가연성물질이 11미터 이상 떨어져 있지만 불꽃에 의해 쉽게 발화될 우려가 있는 장소

③ 같은 장소에서 상시·반복적으로 용접·용단작업을 할 때 경보용 설비·기구, 소화설비 또는 소화기가 갖추어진 경우

④ 가연성물질이 금속으로 된 칸막이·벽·천장 또는 지붕의 반대쪽 면에 인접해 있어 열전도나 열복사에 의해 발화될 우려가 있는 장소

해설

■ 용접작업의 화재 위험성

1) 스패터(Spatter) 현상
   용접작업 시작은 입자의 용적들이 비산되는 현상, 즉 불티가 튀기는 현상

2) 용접·용단 작업 시 비산불티의 특성
   ① 수천 개의 비산된 불티 발생
   ② 비산거리 : 작업높이, 철판두께, 풍향, 풍속 등 조건 및 환경에 따라 상이(실내에서 무풍 시 약 11 m 정도)
   ③ 온도 : 1,600도 이상의 고온체
   ④ 불티직경 : 약 0.3 ~ 3 mm
   ⑤ 비산불티는 작업과 동시에 짧게는 수 분 사이, 길게는 수 시간 이후에도 화재 가능성 있음

Tip

[화재감시자]
사업주는 근로자에게 다음 각 호의 어느 하나에 해당하는 장소에서 용접·용단 작업을 하도록 하는 경우에는 화재감시자를 지정하여 용접·용단 작업 장소에 배치해야 한다. 다만 같은 장소에서 상시·반복적으로 용접·용단작업을 할 때 경보용 설비·기구, 소화설비 또는 소화기가 갖추어진 경우에는 화재감시자를 지정·배치하지 않을 수 있다.

33 다음의 감시제어반 스위치의 위치를 보고 동력제어반에서 점등되어야 하는 표시등을 모두 고르시오.

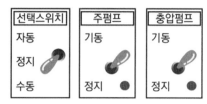

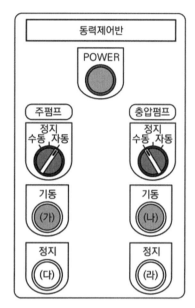

① (가), (나) 　　　　② (가), (다)
③ (가), (라) 　　　　④ (다), (라)

해설

■ 제어반

감시제어반에서 선택스위치를 수동으로 두고 주펌프와 충압펌프를 기동시켰으므로 동력제어반의 선택스위치가 자동위치에 있는 주펌프는 기동에 점등될 것이며 수동 위치에 있는 충압펌프는 정지에 점등이 될 것이다.

34 다음 그림의 감시제어반을 보고 틀린 설명을 고르시오.

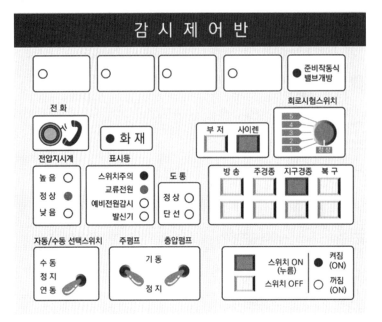

① 주경종과 사이렌이 작동하고 있다.
② 화재가 발생하였다.
③ 지구경종은 울리지 않고 있다.
④ 준비작동식 유수검지장치인 프리액션밸브 압력스위치가 작동하였다.

해설

■ 감시제어반
화재가 발생해서 화재표시등에 점등이 되었지만 사이렌과 지구경종 스위치가 눌러져 있으므로 명동하지 않는다.

35 건축법에서 사용하는 용어 중 '이전'의 정의로 알맞은 것을 고르시오.
① 기존 건축물이 있는 대지에서 건축물의 건축면적, 연면적, 층수 또는 높이를 늘리는 것
② 건축물이 천재지변이나 그 밖의 재해(災害)로 멸실된 경우 그 대지에 다시 축조하는 것
③ 건축물의 주요구조부를 해체하지 아니하고 같은 대지의 다른 위치로 옮기는 것
④ 건축물이 없는 대지(기존 건축물이 해체되거나 멸실된 대지를 포함한다)에 새로 건축물을 축조(築造)하는 것

Tip
[재축]
(1) 연면적 합계는 종전 규모 이하로 할 것
(2) 동수, 층수 및 높이는 다음의 어느 하나에 해당할 것
  ① 동수, 층수 및 높이가 모두 종전 규모 이하일 것
  ② 동수, 층수 또는 높이의 어느 하나가 종전 규모를 초과하는 경우에는 해당 동수, 층수 및 높이가 건축법령에 모두 적합할 것

정답

| 34 ① | 35 ③ |

■ 건축

1) 신축 : 건축물이 없는 대지(기존 건축물이 해체되거나 멸실된 대지를 포함한다)에 새로 건축물을 축조하는 것[부속건축물만 있는 대지에 새로 주된 건축물을 축조하는 것을 포함하되, 개축 또는 재축하는 것은 제외한다]

2) 증축 : 기존 건축물이 있는 대지에서 건축물의 건축면적, 연면적, 층수 또는 높이를 늘리는 것

3) 개축 : 기존 건축물의 전부 또는 일부(내력벽·기둥·보·지붕틀 중 셋 이상이 포함되는 경우를 말한다)를 해체하고 그 대지에 종전과 같은 규모의 범위에서 건축물을 다시 축조하는 것

4) 재축 : 건축물이 천재지변이나 그 밖의 재해(災害)로 멸실된 경우 그 대지에 다시 축조하는 것

36 자동화재탐지설비 및 시각경보장치의 화재안전기술기준(NFTC 203)에 따라 외기에 면하여 상시 개방된 부분이 있는 차고·주차장·창고 등에 있어서는 외기에 면하는 각 부분으로부터 몇 m 미만의 범위 안에 있는 부분은 경계구역의 면적에 산입하지 아니하는가?

① 1
② 3
③ 5
④ 10

■ 경계구역 산정

1) 수평적 경계구역
  (1) 하나의 경계구역이 2개 건축물 및 각 층에 미치지 않을 것(다만 2개의 층을 하나의 경계구역으로 산정하는 경우 : 바닥 합 500 m^2 이하)
  (2) 하나의 경계구역 면적 : 600 m^2 이하
    ① 한 변 길이 : 50 m 이하
    ② 주출입구에서 내부 전체 보이는 것 : 한 변 길이가 50 m의 범위 내 1000 m^2 이하
    ③ 터널 : 하나의 경계구역의 길이 100 m 이하

2) 수직적 경계구역
  (1) 계단·경사로(에스컬레이터 포함)는 별도의 경계구역 산정 → 45 m 이하
  (2) 엘리베이터 승강로(권상기실 포함)·린넨슈트·파이프피트 및 덕트 기타 이와 유사한 부분은 별도의 경계구역 산정 → 높이 기준 없음
  (3) 지하층의 계단 및 경사로(지하층 층수 1일 경우 제외)는 별도로 경계구역 산정

3) 상시 개방된 부분이 있는 차고·주차장·창고 : 외기에 면하는 부분으로부터 5 m 미만은 면적 산입 제외

37 주요구조부를 내화구조로 한 특정소방대상물의 바닥면적이 370 m²인 부분에 설치해야 하는 감지기의 최소 수량은? (단, 감지기 부착높이는 바닥으로부터 4.5 m이고, 보상식 스포트형 1종을 설치한다)

① 6개 　　　　　　　　② 7개
③ 8개 　　　　　　　　④ 9개

[감지기 수량 산정]
감지기는 절상한다.

해설

■ 감지기 최소수량 산정

부착높이 및 특정소방대상물 구분		감지기의 종류				
		차동식 / 보상식 스포트		정온식 스포트		
		1종	2종	특종	1종	2종
4 m 미만	내화구조	90	70	70	60	20
	기타구조	50	40	40	30	15
4 m 이상 8 m 미만	내화구조	45	35	35	30	-
	기타구조	30	25	25	15	-

370/45 = 8.22 → 절상해서 9개

38 자동화재탐지설비에서 감지기 사이의 회로의 배선을 송배선식으로 하고, 감지기회로 말단에 종단저항을 설치하는 이유는?

① 도통시험을 하기 위해서
② 동작시험을 하기 위해서
③ 저전압시험을 하기 위해서
④ 공통선시험을 하기 위해서

[교차회로방식]
교차회로방식은 설비의 오동작을 방지하기 위해 준비작동식 스프링클러설비와 가스계 소화설비에 적용한다.

해설

■ 자동화재탐지설비 감지기

감지기 사이의 회로 배선으로 도통시험(선로 간의 연결 정상 여부 확인)을 원활하게 하기 위하여 송배선식을 사용

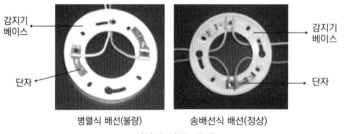

감지기 베이스　　　　　감지기 베이스
단자　　　　　단자

병렬식 배선(불량)　　　　송배선식 배선(정상)
〈감지기회로 배선〉

※ 출처 : 한국소방안전원

정답
37 ④ 　38 ①

39 비상경보설비 및 단독경보형 감지기의 화재안전기술기준(NFTC 201)에 따른 발신기의 시설기준으로 틀린 것은?

① 발신기의 위치표시등은 함의 하부에 설치한다.

② 조작스위치는 바닥으로부터 0.8 m 이상 1.5 m 이하의 높이에 설치할 것

③ 복도 또는 별도로 구획된 실로서 보행거리가 40 m 이상일 경우에는 추가로 설치하여야 한다.

④ 특정소방대상물의 층마다 설치하되, 해당 특정소방대상물의 각 부분으로부터 하나의 발신기까지의 수평거리가 25 m 이하가 되도록 할 것

해설

▣ 발신기 시설기준

1) 조작스위치 : 바닥으로부터 0.8 m 이상 1.5 m 이하 설치

2) 특정소방대상물의 층마다 설치
  ⑴ 수평거리 : 25 m 이하 설치(각 부분부터 하나의 발신기까지의 거리)
  ⑵ 보행거리 : 40 m 이상 경우 추가설치(복도·별도구획된 실)

3) 위치 표시등 : 함 상부 설치

4) 불빛 : 부착면부터 15° 이상의 범위 안, 부착지점부터 10 m 이내 어느 곳에서도 쉽게 식별할 수 있는 적색등

40 3선식 배선에 따라 상시 충전되는 유도등의 전기회로에 점멸기를 설치하는 경우 유도등이 점등되어야 할 경우로 관계없는 것은?

① 제연설비가 작동한 때

② 자동소화설비가 작동한 때

③ 비상경보설비의 발신기가 작동한 때

④ 자동화재탐지설비의 감지기가 작동한 때

해설

▣ 3선식 유도등

1) 자동화재탐지설비의 감지기 또는 발신기가 작동되는 때

2) 비상경보설비의 발신기가 작동되는 때

3) 상용전원이 정전되거나 전원선이 단선되는 때

4) 방재업무를 통제하는 곳 또는 전기실의 배전반에 수동으로 점등하는 때

5) 자동소화설비가 작동되는 때

정답

39 ① 40 ①

41 통로유도등의 설치기준 중 옳은 것은?

① 계단통로유도등은 바닥으로부터 높이 1 m 이하의 위치에 설치하여야 한다.
② 복도통로유도등은 바닥으로부터 높이 1.5 m 이하의 위치에 설치하여야 한다.
③ 거실통로유도등은 바닥으로부터 높이 1 m 이상의 위치에 설치하여야 한다.
④ 거실통로유도등은 거실통로에 기둥이 설치된 경우에는 기둥부분의 바닥으로부터 높이 1 m 이하의 위치에 설치할 수 있다.

해설

■ 유도등

설비	설치높이
피난구유도등, 거실통로유도등	바닥으로부터 1.5 m 이상
복도통로유도등, 계단통로유도등 통로 유도표지	바닥으로부터 1 m 이하
피난구유도표지	출입구 상단
피난유도선(축광방식)	바닥으로부터 0.5 m 이하 또는 바닥면
피난유도선(광원점등방식)	바닥으로부터 1 m 이하 또는 바닥면

지하층 무창층 용도가 도매/소매시장, 여객자동차터미널, 지하역사, 지하상가의 복도통로 유도등은 복도 통로 중앙부분 바닥에 설치

42 압력수조 내에 물을 압입하고 압축된 공기를 충전하여 송수하는 방식으로써 탱크 설치 위치에 영향을 받지 않는 특징이 있는 가압송수장치를 고르시오.

① 고가수조방식
② 압력수조방식
③ 가압수조방식
④ 펌프방식

해설

■ 가압송수장치
1) 고가수조방식 : 낙차를 이용하여 규정된 방사조건으로 물을 공급하는 방식, 최고 층에 수조를 설치
2) 압력수조방식 : 압력탱크 내에 물을 압입하고, 압력탱크의 압축된 공기압력에 의하여 송수하는 방식
3) 가압수조방식 : 가압원인 압축공기 또는 불연성 고압기체에 따라 소방용수를 가압시키는 수조를 사용
4) 펌프방식 : 펌프에 의해 가압되는 방식으로서 일반적으로 가장 많이 사용하는 방식

[유도등 배선]
⑴ 유도등은 전기회로에 점멸기를 설치하지 않고 항상 점등 상태(2선식) 유지
⑵ 특정소방대상물 또는 그 부분에 사람이 없거나 다음의 어느 하나에 해당하는 장소로서 3선식 배선에 따라 상시 충전되는 구조인 경우에는 제외
① 외부의 빛에 의해 피난구 또는 피난방향을 쉽게 식별할 수 있는 장소
② 공연장, 암실(暗室) 등으로서 어두워야 할 필요가 있는 장소
③ 특정소방대상물의 관계인 또는 종사원이 주로 사용하는 장소

43 다음 조건을 보고 설치해야 하는 소화기 개수를 산정하시오.

- 해당 특정소방대상물의 바닥면적은 600 m²이다.
- 특정소방대상물의 용도는 공연장이다.
- 주요구조부는 내화구조이다.
- ABC 분말소화기 3단위를 설치한다.

① 2개　　　　　② 3개
③ 4개　　　　　④ 6개

해설

■ 특정소방대상물별 소화기구 능력단위기준

특정소방대상물	소화기구(이상)
위락시설	바닥면적 30 m²마다 1단위
공연장, 집회장, 관람장, 문화재, 장례식장 및 의료시설	바닥면적 50 m²마다 1단위
근린생활시설, 판매시설, 운수시설, 숙박시설, 노유자시설, 전시장, 공동주택, 업무시설, 방송통신시설, 공장, 창고시설, 항공기 및 자동차 관련 시설 및 관광휴게시설	바닥면적 100 m²마다 1단위
그 밖의 것	바닥면적 200 m²마다 1단위

소화기구의 능력단위를 산출함에 있어서 건축물의 주요구조부가 내화구조이고, 벽 및 반자의 실내에 면하는 부분이 불연재료·준불연재료 또는 난연재료로 된 특정소방대상물에 있어서는 위 표의 기준면적의 2배를 해당 특정소방대상물의 기준면적으로 한다.

공연장은 바닥면적 50 m²마다 1단위이다. 이때 주요구조부가 내화구조이지만 벽 및 반자의 실내에 면하는 부분의 재료는 명시되지 않았으므로 기준면적에 2배를 하지 않는다. 따라서 600/50 = 12단위이며, 3단위를 설치하므로 12/3 = 4개이다.

정답

43 ③

44 스프링클러헤드가 설치되어 있는 배관을 고르시오.

① 가지배관   ② 주배관
③ 토너먼트배관   ④ 교차배관

해설

■ 스프링클러헤드 배관
1) 가지배관 : 스프링클러설비가 설치되어 있는 배관
   ① 토너먼트방식이 아닐 것
   ② 교차배관에서 분기되는 지점을 기준으로 한쪽 가지배관에 설치되는 헤드의 개
      수 : 8개 이하
2) 교차배관 : 직접 또는 수직배관을 통하여 가지배관에 급수하는 배관
   ① 위치 : 가지배관과 수평 또는 밑에 설치
   ② 교차배관 끝에 청소구를 설치하고 나사보호용의 캡으로 마감

45 다음 중 이산화탄소소화설비의 장점으로 틀린 것을 고르시오.

① 피연소물에 피해가 적다.
② 질식의 우려가 적다.
③ 전기화재에 적합하다.
④ 심부화재에 적합하다.

해설

■ 이산화탄소소화설비
1) 질식효과
2) 냉각효과
3) 피복효과
이산화탄소소화설비는 산소농도를 15 % 이하로 낮춰서 소화하는 질식효과가 뛰어
나다.

46 심폐소생술(CPR)의 골든타임을 고르시오.

① 1분   ② 3분
③ 4 ~ 6분   ④ 10분

해설

■ CPR
화재 시 응급처치 골든타임은 5분, CPR은 4 ~ 6분 이내이다.

Tip

[심폐소생술]
(1) 호흡확인은 10초 이내로
    실시
(2) 30회의 가슴압박과 2회
    의 인공호흡을 5주기로
    실시
(3) 심폐소생술을 실시하던
    중 환자가 자발적으로 움
    직이거나 호흡을 시작하
    면, 심폐소생술을 중단하
    고 환자의 상태 확인

정답

44 ①   45 ②   46 ③

47 화상의 부위에서 진물이 나고 수포(물집)가 발생하는 화상의 정도는?

① 1도 화상　　　　　② 2도 화상
③ 3도 화상　　　　　④ 4도 화상

해설

■ 화상의 종류

구분	설명
1도 화상 (표피화상)	1) 표피손상 : 홍반성 2) 약간의 부종과 홍반 수반 3) 가벼운 통증
2도 화상 (부분층화상)	1) 진피손상 : 수포성 2) 심한 통증과 발적, 수포 발생 3) 진물이 나고 감염 위험
3도 화상 (전층화상)	1) 피하지방층 및 근육층 손상 : 괴사성 2) 피부는 가죽처럼 매끈하고 피부색은 검게 변함 3) 화상부위 건조하며 통증 없음

48 백화점의 9층에 적용되지 않는 피난기구는 다음 중 어느 것인가?

① 구조대　　　　　② 미끄럼대
③ 피난교　　　　　④ 완강기

해설

■ 설치장소별 구분
1) 노유자 시설
2) 의료시설·근린생활시설 중 입원실이 있는 의원·접골원·조산원
3) 다중이용업소로서 영업장의 위치가 4층 이하인 다중이용업소
4) 그 밖의 것(백화점 : 판매시설)

■ 설치장소별 피난기구 적응성

구분	3층	4층 이상 10층 이하
그 밖의 것에 해당	미끄럼대 피난사다리 구조대 완강기 피난교 피난용트랩 간이완강기 공기안전매트 다수인피난장비 승강식피난기	피난사다리 구조대 완강기 피난교 간이완강기 공기안전매트 다수인피난장비 승강식피난기

정답

47 ②　48 ②

49 출혈 시 응급조치 중 직접 압박법에 대한 내용으로 옳은 것은?

① 출혈부위를 압박붕대 및 솜 등으로 압박하여 지혈하는 방법
② 소독거즈로 출혈부위를 덮은 후 2 ~ 3인치 압박붕대로 출혈부위가 압박되게 감아줌
③ 압박 후 출혈이 계속되면 소독된 거즈를 추가로 덮고 압박붕대를 한 번 더 감아 출혈부위를 심장보다 낮춰 줌으로써 출혈량 감소
④ 신체의 절단이나 과다출혈의 경우 최후의 수단으로 사용

해설

■ 직접 압박법
1) 출혈부위를 압박붕대 및 솜 등으로 압박하여 지혈하는 방법
2) 소독거즈로 출혈부위를 덮은 후 4 ~ 6인치 압박붕대로 출혈부위가 압박되게 감아줌
3) 압박 후 출혈이 계속되면 소독된 거즈를 추가로 덮고 압박붕대를 한 번 더 감아 출혈부위를 심장보다 높여 줌으로써 출혈량 감소

50 심폐소생술을 할 때 성인의 경우 가슴압박의 분당 횟수는?

① 40 ~ 60회　　　② 60 ~ 80회
③ 80 ~ 100회　　　④ 100 ~ 120회

해설

■ 심폐소생술 시 가슴압박

구분	설명
속도	분당 100 ~ 120회
시행 횟수	30회
압박깊이	5 cm

[지혈대]
⑴ 신체의 절단이나 과다출혈의 경우 최후의 수단으로 사용
⑵ 지혈대를 오랜 시간 장착하면 산소의 공급으로 조직괴사 유발되므로 관절부위에는 착용 금지(5 cm 이상의 띠 사용)
⑶ 지혈대 사용법
　① 출혈부위에서 5 ~ 7 cm 상단부위 묶기
　② 출혈이 멈추는 지점에서 조임 정지
　③ 지혈대가 풀리지 않도록 정리
　④ 지혈대 착용시간 기록

정답
49 ①　50 ④

05회 실전모의고사

01 다음은 소방시설의 자체점검에 대한 내용이다. 이에 대한 설명으로 옳은 것을 〈보기〉에서 모두 고르시오.

> (가) : 소방시설 자체점검 시 소방시설등을 인위적으로 조작하여 정상 작동 여부를 점검해야 한다.
> (나) : 설비별 주요 구성부품의 구조기준이 화재안전기준 및 관련법령 등에 적합한지 여부를 점검한다.
> (다) : (ⓐ)은(는) 소방시설등에 대하여 정기적으로 자체점검을 할 수 있다.
> (라) : (ⓑ)은(는) 소방본부장 또는 소방서장에게 점검 결과를 보고해야 한다.

> 〈보기〉
> ㄱ. (ⓐ)와 (ⓑ)는 동일인이 될 수 있다.
> ㄴ. 특급 소방안전관리대상물은 (나)를 반기별 1회 이상 실시하면 된다.
> ㄷ. 소화기구만 설치된 특정소방대상물은 (가)만 실시하면 된다.
> ㄹ. 특정소방대상물의 관계인은 (가)의 점검자격이 될 수 없다.

① ㄱ
② ㄱ, ㄴ
③ ㄱ, ㄴ, ㄷ
④ ㄴ, ㄷ

해설

■ 소방시설 자체점검

1) 작동점검 : 소방시설등을 인위적으로 조작하여 정상적으로 작동하는지를 작동점검표에 따라 점검하는 것
2) 종합점검 : 소방시설등의 작동점검을 포함하여 소방시설등의 설비별 주요 구성부품의 구조기준이 화재안전기준과 건축법 등 관련 법령에서 정하는 기준에 적합한지 여부를 종합점검표에 따라 점검하는 것
   (1) 최초점검 : 소방시설이 새로 설치되는 경우 건축물을 사용할 수 있게 된 날부터 60일 이내 점검
   (2) 그 밖의 종합점검 : 최초점검을 제외한 종합점검

정답
01 ③

종합점검	1. 점검 횟수 　가. 연 1회 이상(특급 소방안전관리대상물은 반기에 1회 이상) 실시 　나. 우수대상물 : 3년 범위 내 정한 기간 면제(면제기간 중 화재 발생 시 제외) 2. 점검 시기 　가. 최초 점검 : 소방시설이 새로 설치되는 경우 건축물을 사용할 수 있게 된 날부터 60일 이내 실시 　나. '가.'를 제외한 특정소방대상물 : 건축물의 사용승인일이 속하는 달에 연 1회 이상(특급은 반기에 1회 이상) 실시 　　학교 : 해당 건축물의 사용승인일이 1 ~ 6월 사이에 있는 경우 6월 30일까지 실시 　다. 건축물 사용승인일 이후 다음 항목에 따라 종합점검 대상에 해당하게 된 경우에는 그 다음 해부터 실시 　　물분무등소화설비(호스릴 방식의 물분무등소화설비만을 설치한 경우는 제외)가 설치된 연면적 5000 m² 이상인 특정소방대상물(제조소등은 제외) 　라. 하나의 대지경계선 안에 2개 이상의 점검 대상 건축물등이 있는 경우에는 그 건축물 중 사용승인일이 가장 빠른 연도의 건축물의 사용승인일을 기준으로 점검할 수 있음

02 2024년 소방계획서 작성 시 다음의 조건을 보고 옳게 작성한 것을 고르시오.

1. 대상물 : 모아빌딩
2. 규모 : 지상 5층, 지하 1층, 연면적 7500 m²
3. 설치된 소방시설 : 소화기, 옥내소화전설비, 스프링클러설비, 유도등, 자동화재탐지설비, 비상방송설비
4. 사용승인일 : 2016년 1월 14일

　　선택 : ■　　　　　　　미선택 : □

보기	구분	점검시기	점검방식
①	■ 작동점검	2024년 2월 14일	■ 자체 / □ 외주
	■ 종합점검	2024년 3월 13일	■ 자체 / □ 외주
②	■ 작동점검	2024년 7월 22일	■ 자체 / □ 외주
	□ 종합점검	-	□ 자체 / □ 외주
③	■ 작동점검	2024년 7월 22일	■ 자체 / □ 외주
	■ 종합점검	2024년 1월 12일	□ 자체 / ■ 외주
④	□ 작동점검	-	□ 자체 / □ 외주
	□ 종합점검	-	□ 자체 / □ 외주

Tip

[종합점검 대상]
(1) 최초점검 대상물
(2) 스프링클러설비가 설치된 특정소방대상물
(3) 물분무등소화설비(호스릴 방식의 물분무등소화설비만을 설치한 경우는 제외)가 설치된 연면적 5000 m² 이상인 특정소방대상물(위험물 제조소등은 제외)
(4) 다중이용업의 영업장이 설치된 특정소방대상물로서 연면적이 2000 m² 이상인 것(단란주점과 유흥주점, 영화상영관, 비디오물감상실업, 복합영상물제공업, 노래연습장, 산후조리원, 고시원, 안마시술소)
(5) 제연설비가 설치된 터널
(6) 공공기관 중 연면적(터널·지하구의 경우 그 길이와 평균폭을 곱하여 계산된 값)이 1000 m² 이상인 것으로서 옥내소화전설비 또는 자동화재탐지설비가 설치된 것(소방대가 근무하는 공공기관은 제외)

정답

02 ③

■ 자체점검의 회수·시기

점검구분	점검 횟수 및 점검 시기 등
작동점검	작동점검 : 연 1회 이상 실시 1. 종합점검 대상 : 종합점검을 받은 달부터 6개월이 되는 달에 실시 2. 그 외 : 특정소방대상물의 사용승인일이 속하는 달의 말일까지 실시(다만 건축물관리대장 또는 건물 등기사항증명서 등에 기입된 날이 다른 경우에는 건축물관리대장에 기재되어 있는 날을 기준으로 점검)
종합점검	1. 점검 횟수 　가. 연 1회 이상(특급 소방안전관리대상물은 반기에 1회 이상) 실시 　나. 우수대상물 : 3년 범위 내 정한 기간 면제(면제기간 중 화재 발생 시 제외) 2. 점검 시기 　가. 최초 점검 : 소방시설이 새로 설치되는 경우 건축물을 사용할 수 있게 된 날부터 60일 이내 실시 　나. '가.'를 제외한 특정소방대상물 : 건축물의 사용승인일이 속하는 달에 연 1회 이상(특급은 반기에 1회 이상) 실시 　학교 : 해당 건축물의 사용승인일이 1 ~ 6월 사이에 있는 경우 6월 30일까지 실시 　다. 건축물 사용승인일 이후 다음 항목에 따라 종합점검 대상에 해당하게 된 경우에는 그 다음 해부터 실시 　물분무등소화설비(호스릴 방식의 물분무등소화설비만을 설치한 경우는 제외)가 설치된 연면적 5000 m² 이상인 특정소방대상물(제조소등은 제외) 　라. 하나의 대지경계선 안에 2개 이상의 점검 대상 건축물등이 있는 경우에는 그 건축물 중 사용승인일이 가장 빠른 연도의 건축물의 사용승인일을 기준으로 점검할 수 있음

03 다음 중 점검장비와 소방시설이 올바르게 짝지어진 것을 고르시오.

① 열·연기감지기 시험기 - 스프링클러설비, 옥내소화전설비
② 차압계, 풍속풍압계 - 제연설비
③ 누전계 - 무선통신보조설비
④ 조도계 - 자동화재탐지설비

■ 소방시설 점검장비
• 옥내소화전설비 : 소화전밸브압력계
• 스프링클러설비 : 헤드결합렌치
• 자동화재탐지설비 및 시각경보기 : 열·연기감지기시험기, 공기주입시험기, 음량계
• 누전경보기 : 누전계
• 무선통신보조설비 : 무선기
• 제연설비 : 풍속풍압계, 차압계, 폐쇄력측정기
• 통로유도등, 비상조명등 : 조도계

Tip

[점검 전 준비사항]
⑴ 협의나 협조를 받을 건물 관계인 등의 연락처를 사전 확보
⑵ 건물관계인에 사전 안내
⑶ 음향장치 및 각 실별 방문 점검을 미리 공지·숙지

정답

03 ②

04 건물 내에서 연기의 수직방향 이동속도는 약 몇 m/s인가?

① 0.1 ~ 0.2 　　　② 0.3 ~ 0.8

③ 2 ~ 3 　　　　④ 10 ~ 20

해설

■ 연기의 이동 속도

이동방향	이동속도
수평 방향	0.5 ~ 1.0 m/s
수직 방향	2 ~ 3 m/s
계단실 내의 수직이동속도	3 ~ 5 m/s

05 인화성 액체의 연소점, 인화점, 발화점을 온도가 높은 것부터 옳게 나열한 것은?

① 발화점 > 연소점 > 인화점

② 연소점 > 인화점 > 발화점

③ 인화점 > 발화점 > 연소점

④ 인화점 > 연소점 > 발화점

해설

■ 인화점, 연소점, 발화점

인화점 < 연소점 < 발화점

인화점	점화원을 가했을 때 연소가 시작되는 최저온도
연소점	• 외부 점화원에 의해 발화 후 연소를 지속시킬 수 있는 최저온도 • 인화점보다 5 ~ 10 ℃ 높고, 불꽃이 최소 5초 이상 지속되는 온도
발화점	가연성 물질에 불꽃을 접하지 아니하였을 때 연소가 가능한 최저온도

※ 온도가 올라갈수록 액체 위험물의 점도가 낮아져서 쉽게 점화할 수 있으므로 위험성이 더 크다.

06 대형 소화기의 능력단위기준 및 보행거리배치기준이 적절하게 표시된 항목은?

① A급 화재 : 10단위 이상
   B급 화재 : 20단위 이상, 보행거리 : 30 m 이내
② A급 화재 : 20단위 이상
   B급 화재 : 20단위 이상, 보행거리 : 30 m 이내
③ A급 화재 : 10단위 이상
   B급 화재 : 20단위 이상, 보행거리 : 40 m 이내
④ A급 화재 : 20단위 이상
   B급 화재 : 20단위 이상, 보행거리 : 40 m 이내

Tip

[대형 소화기의 소화약제량]
소화기의 형식승인 및 제품
검사 기술기준

소화기 종류	약제량 (이상)
물	80 L
강화액	60 L
포	20 L
CO_2	50 kg
Halogen 화합물	30 kg
분말	20 kg

해설

■ 소화기 능력단위 및 보행거리

구분	소형 소화기	대형 소화기

정의	• 능력단위가 1단위 이상
	• 대형 소화기의 능력단위
	  미만인 것
		• 화재 시 사람이 운반할 수 있도록
		  운반대와 바퀴가 설치
		• A급 화재 : 10단위 이상
		• B급 화재 : 20단위 이상

보행거리	20 m 이내	30 m 이내

07 국내 규정상 단위 옥내소화전설비 가압송수장치의 최소 시설기준으로 다음과 같은 항목을 맞게 열거한 것은? [단, 순서는 법정 최소 방사량 (L/min) – 법정 최소 방출압력(MPa) – 법정 최소 방출시간(분)이다]

① 130 L/min - 1.0 MPa - 30분
② 350 L/min - 2.5 MPa - 30분
③ 130 L/min - 0.17 MPa - 20분
④ 350 L/min - 3.5 MPa - 20분

해설

■ 옥내소화전의 방수압력
옥내소화전(최대 2개)을 동시에 사용할 경우
1) 방수압력 : 0.17 MPa 이상 0.7 MPa 이하
2) 방수량 : 130 L/min 이상

정답
06 ① 07 ③

08 다음 그림은 감시제어반이다. 감시제어반이 아래와 같이 준비작동식 밸브가 동작상태일 경우 확인사항 중 옳지 않은 것은?

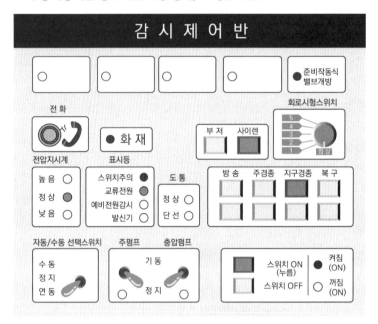

① 사이렌이 작동되고 있다.
② 지구경종은 명동되지 않고 있다.
③ 준비작동식 밸브의 압력스위치가 작동하였다.
④ 화재표시등이 점등되었다.

해설

▣ 감시제어반의 상태 확인

1) 스위치 주의등이 적색으로 점등되어 확인 결과 사이렌과 지구경종은 작동정지상태로 경보가 안 되고 있다.
2) 화재표시등이 점등되었다.
3) 준비작동식 밸브의 압력스위치가 작동하였다.

Tip

[감시제어반]
(1) 목적
소화설비용 수신반으로 감시 및 제어기능
(2) 감시제어반의 기능
① 각 펌프의 작동 여부를 확인할 수 있는 표시등 및 음향경보기능이 있어야 할 것
② 각 펌프를 자동 및 수동 작동시키거나 중단시킬 수 있어야 할 것
③ 비상전원을 설치한 경우 상용전원 및 비상전원의 공급 여부를 확인할 수 있어야 할 것
④ 수조 또는 물올림탱크가 저수위로 될 때 표시등 및 음향으로 경보할 것
⑤ 예비전원의 확보 및 시험장치

정답

08 ①

09 최상층의 옥내소화전설비 방수압력을 시험하고 있다. 그림 중 옥내소화전설비의 동력제어반 상태, 점검결과, 불량내용 순으로 옳은 것은? (단, 동력제어반 정상위치 여부만 판단한다)

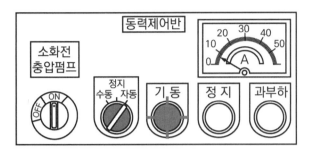

① 펌프자동기동, ○, 이상 없음
② 펌프수동기동, ×, 펌프 자동 기동불가
③ 펌프수동기동, ×, 이상 없음
④ 펌프자동기동, ×, 이상 없음

해설

▣ 옥내소화전설비의 동력제어반
선택스위치가 자동위치에 있으며, 기동램프가 점등되어 있으므로 동력제어반 상태는 자동기동이다.
또한 점검결과 불량내용이 이상 없으므로 ○, 불량내용 이상 없음이다.

10 그림의 밸브를 작동시켰을 때 확인해야 하는 사항으로 옳지 않은 것은?

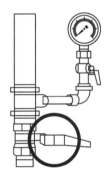

① 방출표시등 점등   ② 펌프 작동상태
③ 음향장치 작동   ④ 감시제어반 밸브개방표시등

해설

▣ 스프링클러설비 시험밸브 개방 시 확인사항
1) 펌프작동
2) 감시제어반 밸브개방표시등 점등

Tip

[동력제어반]
(1) 목적
  각종 동력(전원)장치의 감시 및 제어기능이 있는 것을 말하며 일반적으로 소화펌프의 직근에 설치
(2) 동력제어반의 주요 기능
  ① 각 펌프의 동력 공급 또는 정지(ON/OFF)
  ② 각 펌프의 자동 또는 수동기동
(3) 동력제어반의 설치기준
  ① 앞면은 적색
  ② "옥내소화전설비용 동력제어반" 표시 및 설치
  ③ 외함은 두께 1.5 mm 이상 강판 또는 이와 동등 이상의 강도·내열성능이 있는 것으로 할 것

Tip

[준비]
(1) 알람밸브 작동 시 경보로 인한 혼란 방지를 위해 사전 통보 후 점검 실시
(2) 수신반에서 경보스위치를 정지시킨 후 시험 실시

[작동]
(1) 시험밸브 개방하여 가압수 배출
(2) 알람밸브 2차 측 압력이 저하되어 클래퍼 개방
(3) 시트링홀에 가압수가 유입되어 지연장치에 의해 설정시간 지연 후 압력스위치 작동

정답

09 ①	10 ①

3) 화재표시등 점등
4) 음향장치(사이렌) 작동
※ 방출표시등은 가스계 소화설비에 해당
※ 압력계 밑에 부착된 개폐밸브는 평상시에 개방하여 시험밸브 배관 내의 압력이 정상압력(0.1 MPa 이상 1.2 MPa 이하)인지 여부를 확인해주어야 하며, 가압수 배출을 위한 시험밸브는 폐쇄 상태로 유지·관리되어야 한다.

11 다음 조건을 참조하여 피난 계단수와 피난계단의 종류로 옳은 것을 고르시오.

> 1. 건물의 서측과 동측에 계단이 하나씩 설치되어 있다.
> 2. 피난 시 이동경로는 옥내 → 부속실 → 계단실 → 피난층이다.

① 계단수 : 1개, 옥외피난계단
② 계단수 : 1개, 옥내피난계단
③ 계단수 : 1개, 특별피난계단
④ 계단수 : 2개, 특별피난계단

해설

■ 피난계단의 종류 및 피난 시 이동경로

종류	피난 시 이동경로
옥내피난계단	옥내 → 계단실 → 피난층
옥외피난계단	옥내 → 옥외계단 → 지상층
특별피난계단	옥내 → 부속실 → 계단실 → 피난층

12 다음 보기 중 방염성능기준 이상의 방염대상물품을 설치해야 하는 장소와 방염대상 물품에 대해 옳게 짝지어진 것을 모두 고르시오.

> 가. 의료시설 - 카펫
> 나. 의원 - 두께 2 mm 미만인 종이벽지류
> 다. 종교시설 - 커튼
> 라. 노래연습장 - 섬유류를 원료로 하여 제작된 소파

① 가, 나
② 가, 나, 다
③ 가, 다, 라
④ 가, 나, 다, 라

[피난시설]
계단(직통계단·피난계단 등), 복도, 출입구(비상구 포함), 그 밖의 피난시설(옥상광장, 피난안전구역, 피난용 승강기 및 승강장 등)

[방화시설]
방화구획(방화문, 자동방화셔터, 내화구조의 바닥·벽), 방화벽 및 내화성능을 갖춘 내부마감재 등

[방염성능기준 이상의 실내장식물 등을 설치해야 하는 특정소방대상물]
(1) 근린생활시설 중 의원, 조산원, 산후조리원, 체력단련장, 공연장 및 종교집회장, 치과의원, 한의원
(2) 건축물의 옥내에 있는 시설
  ① 문화 및 집회시설
  ② 종교시설
  ③ 운동시설
    (수영장 제외)
(3) 의료시설
(4) 교육연구시설 중 합숙소
(5) 노유자시설
(6) 숙박이 가능한 수련시설
(7) 숙박시설
(8) 방송통신시설 중 방송국 및 촬영소
(9) 다중이용업소
(10) 층수가 11층 이상인 것(아파트 제외)

정답
11 ④ 12 ③

▣ 방염대상물품

1) 창문에 설치하는 커튼류(블라인드 포함)
2) 카펫
3) 벽지류(두께 2 mm 미만인 종이벽지 제외)
4) 전시용 합판·목재 또는 섬유판, 무대용 합판·목재 또는 섬유판(합판·목재류의 경우 불가피하게 설치 현장에서 방염처리한 것을 포함한다)
5) 암막·무대막(영화상영관 스크린, 가상체험체육시설의 스크린 포함)
6) 섬유류, 합성수지류 등을 원료로 하여 제작된 소파·의자(단란주점영업, 유흥주점, 노래연습장업의 영업장에 설치하는 것만 해당)

※ [13 ~ 15] 다음에서 보여주는 소방안전관리대상물의 조건을 보고 각 물음에 답하시오.

용도	수련시설
규모	지상 13층, 지하 2층, 연면적 8000 m²
소방시설	스프링클러설비, 소화기, 옥내소화전설비, 자동화재탐지설비, 유도등, 연결송수관설비, 비상방송설비
소방안전관리자 현황	선임날짜 : 2024년 2월 12일
	강습 및 실무교육 : 이수이력 없음

※ 상기조건을 제외한 나머지 조건은 무시한다.

13 소방안전관리자 실무교육 이수기한을 고르시오.

① 2024년 8월 11일
② 2024년 9월 11일
③ 2026년 8월 11일
④ 2026년 9월 11일

해 설

▣ 소방안전관리자 실무교육

강습 및 실무교육	내용
실시권자	소방청장(한국소방안전원장에게 위임)
대상자	1) 소방안전관리자 및 소방안전관리보조자 2) 소방안전관리 업무를 대행하는 자를 감독할 수 있는 소방안전관리자 3) 소방안전관리자의 자격을 인정받으려는 자
실무교육 통보	교육실시 30일 전
실무교육 주기	선임된 날부터 6개월 이내, 교육실시 후에는 2년마다 실시 다만 강습교육 또는 실무교육 수료 후 1년 이내에 선임 시, 6개월 교육은 면제된다(즉, 선임 후 2년마다 실무교육 실시).

Tip

[소방안전관리자 실무교육]
⑴ 소방안전관리 강습교육 또는 실무교육을 받은 후 1년 이내에 소방안전관리자로 선임된 사람은 해당 강습교육을 수료하거나 실무교육을 이수한 날에 실무교육을 이수한 것으로 본다.
⑵ 소방안전관리보조자의 경우 소방안전관리자 강습교육 또는 실무교육이나 소방안전관리보조자 실무교육을 받은 후 1년 이내에 소방안전관리보조자로 선임된 사람은 해당 강습교육을 수료하거나 실무교육을 이수한 날에 실무교육을 이수한 것으로 본다.

정답

13 ①

강습 및 실무교육		내용
실무 교육 미이행 시	벌칙	과태료 50만 원
	자격 정지	1) 처분권자 : 소방청장 2) 1년 이하의 기간을 정하여 자격을 정지시킬 수 있음 　(1) 1차 : 경고(시정명령) 　(2) 2차 : 자격정지(3개월) 　(3) 3차 : 자격정지(6개월)

※ 선임된 날인 2024년 2월 12일로부터 6개월 이내인 2024년 8월 11일이다.

14 해당 소방안전관리대상물의 소방안전관리자로 선임될 수 있는 사람을 고르시오.

① 소방안전공학 학사학위를 취득한 사람
② 소방공무원으로 3년 근무한 경력이 있는 사람
③ 산업안전산업기사를 취득한 사람
④ 소방설비기사를 취득한 사람

해설

■ 소방안전관리자의 선임대상물

특급 대상물	1급 대상물	2급 대상물	3급 대상물
[아파트] • 50층 이상 (지하층 제외) • 높이 200 m 이상(지상부터)	[아파트] • 30층 이상 (지하층 제외) • 높이 120 m 이상(지상부터)	• 지하구 • 공동주택(의무 관리) • 보물·국보목조 건축물 • 옥내·스프링클러·간이스프링클러·물분무등 설치대상(호스릴 제외)	자동화재 탐지설비 설치된 특정소방 대상물
[아파트 제외한 모든 건축물] • 30층 이상 (지하층 포함) • 높이 120 m 이상(지상부터)	[아파트 제외한 모든 건축물] • 11층 이상 (지하층 제외)		
[모든 건축물] • 연면적 10만 m² 이상	[모든 건축물] • 연면적 1만 5천 m² 이상		
-	[가연성 가스] 1000 t 이상	[가연성 가스] 100 ~ 1000 t 가스제조설비 도시가스 허가시설	-

Tip

[1급 소방안전관리대상물 자격]
⑴ 소방설비기사 또는 소방설비산업기사 자격
⑵ 소방공무원 7년 이상 근무 경력
⑶ 특급 소방안전관리자 자격이 인정되는 사람
⑷ 1급 소방안전관리대상물의 소방안전관리에 관한 시험에 합격

15 해당 소방안전관리대상물의 등급과 소방안전관리보조자 선임인원을 옳게 짝지은 것을 고르시오.

① 특급, 소방안전관리보조자 1명
② 특급, 소방안전관리보조자 2명
③ 1급, 소방안전관리보조자 선임대상이 아님
④ 1급, 소방안전관리보조자 1명

■ 소방안전관리보조자 선임대상

보조자선임대상 특정소방대상물	최소 선임기준
300세대 이상인 아파트	1명(300세대마다 1명 이상 추가)
연면적이 1만 5천 m² 이상인 특정소방대상물(아파트 및 연립주택 제외)	1명(연면적 1만 5천 m²마다 1명 이상 추가) 다만 특정소방대상물의 종합방재실에 자위소방대가 24시간 상시 근무하고, 소방자동차 중 소방펌프차, 소방물탱크차, 소방화학차, 무인방수차를 운용하는 경우 3000 m² 초과마다 1명 추가 선임한다.
1) 공동주택 중 기숙사 2) 의료시설 3) 노유자시설 4) 수련시설 5) 숙박시설(숙박시설로 사용되는 바닥면적의 합계가 1500 m² 미만이고 관계인이 24시간 상시 근무하고 있는 숙박시설은 제외)	1명 다만 해당 특정소방대상물이 소재하는 지역을 관할하는 소방서장이 야간이나 휴일에 해당 특정소방대상물이 이용되지 않는다는 것을 확인한 경우에는 선임하지 않을 수 있다.

16 다음 중 대수선의 범위에 속하지 않는 것은?

① 보를 증설 또는 해체하거나 3개 이상 수선 또는 변경하는 것
② 내력벽을 증설 또는 해체하거나 그 벽면적을 20 m² 이상 수선 또는 변경하는 것
③ 기둥을 증설 또는 해체하거나 3개 이상 수선 또는 변경하는 것
④ 방화벽 또는 방화구획을 위한 바닥 또는 벽을 증설 또는 해체하거나 수선 또는 변경하는 것

Tip

[소방안전관리보조자]
수련시설이기 때문에 연면적이 1만 5천 m² 이상인 특정소방대상물이 아니더라도 소방안전관리보조자는 1명이다.
※ 소방안전관리보조자 선임인원 산정 시 아파트는 300세대로 나누어서 소숫점은 절삭하며, 연면적 기준 1만 5천 m²로 나누어서 소숫점을 절삭한다.

■ 대수선의 범위

1) 내력벽을 증설 또는 해체하거나 그 벽면적을 30 m² 이상 수선 또는 변경하는 것

2) 보를 증설 또는 해체하거나 3개 이상 수선 또는 변경하는 것

3) 기둥을 증설 또는 해체하거나 3개 이상 수선 또는 변경하는 것

4) 방화벽 또는 방화구획을 위한 바닥 또는 벽을 증설 또는 해체하거나 수선 또는 변경하는 것

5) 지붕틀의 증설 또는 해체하거나 3개 이상 수선 또는 변경하는 것

6) 주계단, 피난계단 또는 특별피난계단을 증설 또는 수선 또는 변경하는 것

7) 건축물 외벽에 사용하는 마감재료를 증설 또는 해체하거나 그 벽면적을 30 m² 이상 수선 또는 변경하는 것

8) 다가구주택의 가구 간 경계벽 또는 다세대주택의 세대 간 경계벽을 증설 또는 해체하거나 수선 또는 변경하는 것

17 다음에서 보여주는 숙박시설의 수용인원을 산정하시오.

> 1. 침대가 없는 숙박시설이다.
> 2. 종사자 수는 10명이다.
> 3. 객실 수는 20실이다.
> 4. 객실의 바닥면적은 5 m²이다.
> 5. 사무실의 바닥면적은 5 m²이다.
> 6. 복도의 길이는 30 m이다.

① 30명 ② 40명
③ 45명 ④ 50명

Tip

[숙박시설 이외일 경우 수용인원 산정]

• 강의실 · 교무실 · 상담실 · 실습실 · 휴게실용도로 쓰이는 특정소방대상물 : 바닥면적 합계 / 1.9 m²
• 강당 · 문화 및 집회시설 · 운동시설 · 종교시설 : 바닥면적 합계 / 4.6 m²
• 관람석에 고정식 의자가 있는 경우 : 의자 수
• 관람석에 긴 의자가 있는 경우 : 바닥면적 합계 / 3 m²

■ 수용인원의 산정방법

구분	조건	수용인원 산정방법
숙박 시설	침대 있음	종사자 수 + 침대 수(2인용 : 2인)
	침대 없음	종사자 수 + 바닥면적 합계 / 3 m²

1) 바닥면적 산정 시 복도, 계단 및 화장실은 바닥면적을 포함하지 않는다.

2) 소수점 이하의 수는 반올림한다.

$$\therefore 종사자 수 + \frac{바닥면적 합계}{3m^2} = 10 + \frac{105}{3} = 45명$$

※ 바닥면적 합계 = (20실 × 5 m²) + 사무실 5 m² = 105 m²

18 다음 중 주거용 주방자동소화장치의 점검내용으로 옳지 않은 것을 고르시오.

① 가스누설탐지부 점검
② 가스누설차단밸브 시험
③ 알람밸브 점검
④ 약제 저장용기 점검

해설

■ 주거용 주방자동소화장치 점검방법
1) 가스누설탐지부 점검
2) 가스누설차단밸브 시험
3) 예비전원시험 : 전원 플러그를 뽑은 상태에서 수신부의 예비전원 램프가 점등되면 정상
4) 감지부시험
5) 제어반(수신부) 점검
6) 약제 저장용기 점검 : 지시압력계 점검(녹색 : 정상)

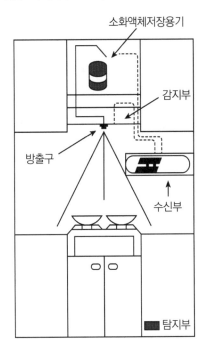

소화액체저장용기
감지부
방출구
수신부
탐지부

Tip

[자동소화장치 설치]
⑴ 주거용 주방자동소화장치 설치 : 아파트 등 및 오피스텔의 모든 층
⑵ 상업용 수방자동소화장치
  ① 판매시설 중 대규모 점포에 입점해 있는 일반 음식점
  ② 집단 급식소
⑶ 캐비닛형·가스·분말·고체에어로졸 자동소화장치 설치대상 : 화재안전기준에서 정하는 장소

정답
18 ③

19 펌프의 체절운전 시 수온이 상승하면 펌프에 무리가 발생하므로 순환배관상의 어떠한 밸브를 통해 과압을 방출하여 수온상승을 방지한다. 이 밸브를 고르시오.

① 개폐밸브   ② 후드밸브
③ 체크밸브   ④ 릴리프밸브

해설

■ 밸브

1) 풋밸브(후드밸브) : 수원이 펌프보다 아래에 설치된 경우 흡입 측 배관의 말단에 설치하며, 이물질을 제거하는 여과기능과 흡입배관 내의 물이 수조로 다시 빠져나가는 것을 막는 체크기능이 있다.
2) 개폐밸브 : 개폐밸브는 배관을 열고 닫음으로써 유체의 흐름을 제어하는 밸브이다.
  (1) 개폐표시형 개폐밸브 : 개폐표시형 개폐밸브는 외부에서도 밸브가 개방되었는지 폐쇄되었는지를 쉽게 알 수 있는 밸브를 말한다. 옥내소화전의 급수배관에 개폐밸브를 설치할 때는 개폐표시형을 설치하여야 하며, 주로 OS & Y밸브와 버터플라이밸브가 설치되나 버터플라이밸브는 마찰손실이 크므로 펌프 흡입 측에는 설치할 수 없다.
  (2) 체크밸브 : 배관 내 유체의 흐름을 한쪽 방향으로만 흐르게 하는 기능(역류방지 기능)이 있는 밸브를 체크밸브라고 하며, 현재 많이 사용하고 있는 체크밸브는 스모렌스키 체크밸브와 스윙체크밸브가 있다.
    ① 스모렌스키 체크밸브 : 스프링이 내장된 리프트 체크밸브로서 평상시에는 체크밸브 기능을 하며, 수격이 발생할 수 있는 펌프 토출 측과 연결송수구 연결 배관 등에 주로 설치된다.
    ② 스윙체크밸브 : 주 급수배관이 아닌 물올림장치의 펌프 연결배관, 유수검지장치의 주변배관과 같은 유량이 적은 배관상에 사용된다.
3) 릴리프밸브 : 순환배관에 설치하여 설정압력 이상이 되면 과압을 방출하여 수온상승 방지

20 옥내소화전설비와 다른 소화설비의 수원이 겸용인 경우 다음 그림에서 유효수량의 기준으로 알맞은 것을 고르시오.

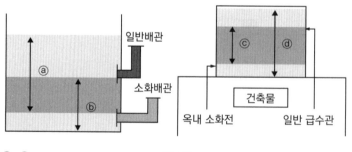

① ⓐ   ② ⓑ
③ ⓒ   ④ ⓓ

해설

■ 유효수량 기준

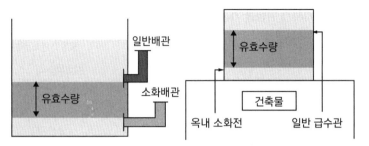

※ 출처 : 한국소방안전원

21 다음 중 소방안전관리자의 업무대행을 할 수 없는 경우?

① 2급 소방안전관리대상물
② 3급 소방안전관리대상물
③ 아파트를 제외한 층수가 11층 이상인 건축물
④ 1급 소방안전관리대상물로서 연면적 15000 m² 이상인 소방대상물

해설

■ 소방안전관리자의 업무대행의 범위
1) 2급 소방안전관리대상물
2) 3급 소방안전관리대상물
3) 아파트를 제외한 층수가 11층 이상인 건축물
4) 1급 소방안전관리대상물로서 연면적 15000 m² 미만

22 다음 중 소화기구의 점검사항으로 틀린 것은?

① 압력스위치의 압력값이 정상으로 설정되어 있는지 확인한다.
② 설치 표지판이 있는지 확인한다.
③ 약제가 응고되어 있는지 뒤집어본다.
④ 적정 거리에 있는지 확인한다.

해설

■ 압력스위치
압력스위치의 압력값 확인은 옥내소화전설비의 펌프성능시험 중에 나오는 것이다.

Tip

[관계인과 소방안전관리자의 업무]
(1) 피난시설, 방화구획 및 방화시설의 관리(업무대행 가능)
(2) 소방시설이나 그 밖의 소방 관련 시설의 관리(업무대행 가능)
(3) 화기 취급의 감독
(4) 화재 발생 시 초기대응
(5) 그 밖에 소방안전관리에 필요한 업무

[소방안전관리자만의 업무]
(1) 피난계획에 관한 사항과 소방계획서의 작성 및 시행
(2) 자위소방대 및 초기대응체계의 구성·운영·교육
(3) 소방훈련 및 교육
(4) 소방안전관리에 관한 업무 수행에 관한 기록·관리 (월 1회 이상, 2년간 보관)

정답
21 ④ 22 ①

23 연소가스 중 많은 양을 차지하고 있으며, 가스 그 자체의 독성은 없으나 다량이 존재할 경우 사람의 호흡속도를 증가시키고, 이로 인하여 화재가스에 혼합된 유해가스의 흡입을 증가시켜 위험을 가중시키는 가스는?

① CO
② CO_2
③ SO_2
④ NH_3

해설

■ 연소 시 주요 생성 가스

연소가스	특징
일산화탄소 (CO)	• 불완전연소 시 발생 • 유독성 • 흡입 시 COHb(Carboxy Hemoglobin)을 형성하여 산소운반 방해(질식사망)
이산화탄소 (CO_2)	• 연소가스 중 가장 많은 양 발생 • 다량 흡입 시 호흡속도 증가 • 완전연소 시 발생
암모니아 (NH_3)	• 눈, 코, 폐 등에 매우 자극성이 큰 가연성 가스 • 질소함유물인 수지류, 나무 등 연소 시 발생
포스겐 ($COCl_2$)	• 염소가 함유된 가연물 연소 시 발생 • PVC, 수지류 등의 연소 시 발생 • 맹독성(0.1 ppm) 가스

24 내화건축물 화재의 진행과정으로 가장 옳은 것은?

① 화원 → 최성기 → 성장기 → 감퇴기
② 화원 → 감퇴기 → 성장기 → 최성기
③ 초기 → 성장기 → 최성기 → 감퇴기 → 종기
④ 초기 → 감퇴기 → 최성기 → 성장기 → 종기

해설

■ 건축물 화재의 진행과정
1) 목조건축물 : 무염착화 → 발염착화 → 발화 → 최성기
2) 내화건축물 : 초기 → 성장기 → 최성기 → 감퇴기 → 진화

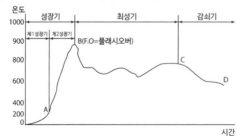

※ 플래시 오버 : 화재로 인하여 실내의 온도가 급격히 상승하여 화재가 순간적으로 실내 전체에 확산되는 현상

Tip

[황화수소]
• 달걀 썩는 냄새가 난다.
• 황을 포함한 유기화합물의 불완전연소로 발생한다.

[시안화수소]
• 무색의 맹독성 가스(청산가스)이며 가연성 가스이다.
• 석유제품, 유지 등의 연소 시 발생한다.
• 일산화탄소와는 다르게 헤모글로빈과 결합하지 않고도 호흡 저해를 통한 질식을 유발한다.

Tip
[건축물 화재의 특성]

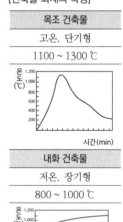

목조 건축물
고온, 단기형
1100 ~ 1300 ℃

내화 건축물
저온, 장기형
800 ~ 1000 ℃

정답
23 ② 24 ③

25 다음과 같이 옥내소화전설비가 설치되어 있을 때 옥내소화전설비의 최소 수원의 양을 구하시오.

> 1. 1층에 옥내소화전설비가 2개 설치되어 있다.
> 2. 2층에 옥내소화전설비가 3개 설치되어 있다.
> 3. 3층에 옥내소화전설비가 4개 설치되어 있다.

① 2.6 m^3 ② 5.2 m^3
③ 13 m^3 ④ 26 m^3

해설

■ 옥내소화전설비 수원의 양
1) 방수량 : 130 L/min 이상
2) 방수압력 : 0.17 MPa 이상 0.7 MPa 이하
3) 펌프 토출량 : 130 L/min × 설치개수
4) 수원의 양 : 130 L/min × 설치개수 × 20분(40분, 60분)
   수원량(m^3) = N × 2.6 m^3
              = 2 × 2.6 m^3 = 5.2 m^3
                   N : 한 개 층 설치개수(최대개수 층 선정/최대 2개)

Tip
[소화수조 수원의 양]
소화수조 수원의 양
 = 옥내소화전 설치 개수
(최대 2개) × 2.6 m^3 이상
• 30 ~ 49층 : 설치 개수(최대 5개) × 5.2 m^3 이상
• 50층 이상 : 설치 개수(최대 5개) × 7.8 m^3 이상

26 옥내소화전설비의 방수압력 및 방수량 측정에 대한 내용으로 옳지 않은 것은?

① 피토게이지는 봉상주수상태에서 직각으로 측정한다.
② 노즐선단에 방수압력측정계(피토게이지)를 노즐구경 절반(D/2)에 위치시킨다.
③ 방사형 관창을 이용한다.
④ 방수량 산정식은 $Q = 2.065 \times D^2 \times \sqrt{p}$ 이다.

해설

■ 방수압력 및 방수량 측정
1) 반드시 직사형 관창을 이용하여 측정
2) 초기 방수 시 물속에 존재하는 이물질이나 공기 등이 완전히 배출된 후에 측정하여야 방수압력측정계(피토게이지)의 입구 구경이 작기 때문에 발생하는 막힘이나 고장 방지 가능
3) 방수압력측정계(피토게이지)는 봉상주수 상태에서 직각으로 측정
4) 노즐선단에 방수압력측정계(피토게이지)를 노즐구경 절반(D/2)에 위치
5) 방수량 : $Q = 2.065 \times D^2 \times \sqrt{p}$

Tip
[방수압력 및 방수량 측정]
방수압력과 방수량의 측정은 어느 층에 있어서도 2개 이상 설치된 경우에는 2개(설치개수가 1개인 경우에는 1개)를 개방시켜 놓고 측정

정답
25 ②   26 ③

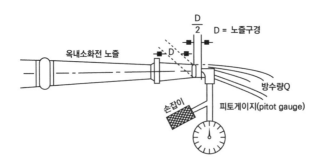

27 다음 중 스프링클러설비의 배관에 대한 설명으로 옳지 않은 것은?

① 교차배관에서 분기되는 지점을 기준으로 한쪽 가지배관에 설치되는 헤드의 개수는 8개 이하로 한다.
② 교차배관 끝에는 청소구를 설치하고 나사보호용 캡으로 마감한다.
③ 가지배관은 토너먼트방식으로 설치한다.
④ 교차배관은 가지배관과 수평 또는 밑에 설치한다.

해설

■ 스프링클러설비의 배관
1) 가지배관 : 스프링클러설비가 설치되어 있는 배관
 (1) 토너먼트방식이 아닐 것
 (2) 교차배관에서 분기되는 지점을 기준으로 한쪽 가지배관에 설치되는 헤드의 개수 : 8개 이하
2) 교차배관 : 직접 또는 수직배관을 통하여 가지배관에 급수하는 배관
 (1) 위치 : 가지배관과 수평 또는 밑에 설치
 (2) 교차배관 끝에 청소구를 설치하고 나사보호용의 캡으로 마감
3) 배관부속품, 물올림장치, 순환배관, 펌프성능시험배관은 옥내소화전설비 준용

정답

27 ③

28 준비작동식 스프링클러설비의 작동순서로 옳은 것은?

① 화재발생 → 감지기 작동 → 솔레노이드밸브 작동 → 준비작동식 밸브 개방 → 준비작동식 밸브의 압력스위치 작동(사이렌 경보, 수신반의 화재표시등, 밸브개방표시등 점등) → 펌프 기동

② 화재발생 → 감지기 작동(사이렌 경보, 수신반의 화재표시등 점등) → 솔레노이드밸브 작동 → 준비작동식 밸브 개방 → 압력챔버의 압력스위치 작동(수신반의 밸브개방표시등 점등) → 솔레노이드밸브의 압력스위치 작동 → 펌프 기동

③ 화재발생 → 수동기동장치를 통해 수동기동 → 준비작동식 밸브 개방 → 솔레노이드밸브 작동 → 수신반의 밸브개방표시등 점등 → 압력챔버의 압력스위치 작동 → 펌프 기동

④ 화재발생 → 감지기 작동(사이렌 경보, 수신반의 화재표시등 점등) → 솔레노이드밸브 작동 → 준비작동식 밸브 개방 → 준비작동식 밸브의 압력스위치 작동(수신반의 밸브개방표시등 점등) → 압력챔버의 압력스위치 작동 → 펌프 기동

해설

■ 준비작동식 스프링클러설비 작동순서

1) 화재발생
2) 교차회로 방식의 A or B 감지기 작동(경종 또는 사이렌 경보, 감시제어반의 화재표시등 점등)
3) A and B 감지기 모두 작동
4) 준비작동식 유수검지장치(준비작동식 밸브)의 전자밸브(솔레노이드밸브) 작동
5) 중간챔버에 채워져 있던 물이 배수되며(감압) 준비작동식 밸브 개방
6) 1차 측 가압수의 2차 측으로의 유수를 통해 준비작동식 밸브의 압력스위치 작동
7) 감시제어반의 밸브개방표시등 점등
8) 감열에 의한 폐쇄형 헤드 개방
9) 배관 내 압력저하로 기동용 수압개폐장치(압력챔버)의 압력스위치 작동
10) 펌프 기동

29 목조건축물에서 화재의 최성기까지 소요시간을 고르시오.

① 1 ~ 5분   ② 5 ~ 15분
③ 20 ~ 30분   ④ 35 ~ 40분

해설

■ 소요시간
목조건축물에서 화재의 최성기까지 소요시간 : 10분 정도 소요
내화구조에서 화재의 최성기까지 소요시간 : 20 ~ 30분

Tip

[스프링클러설비 작동순서]
(1) 습식 스프링클러설비 : 화재발생 → 열에 의해 폐쇄형 헤드 개방 및 방수 → 유수검지장치의 클래퍼 개방 → 압력스위치 작동 → 사이렌 경보와 감시제어반의 화재표시등 및 밸브개방표시등 점등 → 압력챔버의 압력스위치 작동 → 펌프 기동

(2) 건식 스프링클러설비 : 화재발생 → 열에 의해 폐쇄형 헤드 개방 및 압축공기 방출 → 유수검지장치의 클래퍼 개방 → 압력스위치 작동 → 사이렌 경보와 감시제어반의 화재표시등 및 밸브개방표시등 점등 → 압력챔버의 압력스위치 작동 → 펌프 기동

(3) 일제살수식 스프링클러설비 : 화재발생 → 교차회로 방식의 A or B 감지기 작동 → 경종 또는 사이렌 경보, 감시제어반의 화재표시등 점등 → A and B 감지기 모두 작동 → 전자밸브(솔레노이드밸브) 작동 → 중간챔버에 채워져 있던 물이 배수되며(감압) 밸브 개방 → 압력스위치 작동 → 감시제어반의 밸브개방표시등 점등 → 모든 개방형 헤드에서 소화수 방출 → 압력챔버의 압력스위치 작동 → 펌프 기동

정답

28 ④	29 ②

30 다음 중 스프링클러설비의 점검을 완료하고, 동력제어반의 상태가 그림과 같을 때 정상 상태로 하기 위한 조치로 옳은 것은?

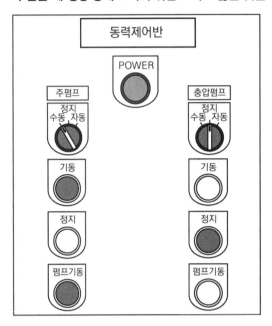

① 주펌프의 작동스위치는 수동상태로 유지한다.
② 충압펌프의 작동스위치는 수동상태로 유지한다.
③ 충압펌프 작동스위치를 자동으로 절환해야 한다.
④ 주펌프 작동스위치를 정지상태로 절환해야 한다.

해설

■ 동력제어반 정상 상태
1) 충압펌프의 작동스위치는 자동으로 절환되어야 한다.
2) 주펌프의 작동스위치는 자동으로 절환되어야 한다.
3) 주펌프는 수동상태로 절환 시 지속적으로 작동되므로 배관의 파손의 우려가 있어, 방수시험 후 충압펌프를 이용하여 배관 내 충압 후 자동으로 절환시킨다.

정답

30 ③

31 다음 중 스프링클러설비의 헤드 기준개수로 알맞지 않은 것을 고르시오.

스프링클러설비 설치장소			기준개수
10층 이하 (지하층 제외)	공장	특수가연물 저장·취급	30
		그 밖의 것	20
	근린생활시설 판매시설 운수시설 복합건축물	판매시설 또는 복합건축물 (판매시설이 설치되는 복합건축물)	㉠
		그 밖의 것	㉡
	그 밖의 것	헤드부착높이가 8 m 이상	㉢
		헤드부착높이가 8 m 미만	㉣
지하층을 제외한 층수가 11층 이상(아파트 제외), 지하가 또는 지하역사			30

① ㉠ : 30   ② ㉡ : 20

③ ㉢ : 10   ④ ㉣ : 10

Tip

[공동주택의 화재안전성능 기준]
• 아파트등(폐쇄형 스프링클러헤드) : 기준개수 10개
• 아파트등의 각 동이 주차장으로 서로 연결된 구조인 경우 : 기준개수 30개

해설

■ 설치장소에 따른 헤드의 기준개수

스프링클러설비 설치장소			기준개수
10층 이하 (지하층 제외)	공장	특수가연물 저장·취급	30
		그 밖의 것	20
	근린생활시설 판매시설 운수시설 복합건축물	판매시설 또는 복합건축물 (판매시설이 설치되는 복합건축물)	30
		그 밖의 것	20
	그 밖의 것	헤드부착높이가 8 m 이상	20
		헤드부착높이가 8 m 미만	10
지하층을 제외한 층수가 11층 이상(아파트 제외), 지하가 또는 지하역사			30

정답

31 ③

32 소방안전관리대상물의 소방계획서에 포함되어야 하는 사항이 아닌 것은?

① 예방규정을 정하는 제조소 등의 위험물 저장·취급에 관한 사항
② 소방시설·피난시설 및 방화시설의 점검·정비계획
③ 특정소방대상물의 근무자 및 거주자의 자위소방대 조직과 대원의 임무에 관한 사항
④ 방화구획, 제연구획, 건축물의 내부 마감 재료(불연재료·준불연재료 또는 난연재료로 사용된 것) 및 방염물품의 사용현황과 그 밖의 방화구조 및 설비의 유지·관리계획

해 설

■ 소방안전관리대상물의 소방계획서 포함사항
1) 소방안전관리대상물의 위치·구조·연면적·용도 및 수용인원 등 일반 현황
2) 소방안전관리대상물에 설치한 소방시설·방화시설전기시설·가스시설 및 위험물시설의 현황
3) 화재 예방을 위한 자체점검계획 및 진압대책
4) 소방·피난시설 및 방화시설 점검·정비계획
5) 피난층 및 피난시설의 위치와 피난경로의 설정, 장애인 및 노약자의 피난계획 등을 포함
6) 방화구획, 제연구획, 내부 마감재료(불연·준불연·난연재료) 및 방염물품의 사용현황과 그 밖의 방화구조 및 설비의 유지·관리계획
7) 소방훈련 및 교육에 관한 계획
8) 특정소방대상물의 근무자 및 거주자의 자위소방대 조직과 대원의 임무(장애인 및 노약자의 피난보조 임무 포함)에 관한 사항
9) 증축·개축·재축·이전·대수선 중인 특정소방대상물의 공사장 소방안전관리에 관한 사항
10) 공동 및 분임 소방안전관리에 관한 사항
11) 소화와 연소 방지에 관한 사항
12) 위험물의 저장·취급에 관한 사항(예방규정을 정하는 제조소 등은 제외)
13) 소방안전관리에 대한 업무수행에 관한 기록 및 유지에 관한 사항(월 1회 이상 작성, 2년간 보관)
14) 화재 발생 시 화재경보, 초기소화 및 피난유도 등 초기대응에 관한 사항
15) 그 밖에 소방안전관리를 위하여 소방본부장 또는 소방서장이 소방안전관리대상물의 위치·구조·설비 또는 관리 상황 등을 고려하여 소방안전관리에 필요하여 요청하는 사항

Tip

[소방계획서 작성 항목]
(1) 일반사항
(2) 관리계획
(3) 대응계획 및 부록

[소방계획의 작성원칙]
(1) 실현 가능한 계획 : 소방계획의 핵심은 위험관리이며, 대상물의 위험요인을 체계적으로 관리하기 위한 일련의 활동이기 때문에 위험요인의 관리는 반드시 실현 가능한 계획으로 구성
(2) 관계인의 적극적인 참여 : 소방계획의 수립 및 시행에 소방안전관리대상물의 관계인, 재실자 및 방문자 등 전원이 참여하도록 수립
(3) 계획 수립의 구조화 : 체계적이고 전략적인 계획의 수립을 위해 작성 – 검토 – 승인의 3단계의 구조화된 절차를 거쳐야 함
(4) 실행 우선 : 문서로 작성된 계획만으로는 소방계획의 완료로 보기 어려우며, 교육훈련 및 평가 등 이행의 과정이 있어야 비로소 소방계획의 완성

정답
32 ①

33 아파트에 설치하는 주방용 자동소화장치의 설치기준 중 부적합한 것은?

① 아파트의 각 세대별 주방에 설치한다.
② 소화약제 방출구는 환기구의 청소부분과 분리되어 있어야 한다.
③ 주방용 자동소화장치의 탐지부는 연료를 LPG로 사용할 경우 천정에서 30 cm 이내에 설치한다.
④ 주방용 자동소화장치의 탐지부는 수신부와 분리하여 설치하되, 공기보다 무거운 가스 사용 시 바닥에서 30 cm 이하에 위치한다.

해설

■ 주방용 자동소화장치의 설치기준
1) 소화약제방출구는 환기구의 청소부분과 분리되어 있어야 하며, 형식승인을 받은 유효 설치높이 및 방호면적에 따라 설치할 것
2) 감지부는 형식승인 받은 유효한 높이 및 위치에 설치할 것
3) 차단장치는 상시 확인 및 점검이 가능하도록 설치할 것
4) 탐지부는 수신부와 분리하여 설치하되, 공기보다 가벼운 가스는 천장면으로부터 30 cm 이하, 공기보다 무거운 가스는 바닥면으로부터 30 cm 이하의 위치에 설치할 것
5) 수신부는 주위의 열기류 또는 습기 등과 주위온도에 영향을 받지 아니하고 사용자가 상시 볼 수 있는 장소에 설치할 것

34 다음 그림의 밸브가 개방(작동)되는 조건으로 옳지 않은 것은?

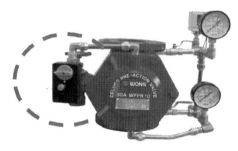

※ 출처 : 한국소방안전원

① 수동조작함 수동조작 버튼 기동
② 교차회로 감지기 1개 회로 작동
③ 감시제어반에서 수동조작
④ 감시제어반에서 동작시험

Tip
[자동소화장치]
⑴ 주거용 주방 : 아파트등 및 오피스텔의 모든 층
⑵ 상업용 주방 : 판매시설 중 대규모점포에 입점해 있는 일반음식점, 집단급식소
⑶ 캐비닛형 · 가스 · 분말 · 고체에어로졸 : 화재안전기준에서 정하는 장소

Tip
[확인사항]
⑴ 감지기 1개 회로 작동 시
① 감시제어반(수신반) 화재표시등, 해당 감지기 지구표시등 점등
② 경종 또는 사이렌 경보
⑵ 감지기 2개 회로 작동 시
① 전자밸브(솔레노이드 밸브) 작동
② 준비작동식 밸브 개방으로 배수밸브로 배수
③ 감시제어반(수신반) 밸브개방표시등 점등
④ 사이렌 경보
⑤ 펌프 자동기동

정답

33 ③	34 ②

해설

▣ 준비작동식 밸브(프리액션밸브) 작동방법
1) 해당 방호구역의 교차회로 감지기 2개 회로 작동
2) 수동조작함(SVP)의 수동조작스위치 작동
3) 밸브 자체에 부착된 수동기동밸브 개방
4) 감시제어반(수신반) 측의 준비작동식 유수검지장치 수동기동스위치 작동
5) 감시제어반(수신반)에서 동작시험스위치 및 회로선택스위치로 해당 방호구역의
   교차회로 감지기 2개 회로 작동

35 아래의 P형 수신기 상태로 옳지 않은 것은?

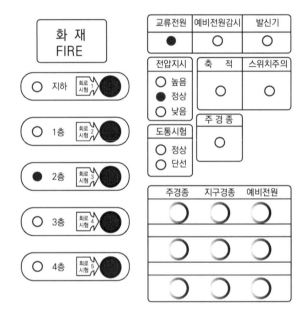

① 경종이 울리고 있다.
② 화재 신호기기는 발신기이다.
③ 2층에서 화재가 발생하였다.
④ 화재 신호기기는 감지기이다.

해설

▣ 수신기 점검
1) 화재등 및 2층 지구표시등 점등, 발신기등은 점등되지 않은 상태이므로 2층에서
   동작된 화재 신호기기는 발신기가 아닌 감지기라는 것을 알 수 있다.
2) 화재 신호기기가 동작되는 경우 경종이 울리게 된다.

Tip

[P형 수신기]
주경종스위치가 눌리지 않은
상태이므로 경종은 울리고
있다.

정답

35 ②

36 비화재보의 경우 수신기 복구방법으로 옳은 것은?

① 실제 화재 여부 확인 → 수신기 확인 → 음향장치 정지 → 발신기 복구 → 수신기 복구 → 음향장치 복구

② 수신기 확인 → 실제 화재 여부 확인 → 음향장치 정지 → 발신기 복구 → 수신기 복구 → 음향장치 복구

③ 실제 화재 여부 확인 → 수신기 확인 → 음향장치 정지 → 발신기 복구 → 음향장치 복구 → 수신기 복구

④ 수신기 확인 → 실제 화재 여부 확인 → 음향장치 정지 → 수신기 복구 → 음향장치 복구 → 발신기 복구

해설

■ 비화재보 시 대처방법

1) 수신기 화재표시등, 지구표시등 확인

2) 해당구역 실제 화재 여부 확인
3) 음향장치(주경종, 지구경종, 비상방송, 사이렌) 정지
4) 비화재보 원인 제거
　⑴ 감지기 동작표시등 확인 : 감지기 교체 등
　⑵ 발신기표시등 점등 확인 : 발신기 누름스위치 복구
5) 복구스위치를 눌러 수신기를 정상으로 복구

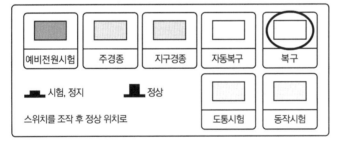

6) 음향장치를 정상 또는 연동으로 전환시켜 복구
7) 스위치주의등 소등 확인

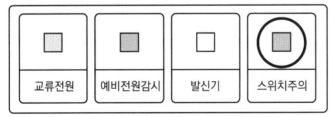

[비화재보]
⑴ 실제 화재 시 발생되는 열, 연기, 불꽃 등의 연소 생성물이 아닌 다른 요인에 의해서 자동화재탐지설비가 작동되어 경보를 발하는 현상
⑵ 자동화재 탐지설비가 정상 작동되었더라도 실제 화재가 아닌 경우

[비화재보 원인과 대책]

원인	대책
습도 증가에 의한 감지기 오동작	복구스위치 누름 or 동작된 감지기 복구
주방에 비적응성 (차동식) 감지기 설치	적응성(정온식) 감지기로 교체
감지기를 천장형 온풍기에 밀접하게 설치	기류흐름 방향에서 이격시켜 설치
먼지·분진에 의한 감지기 오동작	내부 먼지 청소 후 복구스위치 누름 or 감지기 교체
담배연기로 인한 연기감지기 오동작	흡연구역에 환풍기 설치
건축물 누수로 인한 감지기 오동작	누수부분 방수처리 및 감지기 교체
장난으로 발신기 누름버튼 동작	입주자 소방안전 교육

37 다음 중 점화원이 될 수 없는 것은?

① 정전기   ② 기화열
③ 금속성 불꽃   ④ 전기 스파크

해설

■ 점화원(= 착화원 = 활성화에너지)

1) 화염에 불을 붙이는 '물리적 에너지'이다.
2) 점화원이 될 수 있는 것 : 불꽃, 마찰, 고온표면, 단열압축, 복사열, 자연발화, 정전기 등
3) 점화원이 될 수 없는 것 : 단열팽창, 기화열, 증발열, 냉각열 등

38 위험물안전관리법령에서 정의하는 '위험물'을 고르시오.

① 대통령령으로 정하는 위험성 물질
② 대통령령으로 정하는 인화성 물질
③ 대통령령으로 정하는 인화성 또는 발화성 등의 물품
④ 대통령령으로 정하는 발화성 물질

해설

■ 위험물

구분	내용
위험물	인화성 또는 발화성 등의 성질을 가지는 것으로서 대통령령이 정하는 물품
지정수량	위험물의 종류별로 위험성을 고려하여 대통령령이 정하는 수량으로서 제조소 등의 설치허가 등에 있어서 최저의 기준이 되는 수량
제조소	위험물을 제조할 목적으로 지정수량 이상의 위험물을 취급하기 위하여 허가를 받은 장소
저장소	지정수량 이상의 위험물을 저장하기 위한 대통령령이 정하는 장소로서 허가를 받은 장소 옥내저장소, 옥외탱크저장소, 옥내탱크저장소, 지하탱크저장소, 간이탱크저장소, 이동탱크저장소옥외저장소
취급소	지정수량 이상의 위험물을 제조 외의 목적으로 취급하기 위한 대통령령이 정하는 장소로서 허가를 받은 장소 일반취급소, 주유취급소, 이송취급소, 판매취급소, 암반탱크저장소
제조소 등	제조소 · 저장소 및 취급소

정답

37 ②   38 ③

39 다음 그림은 P형 수신기이다. 평상시 점등상태를 유지해야 되는 곳의 명칭은?

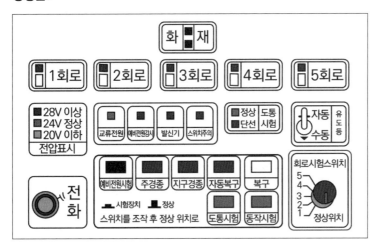

① 교류전원표시등, 도통시험표시등
② 교류전원표시등, 전압표시등(24 V)
③ 교류전원표시등, 스위치주의표시등
④ 교류전원표시등, 예비전원표시등

해설

◼ P형 수신기의 평상시 점등
1) 교류전원표시등
2) 전압표시등

Tip

[P형 수신기]
⑴ 화재표시등과 지구표시등은 화재가 발생했을 때 점등된다.
⑵ 발신기표시등은 화재신호가 발신기로부터 왔을 때 점등된다.
⑶ 스위치주의등은 평상시 눌려있으면 안 되는 스위치가 눌려있을 때 점멸한다.

정답

39 ②

40 다음 중 축압식 분말소화기 지시압력계의 정상상태로 옳은 것은?

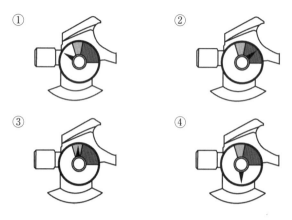

Tip

[축압식 소화기]
용기 내 축압가스(질소)로 가
압하여 소화약제를 방출하
며, 압력계의 압력은 0.7 ~
0.98 MPa을 유지해야 한다.

[가압식 소화기]
별도의 가압용기의 압력에
의해 약제가 방출되며 압력
계는 불필요하다.

해설

■ 소화기 지시압력계
1) 황색 : 압력부족
2) 적색 : 정상압력 초과
3) 녹색 : 정상압력

노란색
(황색)   녹색   적색

▌소화기 지시압력계 ▌

41 다음은 준비작동식 스프링클러설비가 설치되어 있는 감시제어반이다.
그림과 같이 감시제어반에서 충압펌프를 수동기동했을 경우 옳은 것을
고르시오.

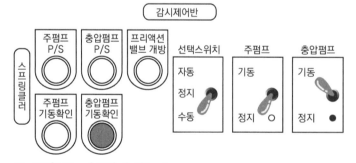

① 주펌프는 기동하지 않는다.
② 스프링클러헤드는 개방되었다.
③ 현재 충압펌프는 자동으로 작동하고 있다.
④ 프리액션밸브는 개방되었다.

Tip

[감시제어반의 스위치와 표
시등]
⑴ 소화전 주펌프와 충압펌
  프의 운전선택스위치가
  "자동"에 있는지 확인한
  다. 만약 정지위치에 있다
  면 화재 시 소화전 밸브를
  개방하여도 소화펌프는
  작동하지 않으므로 정상
  위치에 있는지 반드시 확
  인한다.
⑵ 펌프압력스위치 표시등과
  저수위감시스위치 표시등
  이 소등상태인지 확인한
  다. 만약 소화펌프가 작동
  되고 있지 않은 상태에서
  펌프압력스위치 표시등이
  점등되어 있다면 화재가
  발생하여도 소화펌프는 작
  동하지 않으며, 평상시 소
  화수가 없음을 알려주는
  저수위감시표시등이 점등
  되어 있다면 소화수가 없
  으므로 소화펌프가 작동된
  다 하여도 소화수가 나오
  지 않게 되므로 제어반의
  표시등 점등 여부를 주의
  깊게 확인한다.

정답

40 ③   41 ①

■ 준비작동식 스프링클러설비 감시제어반

1) 감시제어반 주펌프의 위치가 정지이므로 주펌프는 기동하지 않는다.
2) 충압펌프를 수동기동했지만 스프링클러헤드의 개방 여부는 알 수 없다.
3) 감시제어반의 선택스위치가 수동이며, 충압펌프가 기동이므로 충압펌프는 수동으로 작동하고 있다.
4) 프리액션밸브 개방표시등이 소등되어 있으므로 프리액션밸브는 개방되지 않았다.

42 다음은 소방기본법과 관련된 용어를 설명한 것이다. 이에 대한 내용으로 옳지 않은 것을 모두 고르시오.

> a : 화재 진압 및 화재, 재난·재해, 그 밖의 위급한 상황에서 구조·구급 활동을 하기 위한 조직체
> b : 화재, 재난·재해, 그 밖의 위급한 상황이 발생한 현장에서 소방대를 지휘하는 사람

> 가 : "a"는 소방공무원, 의용소방대원, 소방안전관리자로 구성된다.
> 나 : "a"는 2년마다 1회 교육과 훈련을 받는다.
> 다 : "b"는 시·도지사이다.
> 라 : "b"는 소방대장이다.

① 가, 나   ② 가, 라
③ 가, 다   ④ 다, 나

■ 용어 정의

1) 소방대상물
   (1) 건축물
   (2) 차량
   (3) 선박(항구에 매어 둔 것)
   (4) 산림, 그 밖의 인공구조물 또는 물건
2) 관계지역
   소방대상물이 있는 장소 및 그 이웃 지역으로 화재의 예방·경계·진압, 구조·구급 등의 활동에 필요한 지역
3) 관계인
   소방대상물의 소유자·관리자·점유자
4) 소방대
   화재 진압 및 화재, 재난·재해, 그 밖의 위급한 상황에서 구조·구급활동
   (1) 소방공무원
   (2) 의무소방원
   (3) 의용소방대원

Tip

[소방대장]

(1) 소방활동구역을 정하여 소방활동에 필요한 사람으로서 대통령령으로 정하는 사람 외에는 그 구역에 출입하는 것을 제한한다.
(2) 경찰공무원은 소방대가 소방활동구역에 있지 않거나, 소방대장의 요청이 있을 때에는 출입제한 조치를 할 수 있음

5) 소방본부장

특별시·광역시·특별자치시·도 또는 특별자치도(이하 "시·도"라 한다)에서 화재의 예방·경계·진압·조사 및 구조·구급 등의 업무를 담당하는 부서의 장

6) 소방대장

소방본부장 또는 소방서장 등 화재, 재난·재해, 그 밖의 위급한 상황이 발생한 현장에서 소방대를 지휘하는 사람

43 다음 소방안전관리대상물의 등급 분류로 옳은 것을 고르시오.

1. 용도 : 아파트
2. 층수 : 지하 5층, 지상 38층
3. 연면적 : 170000 m^2
4. 세대수 : 1000세대
5. 소방시설 설치현황 : 옥내소화전설비, 스프링클러설비, 자동화재탐지설비, 비상방송설비

① 특급   ② 1급
③ 2급   ④ 3급

해설

■ 소방안전관리자의 선임대상물

특급 대상물	1급 대상물	2급 대상물	3급 대상물
[아파트] • 50층 이상 (지하층 제외) • 높이 200 m 이상 (지상부터)	[아파트] • 30층 이상 (지하층 제외) • 높이 120 m 이상 (지상부터)	• 지하구 • 공동주택 (의무관리) • 보물·국보목조 건축물 • 옥내·스프링클러· 간이스프링클러· 물분무등 설치대상 (호스릴 제외)	자동화재 탐지설비 설치된 특정소방 대상물
[아파트 제외한 모든 건축물] • 30층 이상 (지하층 포함) • 높이 120 m 이상(지상부터)	[아파트 제외한 모든 건축물] • 11층 이상 (지하층 제외)		
[모든 건축물] • 연면적 10만 m^2 이상	[모든 건축물] • 연면적 1만 5천 m^2 이상		
-	[가연성 가스] 1000 t 이상	[가연성 가스] 100 ~ 1000 t 가스제조설비 도시가스 허가시설	-

Tip

[소방안전관리대상물]

⑴ 지상 38층으로써 30층 이상인 아파트이므로 1급 대상물에 해당한다.

⑵ 스프링클러설비가 설치되어 있으므로 종합점검대상에 해당한다.

⑶ 300세대 이상인 아파트이므로 소방안전관리보조관리자 선임대상에 해당한다. 300세대를 초과할 때마다 1명이 추가되며 1000 ÷ 300 = 3.33이므로 소숫점을 절삭하여 3명의 소방안전관리보조자를 선임한다.

정답
43 ②

44 소방안전관리대상물에 게시하는 소방안전관리자 현황표의 정보 사항으로 해당되지 않는 것을 고르시오.

① 소방안전관리자 성명
② 소방안전관리자 선임일자
③ 소방안전관리자의 연락처
④ 소방안전관리자 자격등급

[소방안전관리]
• 선임일자를 보고 관계인이 선임신고를 해야 하는 기간을 고르는 문제 또한 출제된다.
• 선임한 날부터 14일 이내에 소방본부장이나 소방서장에게 신고

해설

■ 소방안전관리자 현황표

소방안전관리자 현황표 (대상명 :   )

이 건축물의 소방안전관리자는 다음과 같습니다.

☐ 소방안전관리자 :

(선임일자 :   년   월   일)

☐ 소방안전관리대상물 등급 :   급

☐ 소방안전관리자 근무 위치(화재 수신기 위치) :

「화재의 예방 및 안전관리에 관한 법률」 제26조 제1항에 따라 이 표지를 붙입니다.

소방안전관리자 연락처 :

45 다음 그림의 부속 명칭과 설명으로 옳지 않은 것을 고르시오.

[압력챔버 설치목적]
⑴ 배관 내 압력 변동을 검지하여 자동적으로 펌프를 기동 및 정지
⑵ 압력챔버 상부의 공기가 완충작용을 하여 급격한 압력변화를 방지 → 배관 내 수격 방지 및 설비 보호

[작동순서]
소화전 방수구 개방 ⇨ 배관 내 수압 저하 ⇨ 압력챔버 압력 저하 ⇨ 압력스위치 작동 ⇨ 펌프 기동

정답

44 ④   45 ④

① (2) 안전밸브 : 과압방출

② (3) 압력스위치 : 압력의 증감을 전기적 신호로 변환

③ (5) 개폐밸브 : 점검 및 보수 시 급수 차단

④ (6) 배수밸브 : 압력챔버의 물 배수

해설

■ 기동용 수압개폐장치(압력챔버)

1) 기동용 수압개폐장치(압력챔버) : 용적 100 L 이상

2) 안전밸브 : 과압방출

3) 압력스위치 : 압력의 증감을 전기적 신호로 변환

4) 배수밸브 : 압력챔버의 물 배수

5) 개폐밸브 : 점검 및 보수 시 급수 차단

6) 압력계 : 압력챔버 내 압력 표시

46 최상층 소화전을 이용하여 방수압시험을 할 때 감시제어반에서 확인해야 하는 항목으로 옳은 것을 고르시오.

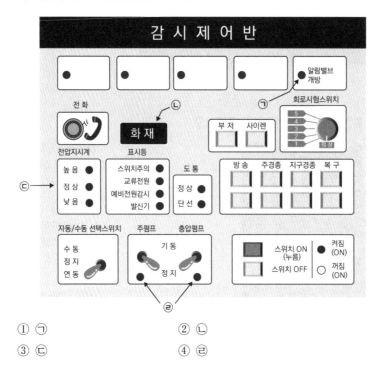

① ㉠

② ㉡

③ ㉢

④ ㉣

정답

46 ④

■ 방수압시험 시 감시제어반

1) 옥내소화전의 방수압시험을 하면 방수구 개방에 따라 압력챔버의 수위가 감소한다. 압력챔버의 압력 감소에 따라 충압펌프 기동점에 도달하여 충압펌프가 기동하며, 이후 소화전에서 계속된 방수에 따라 주펌프 기동점에 도달하면 주펌프가 기동한다.

2) 주펌프가 기동하는 경우 방수압도 증가하지만 압력챔버의 수위도 증가(압력이 증가)하여 충압펌프는 정지점에 도달하여 곧 정지한다. 하지만, 주펌프는 수동정지를 해야 하므로 방수압시험을 완료한 이후 관계자가 직접 감시제어반 또는 동력제어반에서 수동으로 정지한다.

3) 옥내소화전 방수압시험을 하면 감시제어반에서는 충압펌프 기동확인등이 점등되고 이후 주펌프 기동확인등이 점등되며 시간이 지나면 충압펌프 기동확인등은 소등되고 마지막으로 방수압시험 완료 후 주펌프를 수동정지하게 되면 주펌프 기동확인등이 소등된다.

47 자동화재탐지설비의 자체점검 시 다음과 같은 사항을 점검하여 확인된 결과를 점검표에 작성하였다. 점검결과를 잘못 작성한 것을 고르시오.

〈점검 시 확인사항〉
□ 예비전원 시험 결과 전압표시등이 녹색으로 점등되었다.
□ 수신기에서 도통시험 실시 결과 단선이 표시되었다.
□ 수신기의 스위치주의표시등이 점멸을 반복하고 있다.
□ 계단실의 연기감지기가 불량으로 확인되었다.

〈점검표 작성내용〉

보기	구분	점검항목	점검결과
①	수신기	조작스위치의 정상위치 여부 확인	○
②	감지기	감지기의 작동시험 적합 여부 확인	×
③	전원	예비전원 성능 적정 여부 확인	○
④	배선	수신기 도통시험의 회로 정상 여부 확인	×

■ 자동화재탐지설비 자체점검
수신기의 스위치주의표시등이 점멸을 반복하고 있는 것은 수신기의 조작스위치 중 어느 하나가 정상위치에 있지 않은 경우이다. 따라서 수신기 조작스위치 정상위치 여부 점검결과는 ×여야 한다.

정답

47 ①

48 개축에 대한 다음 설명 중 빈칸에 들어갈 말로 알맞은 것을 고르시오.

> 기존 건축물의 전부 또는 일부(지붕틀, 내력벽, 기둥, (A) 중 (B) 이상 포함되는 경우)를 철거하고, 그 대지 안에서 이전과 동일한 규모의 범위 내에서 건축물을 다시 축조하는 것

① (A) : 주계단　(B) : 2개
② (A) : 주계단　(B) : 3개
③ (A) : 보　　　(B) : 2개
④ (A) : 보　　　(B) : 3개

해설

■ 건축

1) 신축

건축물이 없는 대지(기존 건축물이 해체되거나 멸실된 대지를 포함한다)에 새로 건축물을 축조하는 것(부속건축물만 있는 대지에 새로 주된 건축물을 축조하는 것을 포함하되, 개축 또는 재축하는 것은 제외한다)

2) 증축

기존 건축물이 있는 대지에서 건축물의 건축면적, 연면적, 층수 또는 높이를 늘리는 것

3) 개축

기존 건축물의 전부 또는 일부(내력벽·기둥·보·지붕틀 중 셋 이상이 포함되는 경우를 말한다)를 해체하고 그 대지에 종전과 같은 규모의 범위에서 건축물을 다시 축조하는 것

4) 재축

건축물이 천재지변이나 그 밖의 재해(災害)로 멸실된 경우 그 대지에 다음의 요건을 모두 갖추어 다시 축조하는 것

(1) 연면적 합계는 종전 규모 이하로 할 것
(2) 동수, 층수 및 높이는 다음의 어느 하나에 해당할 것
　① 동수, 층수 및 높이가 모두 종전 규모 이하일 것
　② 동수, 층수 또는 높이의 어느 하나가 종전 규모를 초과하는 경우에는 해당 동수, 층수 및 높이가 건축법령에 모두 적합할 것

5) 이전

건축물의 주요구조부를 해체하지 아니하고 같은 대지의 다른 위치로 옮기는 것

6) 대수선

건축물의 기둥, 보, 내력벽, 주계단 등의 구조나 외부 형태를 수선·변경하거나 증설하는 것으로서 대통령령으로 정하는 다음 어느 하나에 해당하는 것으로서 증축·개축 또는 재축에 해당하지 아니하는 것을 말한다.

(1) 내력벽을 증설 또는 해체하거나 그 벽면적을 30 m² 이상 수선 또는 변경하는 것
(2) 기둥을 증설 또는 해체하거나 세 개 이상 수선 또는 변경하는 것
(3) 보를 증설 또는 해체하거나 세 개 이상 수선 또는 변경하는 것
(4) 지붕틀(한옥의 경우에는 지붕틀의 범위에서 서까래는 제외한다)을 증설 또는 해체하거나 세 개 이상 수선 또는 변경하는 것
(5) 방화벽 또는 방화구획을 위한 바닥 또는 벽을 증설 또는 해체하거나 수선 또는 변경하는 것

Tip

[주요구조부]
내력벽, 기둥, 바닥, 보, 지붕틀 및 주계단을 말한다. 다만 건축물의 구조상 중요하지 않은 사이 기둥, 최하층 바닥, 작은 보, 차양, 옥외 계단, 그 밖에 이와 유사한 부분은 제외한다.

[리모델링]
건축물의 노후화를 억제하거나 기능 향상 등을 위하여 대수선하거나 건축물의 일부를 증축 또는 개축하는 행위

정답
48 ④

(6) 주계단·피난계단 또는 특별피난계단을 증설 또는 해체하거나 수선 또는 변경하는 것

(7) 다가구주택의 가구 간 경계벽 또는 다세대주택의 세대 간 경계벽을 증설 또는 해체하거나 수선 또는 변경하는 것

(8) 건축물의 외벽에 사용하는 마감재료를 증설 또는 해체하거나 벽면적 30 m^2 이상 수선 또는 변경하는 것

49 다음 중 액화천연가스(LNG)에 대한 설명 중 틀린 것은?

① 주성분은 메탄(메테인)이다.

② 비중은 공기보다 6배 무겁다.

③ 주로 가정용도시가스로 사용된다.

④ 누출 시 천장에 체류한다.

해설

■ 액화천연가스(LNG) 특성

1) 주성분 : 메탄(메테인)

2) 도시가스로 사용

3) LNG는 공기보다 0.6배 가벼움

4) 공기보다 가벼워 높은 곳에 체류

5) 가스누출 탐지기는 천장에서 30 cm 이내에 설치

6) 폭발범위 : 5 ~ 15 %

50 화재 시 일반적 피난계획 수립에 관한 사항으로 틀린 것을 고르시오.

① 소방안전관리자는 해당 대상물의 특성에 부합하는 피난계획을 사전에 수립한다.

② 화재 시 대상물의 재실자 및 방문자를 안전구역 또는 집결지로 피난을 유도한다.

③ 피난안전구역에 설치되어 있는 구급장비 등을 활용해 응급처치 등 필요한 조치를 취한다.

④ 피난을 완료한 재실자 등이 다시 대상물로 진입(Re-entry)하도록 조치를 취한다.

[피난실패 시 행동요령]

(1) 건물 밖으로 대피하지 못한 경우 밖으로 통하는 창문이 있는 방으로 들어가기

(2) 방안으로 연기가 들어오지 못하도록 문틈을 커튼 등으로 막고, 내부 물건 등을 활용하여 자신의 위치를 알리고 구조를 기다리기

해설

■ 일반적 피난계획 수립

구분	내용
사전 피난준비	1) 소방안전관리자는 해당 대상물의 특성에 부합하는 피난계획을 사전에 수립 2) 피난계획에 따라 각 층 및 구역별 피난경로(동선)가 파악되면 피난안내도를 작성하여 부착
피난개시 명령	1) 소방안전관리자 또는 자위소방조직상 피난 관련 대원은 해당 대상물의 경보방식을 기준으로 피난방식 결정 2) 대상물의 붕괴, 폭발 가능성으로 인해 긴급 피난이 필요한 경우에는 대상물 재실자 및 방문자 모두가 즉시 피난 개시 3) 피난경보 및 비상방송설비(일반방송설비 또는 확성기 등)를 통해 피난개시 명령을 내리고 조기피난 독려
피난유도	1) 화재 시 대상물의 재실자 및 방문자를 안전구역 또는 집결지로 피난유도 2) 계단 등에서 병목현상이 발생하지 않도록 재실자 및 방문자를 분산하여 피난유도 3) 양방향 피난경로 중 폐쇄 또는 접근이 불가한 경로가 있는 경우 대체 경로 활용 4) 피난유도 시 피난자의 패닉방지를 위한 심리적 안정조치 취하기
피난안전 구역의 활용	1) 피난안전구역이 설치된 대상물의 담당 대원은 피난유도 시 피난안전구역 활용 2) 피난안전구역으로 피난요구자를 1차 대피유도하고 피난 및 구조 진행 상황에 따라 추가적인 피난을 유도하거나 보조 가능 3) 피난안전구역에 설치되어 있는 구급장비 등을 활용해 응급처치 등 필요한 조치 취하기
집결	1) 피난요구자를 사전에 지정된 집결 장소로 최종 유도 2) 피난을 완료한 재실자 등이 다시 대상물로 진입(Re-entry)하지 못하도록 조치 취하기 3) 집결지에 집결한 인원에 대해 부상자 및 실종자 현황을 파악하고 필요시 응급조치 시행 4) 집결 장소에서 습득한 화재 및 피해상황에 대한 정보를 대장 및 소방기관에 통보
피난계획 수립 예시	1) 지상 3층이 판매시설이고 피난계단이 3개소가 있는 경우 거실로부터 피난계단이 가까운 곳으로 3개 구역으로 나누고, 구역별 수용인원에 따라 실제 대피훈련을 실시하여 고객들이 신속하게 대피하는지를 확인하고 안전하게 대피하는 경우 대피계획 수립 2) 지상 4층이 업무시설이고 피난계단이 1개가 있는 경우 각 거실에 있는 사람들을 중앙통로로 1차 대피시키고, 대피요원이 2차로 피난계단을 따라 지상으로 대피(옥상으로 대피시키는 것이 안전한 경우에는 옥상으로 대피) 3) 판매시설, 공연장, 집회장 등은 매장 내 방호요원(경비원)이 있으므로 사전에 구역별로 임무를 지정하여 고객들을 대피시키고 초기소화용인 스프레이 소화용구를 허리춤에 항상 차고 다니게 하는 것도 바람직함

 실전모의고사

01 다음에 제시된 건축물의 일반현황을 참고하여 모아빌딩에 대한 설명으로 옳은 것을 고르시오.

구분	건축물 일반현황
명칭	모아빌딩
규모 / 구조	• 연면적 : 20,000 m² • 층수 : 지하 3층, 지상 9층 • 높이 : 36 m • 용도 : 업무시설 • 사용승인일 : 2010.01.04
소방시설 현황	• 자동화재탐지설비 • 스프링클러설비 • 옥내소화전설비, 비상방송설비

① 모아빌딩은 2급소방안전관리대상물이다.
② 2024년 1월에 종합점검을 하며, 2024년 7월에는 작동점검을 실시한다.
③ 소방안전관리보조자를 선임하지 않아도 된다.
④ 소방공무원으로 근무한 경력이 5년 이상인 사람을 소방안전관리자로 선임한다.

해설

■ 종합점검 대상
1) 최초점검 대상물
2) 스프링클러설비가 설치된 특정소방대상물
3) 물분무등소화설비[호스릴 방식의 물분무등소화설비만을 설치한 경우는 제외]가 설치된 연면적 5000 m² 이상인 특정소방대상물(위험물 제조소등은 제외)
4) 다중이용업의 영업장이 설치된 특정소방대상물로서 연면적이 2000 m² 이상인 것(단란주점, 유흥주점, 노래연습장, 산후조리원, 고시원, 안마시술소, 영화상영관, 비디오물감상실업, 복합영상물제공업)
5) 제연설비가 설치된 터널
6) 공공기관 중 연면적(터널·지하구의 경우 그 길이와 평균폭을 곱하여 계산된 값)이 1000 m² 이상인 것으로서 옥내소화전설비 또는 자동화재탐지설비가 설치된 것(소방대가 근무하는 공공기관은 제외)
※ 스프링클러설비가 설치되어 있으므로 종합점검 대상에 해당되며 사용승인일이 있는 달인 1월에 종합점검을 하고 그로부터 6개월이 되는 달인 7월에 작동점검을 한다.

정답
01 ②

■ 소방안전관리대상물

특급대상물	1급대상물	2급대상물	3급대상물
[아파트] • 50층 이상(지하층 제외) • 높이 200 m 이상 (지상부터)	[아파트] • 30층 이상 (지하층 제외) • 높이 120 m 이상 (지상부터)	• 지하구 • 공동주택 (옥내/SP설치) • 보물·국보목조건 축물 • 옥내소화전·스프 링클러·간이스프 링클러·물분무등 설치대상	간이스프 링클러설 비 또는 자동화재 탐지설비 설치된 특정소방 대상물
[아파트 제외한 모든 건축물] • 30층 이상 (지하층 포함) • 높이 120 m 이상 (지상부터)	[아파트 제외한 모든 건축물] • 11층 이상 (지하층 제외)		
[모든 건축물] • 연면적 10만 m² 이상(아파트 제외)	[모든 건축물] • 연면적 1만 5천 m² 이상(아파트 및 연립 주택 제외)		
–	[가연성 가스] 1000 t 이상 저장· 취급	[가연성 가스] 100 ~ 1000 t 저장·취급 가스제 조설비 도시가스 허가시설	–
[제외 장소] • 지하구 • 위험물 저장·처리시설 중 위험물 제조소 등 • 철강 등 불연물품 저장·취급 창고 • 동·식물원		[제외 장소] 호스릴방식의 물분 무 등만 설치한 경우	–

※ 연면적 20,000 m²이므로 1급대상물이다.

■ 소방안전관리보조자 선임대상 및 선임기준

보조자선임대상 특정소방대상물	최소 선임기준
300세대 이상인 아파트	1명(300세대마다 1명 이상 추가)
연면적이 1만 5천 m² 이상인 특정소 방대상물(아파트 및 연립주택 제외)	1명(연면적 1만 5천 m²마다 1명 이상 추가) 다만 특정소방대상물의 종합방재실에 자위소방대가 24시간 상시 근무하고, 소방자동차 중 소방펌프차, 소방물탱크 차, 소방화학차, 무인방수차를 운용하는 경우 3000 m² 초과마다 1명 추가 선임 한다.

보조자선임대상 특정소방대상물	최소 선임기준
1) 공동주택 중 기숙사 2) 의료시설 3) 노유자시설 4) 수련시설 5) 숙박시설(숙박시설로 사용되는 바닥면적의 합계가 1500 m² 미만이고 관계인이 24시간 상시 근무하고 있는 숙박시설은 제외)	1명 다만 해당 특정소방대상물이 소재하는 지역을 관할하는 소방서장이 야간이나 휴일에 해당 특정소방대상물이 이용되지 않는다는 것을 확인한 경우에는 선임하지 않을 수 있다.

* 연면적이 1만 5천 m² 이상인 특정소방대상물이므로 소방안전관리보조자를 선임해야 한다.
* 1급소방안전관리대상물이므로 소방공무원으로 근무한 경력이 7년 이상인 사람을 소방안전관리자로 선임한다.

02 다음 중 소화설비에 해당되는 것은?

① 상수도소화용수설비 ② 스프링클러설비
③ 연결살수설비 ④ 연결송수관설비

Tip
소화설비란 물 그 밖의 소화약제를 사용하여 소화하는 기계·기구 또는 설비이다.

해설

▣ 소화설비의 종류
소화기구, 자동소화장치, 옥내소화전설비, 스프링클러설비등, 물분무등소화설비, 옥외소화전설비

03 다음과 같이 전기자동차 화재 시 불연성 재질의 천을 덮어 불을 끄는 소화방법은?

Tip
산소와의 접촉을 막아서 질식소화한다.

※ 출처 : 연합뉴스

① 제거소화 ② 냉각소화
③ 질식소화 ④ 억제소화

정답
02 ② 03 ③

▣ 질식소화

공기 중의 산소농도를 21 %에서 15 % 이하로 떨어트려 소화하는 방법
1) 불연성 기체로 연소물을 덮는 방법
2) 불연성 포로 연소물을 덮는 방법
3) 불연성 고체(불연성 물질)로 연소물을 덮는 방법

04 표피가 손상되어 그 부위가 붉은 색을 띠고, 약간의 통증을 느끼는 정도의 화상은?

① 1도 화상   ② 2도 화상
③ 3도 화상   ④ 4도 화상

해 설

▣ 화상의 종류

구분	설명
1도 화상 (표피화상)	1) 표피손상 : 홍반성 2) 약간의 부종과 홍반 수반 3) 가벼운 통증
2도 화상 (부분층화상)	1) 진피손상 : 수포성 2) 심한 통증과 발적, 수포 발생 3) 진물이 나고 감염 위험
3도 화상 (전층화상)	1) 피하지방층 및 근육층 손상 : 괴사성 2) 피부는 가죽처럼 매끈하고 피부색은 검게 변함 3) 화상부위 건조하며 통증 없음

정답

04 ①

05 다음은 펌프성능시험 중 정격부하운전 시험방법이다. 빈칸에 들어갈 용어로 알맞은 것을 고르시오.

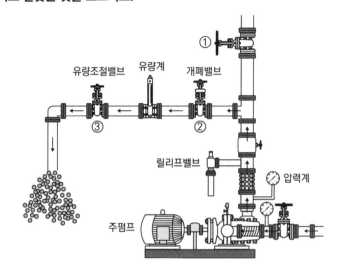

[정격부하운전]
1. 개폐밸브(㉠)를 완전히 개방하고, 유량조절밸브 (㉡)를 조금만 개방한다.
2. 주펌프를 수동기동한다.
3. 유량조절밸브 (㉡)를 서서히 개방하여 정격토출량일 때 (㉢) 이상이 되는 지를 확인한다.

① ㉠ : ②, ㉡ : ①, ㉢ : 정격압력의 65 %
② ㉠ : ②, ㉡ : ③, ㉢ : 정격압력의 65 %
③ ㉠ : ①, ㉡ : ③, ㉢ : 정격압력
④ ㉠ : ②, ㉡ : ③, ㉢ : 정격압력

해 설

■ 펌프성능시험

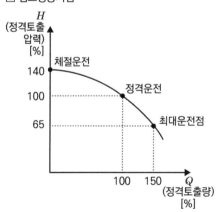

성능시험	유량	압력
체절운전	0	140 % 이하
정격운전	100 %	100 % 이상
최대운전	150 %	65 % 이상

06 다음 중 한국소방안전원의 업무가 아닌 것은?

① 소방기술과 안전관리에 관한 조사·연구 및 교육
② 소방기술과 안전관리에 관한 각종 간행물의 발간
③ 화재예방과 안전관리의식의 고취를 위한 대국민 홍보
④ 소방용 기계·기구에 대한 검정기술의 연구·조사

해설

■ 한국소방안전원의 업무
1) 소방기술과 안전관리에 관한 교육 및 조사·연구
2) 소방기술과 안전관리에 관한 각종 간행물 발간
3) 화재 예방과 안전관리의식 고취를 위한 대국민 홍보
4) 소방업무에 관하여 행정기관이 위탁하는 업무
5) 소방안전에 관한 국제협력
6) 그 밖에 회원에 대한 기술지원 등 정관으로 정하는 사항

07 다음 그림과 설명을 보고 해당 건축물의 높이를 산정하시오.

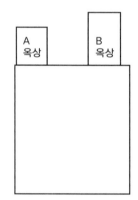

- 건축면적 : 1,500 m²
- A옥상의 수평투영면적 : 100 m²
- B옥상의 수평투영면적 : 80 m²
- A옥상의 높이 : 10 m
- B옥상의 높이 : 22 m
- 건축물 상단까지의 높이 : 70 m

정답

06 ④ 07 ②

① 70 m   ② 80 m

③ 82 m   ④ 88 m

해 설

■ 건축물의 높이 산정에서 제외되는 부분

1) 옥상부분(건축물의 옥상에 설치되는 승강기탑·계단탑·망루·장식탑·옥탑 등)으로서 그 수평투영면적의 합계가 해당 건축물 건축면적의 1/8 이하(주택법에 따른 사업계획승인 대상 공동주택으로 세대별 전용면적이 85 m² 이하인 경우 1/6 이하)인 경우로서 그 부분의 높이가 12 m를 넘는 경우에는 그 넘는 부분만 해당 건축물의 높이에 산입한다.

2) 옥상돌출물(지붕마루장식·굴뚝·방화벽·기타 이와 유사한 옥상돌출부)과 난간벽(그 벽면적의 1/2 이상이 공간으로 된 것에 한함)은 해당 건축물 높이에 산입하지 않는다.

옥상부분의 면적(180 m²)이 건축면적의 1/8 이하(1500/8 = 187.5)이므로 옥상부분의 높이가 12 m를 넘는 경우에 그 부분만 해당 건축물 높이에 산입한다. 따라서 70 m + (22-12) = 80 m이다.

08 자체점검을 실시한 관계인은 자체점검실시결과보고서를 며칠 이내에 소방본부장 또는 소방서장에게 보고해야 하는가?

① 7   ② 10

③ 15   ④ 30

해 설

■ 소방시설등의 자체점검 결과의 조치 등

1) 관리업자등은 자체점검을 실시한 경우에는 그 점검이 끝난 날로부터 10일 이내에 소방시설등 자체점검 실시결과 보고서에 소방시설등점검표를 첨부하여 관계인에게 제출

2) 관계인은 자체점검이 끝난 날로부터 15일 이내에 소방본부장 또는 소방서장에게 서면이나 소방청장이 지정하는 전산망을 통하여 보고

3) 관계인은 소방시설등 자체점검 실시결과 보고서를 점검이 끝난 날로부터 2년간 자체 보관

Tip

보고 받은 소방본부장 또는 소방서장은 보고일로부터 10일 이내 이행계획의 완료 기간을 정하여 관계인에게 통보한다.

정답

08 ③

09 소화펌프방식에서 압력챔버의 주역할은?

① 유수의 흐름을 알기 위함
② 소화펌프를 가동시키기 위함
③ 배관 내의 압력을 일정하게 하기 위함
④ 일정한 방사압을 유지하기 위함

해설

◼ 기동용 수압개폐장치(압력챔버)
1) 용적 : 100 L 이상
2) 펌프의 자동기동 및 정지
3) 압력변화의 완충작용 → 수격 방지 및 설비 보호

10 다음 중 인화성 물질이 아닌 것은?

① 기어유   ② 질소
③ 이황화탄소   ④ 에테르

해설

◼ 가연물이 될 수 없는 물질
1) 인화성 물질은 가연물이다.
2) 질소는 공기 중에 78 % 정도 존재하는 안정된 물질이다.

11 분자 자체 내에 포함하고 있는 산소를 이용하여 연소하는 형태를 무슨 연소라고 하는가?

① 증발연소   ② 자기연소
③ 분해연소   ④ 표면연소

해설

◼ 연소의 형태에 의한 분류

구분	내용	종류
증발연소	열분해 없이 그대로 증발하여 연소	유황, 나프탈렌, 파라핀, 가솔린, 등유
분해연소	열분해에 의해 생성된 가연성 가스가 공기와 혼합하여 연소	목재, 석탄, 종이 플라스틱, 고무

구분	내용	종류
표면연소	불꽃이 없는 연소로서 표면에서 연소	숯, 목탄, 코크스 금속분
자기연소	물질 자체에 산소를 함유하고 있어서 별도의 산소 없이 연소	니트로셀룰로오스 니트로글리세린 유기과산화물
확산연소	확산화염에 의한 연소	메탄(메테인), 암모니아, 수소, 아세틸렌
예혼합연소	미리 공기와 혼합된 연료가 연소	LNG, LPG, 가연성 가스

12 화재에 관한 설명으로 옳은 것은?

① PVC 저장창고에서 발생한 화재는 D급 화재이다.
② PVC 저장창고에서 발생한 화재는 B급 화재이다.
③ 연소의 색상과 온도와의 관계를 고려할 때 일반적으로 암적색보다는 휘적색의 온도가 높다.
④ 연소의 색상과 온도와의 관계를 고려할 때 일반적으로 휘백색보다는 휘적색의 온도가 높다.

Tip
A급 화재 : 일반화재
B급 화재 : 유류화재
C급 화재 : 전기화재
D급 화재 : 금속화재

해설

■ 연소의 색과 온도

연소의 색	온도 ℃
암적색	700 ~ 750 ℃
적색	850 ℃
휘적색	900 ~ 950 ℃
황적색	1100 ℃
백색	1200 ~ 1300 ℃
휘백색	1500 ℃

※ pvc = poly vinyl Chloride 폴리염화비닐이며 열가속성 플라스틱이다.

13 피난계단의 종류와 피난 시 이동경로로 틀린 것을 고르시오.

① 옥내피난계단 : 옥내 → 계단실 → 피난층
② 옥외피난계단 : 옥내 → 옥외계단 → 지상층
③ 특별피난계단 : 옥내 → 계단실 → 피난층
④ 특별피난계단 : 옥내 → 부속실 → 계단실 → 피난층

정답
12 ③   13 ③

해설

■ 피난계단

종류	피난 시 이동경로
옥내피난계단	옥내 → 계단실 → 피난층
옥외피난계단	옥내 → 옥외계단 → 지상층
특별피난계단	옥내 → 부속실 → 계단실 → 피난층

14 다음 물질 중 연소범위가 가장 넓은 것은?

① 아세틸렌
② 프로판(프로페인)
③ 메탄(메테인)
④ 수소

Tip

연소범위가 넓을수록 위험도는 크다.

위험도 = $\dfrac{UFL - LFL}{LFL}$

해설

■ 연소범위(Flammability Limit)

1) 연소범위의 위험성 크기 비교
아세틸렌 > 수소 > 일산화탄소 > 에틸렌 > 메탄(메테인) > 에탄(에테인) > 프로판(프로페인) > 부탄(부테인)

2) 주요 물질의 연소범위

가스	하한계vol%	상한계vol%
아세틸렌	2.5	81
수소	4	75
일산화탄소	12.5	74
에틸렌	2.1	32
암모니아	15	28
메탄(메테인)	5	15
에탄(에테인)	3	12.4
프로판(프로페인)	2.1	9.5
부탄(부테인)	1.8	8.4

정답

14 ①

15 다음 중 플래시 오버(Flash Over)를 가장 옳게 설명한 것은?

① 도시가스의 폭발적 연소를 말한다.
② 휘발유 등 가연성 액체가 넓게 흘러서 발화한 상태를 말한다.
③ 옥내화재가 서서히 진행하여 열 및 가연성 기체가 축적되었다가 일시에 연소하여 화염이 크게 발생하는 상태를 말한다.
④ 화재층의 불이 상부층으로 올라가는 현상을 말한다.

해설

▣ 플래시오버
1) 화재로 인하여 실내의 온도가 급격히 상승하여 화재가 순간적으로 실내 전체에 확산되는 현상
2) 특징 : 혼합연소, 비정상연소
3) 발생 시기 : 성장기 ~ 최성기
4) 실내온도 : 약 800 ~ 900 ℃

Tip
[플래시오버 대책]
⑴ 불연화, 난연화
⑵ 가연물의 양 제한
⑶ 개구부 제한

16 마그네슘의 화재 시 이산화탄소 소화약제를 사용하면 안 되는 주된 이유는?

① 마그네슘과 이산화탄소가 반응하여 흡열반응을 일으키기 때문이다.
② 마그네슘과 이산화탄소가 반응하여 가연성의 탄소가 생성되기 때문이다.
③ 마그네슘이 이산화탄소에 녹기 때문이다.
④ 이산화탄소에 의한 질식의 우려가 있기 때문이다.

해설

▣ 마그네슘(Mg) 화재
활성금속 물질로서 화재 시 이산화탄소가 방사되면 탈탄산작용으로 가연성 탄소가 발생하여 위험성이 커진다.
$2Mg + CO_2 \rightarrow 2MgO + C$

정답

15 ③   16 ②

17 ABC분말소화기로 소화가 가능한 것을 모두 고르시오.

ㄱ. 인화성액체	ㄴ. 플라스틱
ㄷ. 전기기기	ㄹ. 식용유

① ㄱ, ㄴ, ㄹ   ② ㄱ, ㄴ

③ ㄱ, ㄹ   ④ ㄱ, ㄴ, ㄷ

해설

■ 화재

등급	화재	표시색	적응물질
A급 화재	일반 화재	백색	목재, 섬유, 합성섬유
B급 화재	유류 화재	황색	인화성 액체
C급 화재	전기 화재	청색	통전 중인 전기설비, 기기화재
D급 화재	금속 화재	무색	가연성 금속
K급 화재	식용유 화재	황색	식용유

인화성 액체는 B급 화재, 플라스틱은 A급 화재, 전기기기는 C급 화재, 식용유화재는 K급 화재이므로 ㄹ은 제외된다.

18 연소 우려가 있는 건축물의 구조에 대한 기준 중 다음 보기 (㉠), (㉡)에 들어갈 수치로 알맞은 것은?

건축물대장의 건축물 현황도에 표시된 대지경계선 안에 2 이상의 건축물이 있는 경우로서 각각의 건축물이 다른 건축물의 외벽으로부터 수평거리가 1층에 있어서는 (㉠) m 이하, 2층 이상의 층에 있어서는 (㉡) m 이하이고, 개구부가 다른 건축물을 향하여 설치된 구조를 말한다.

① ㉠ 5, ㉡ 10   ② ㉠ 6, ㉡ 10

③ ㉠ 10, ㉡ 5   ④ ㉠ 10, ㉡ 6

해설

■ 연소 우려가 있는 건축물 구조
1) 건축물대장의 건축물 현황도에 표시된 대지경계선 안에 둘 이상의 건축물이 있는 경우
2) 다른 건축물의 외벽으로부터 수평거리 : 1층은 6 m 이하, 2층 이상 10 m 이하

정답

17 ④   18 ②

3) 개구부가 다른 건축물을 향하여 설치되어 있는 경우

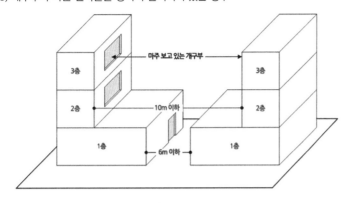

19 대형 피난구유도등의 설치장소가 아닌 것은?

① 위락시설　　　　　　　② 판매시설
③ 지하철 역사　　　　　　④ 아파트

Tip

[아파트]
아파트는 소형피난구유도등
을 설치한다.

해설

◼ 유도등

설치장소	유도등 및 유도표지의 종류
1. 공연장·집회장(종교집회장 포함)·관람장·운동시설	• 대형피난구유도등
2. 유흥주점영업시설(유흥주점 영업 중 손님이 춤을 출 수 있는 무대가 설치된 카바레, 나이트클럽 등 영업시설만 해당)	• 통로유도등 • 객석유도등
3. 위락시설·판매시설 운수시설·관광숙박업·의료시설·장례식장·방송통신시설·전시장·지하상가·지하철역사·창고시설	• 대형피난구유도등 • 통로유도등
4. 숙박시설(관광숙박업 외의 것)·오피스텔	• 중형피난구유도등 • 통로유도등
5. 1~3 외의 건축물로서 지하층·무창층 또는 층수가 11층 이상인 특정소방대상물	
6. 1~5 외의 건축물로서 근린생활시설·노유자시설·업무시설·발전시설·종교시설(집회장 용도로 사용하는 부분 제외)·교육연구시설·수련시설·공장·교정 및 군사시설(국방·군사시설 제외)·기숙사·자동차정비공장·운전학원 및 정비학원·다중이용업소·복합건축물·아파트	• 소형피난구유도등 • 통로유도등
그 밖의 것	• 피난구유도표지 • 통로유도표지

설치장소	유도등 및 유도표지의 종류

※ 비고
① 소방서장은 특정소방대상물의 위치·구조 및 설비의 상황을 판단하여 대형피난구유도등을 설치하여야 할 장소에 중형피난구유도등 또는 소형피난구유도등을 설치하게 할 수 있다.
② 복합건축물과 아파트의 경우 주택의 세대 내에는 유도등을 설치하지 아니할 수 있다.

20 40층의 소방대상물에 20층에서 화재가 발생하였다. 자동화재탐지설비의 음향장치의 출력이 나가야 하는 층은?

① 전 층 경보
② 발화층, 그 직상 2개 층 경보
③ 발화층, 그 직상층 경보
④ 발화층, 그 직상 4개 층 경보

해설

■ 경보방식
1) 일제경보방식 : 화재 시 전 층에 경보하는 방식(소규모)
2) 우선경보방식 : 층수가 11층(공동주택 16층) 이상의 특정소방대상물
　　① 2층 이상의 층에서 발화 시 : 발화층 및 그 직상 4개 층에 경보할 것
　　② 1층에서 발화 시 : 발화층·그 직상 4개 층 및 지하층에 경보할 것
　　③ 지하층에서 발화 시 : 발화층·그 직상층 및 그 밖의 지하층에 경보할 것
※ 40층의 소방대상물이므로 우선경보방식을 적용한다.

21 소방안전관리자 선임에 대한 설명 중 옳은 것은?

소방안전관리대상물의 관계인이 소방안전관리자를 선임한 경우에는 행정안전부령으로 정하는 바에 따라 선임한 날부터 (㉠) 이내에 (㉡)에게 신고하여야 한다.

① ㉠ 14일, ㉡ 시·도지사
② ㉠ 14일, ㉡ 소방본부장이나 소방서장
③ ㉠ 30일, ㉡ 시·도지사
④ ㉠ 30일, ㉡ 소방본부장이나 소방서장

[안전관리자 선임]
소방안전관리자 선임과 위험물안전관리자 선임 기준은 동일하다(30일 이내 선임 14일 이내에 본서장에게 신고).

정답
20 ④　21 ②

■ 소방안전관리자 선임

해당하는 날로부터 30일 이내에 선임하고, 14일 이내에 소방본부장이나 소방서장에게 신고

선임기준	해당일
신축·증축·개축·재축·대수선 또는 용도변경 시 신규 선임	특정소방대상물의 사용승인일
증축 또는 용도변경	특정소방대상물의 사용승인일 또는 용도변경 사실을 건축물관리대장에 기재한 날
양수하거나 경매, 환가, 압류재산의 매각	해당 권리를 취득한 날 관할 소방서장으로부터 소방안전관리자 선임 안내를 받은 날
공동 소방안전관리대상이 되는 경우	소방본부장 또는 소방서장이 공동 소방안전관리 대상으로 지정한 날
소방안전관리자를 해임, 퇴직 등으로 업무가 종료된 경우	소방안전관리자를 해임, 퇴직 등 근무를 종료한 날
소방안전관리업무를 대행하는 자를 감독하는 자를 소방안전관리자로 선임한 경우로서 그 업무대행 계약이 해지 또는 종료된 경우	소방안전관리업무 대행이 끝난 날
소방안전관리자 자격이 정지 또는 취소된 경우	소방안전관리자 자격이 정지 또는 취소된 날

22 소방기본법령상 불꽃을 사용하는 용접·용단 기구의 용접 또는 용단 작업장에서 지켜야 하는 사항 중 다음 (   ) 안에 알맞은 것은?

- 용접 또는 용단 작업자로부터 반경 (㉠) m 이내에 소화기를 갖추어 둘 것
- 용접 또는 용단 작업장 주변 반경 (㉡) m 이내에는 가연물을 쌓아 두거나 놓아두지 말 것. 다만 가연물의 제거가 곤란하여 방지포 등으로 방호조치를 한 경우는 제외한다.

① ㉠ 3, ㉡ 5
② ㉠ 5, ㉡ 3
③ ㉠ 5, ㉡ 10
④ ㉠ 10, ㉡ 5

■ 불꽃을 사용하는 기구
1) 용접·용단 작업장 주변 반경 5 m 이내 소화기 갖출 것
2) 용접·용단 작업장 주변 반경 10 m 이내에는 가연물을 쌓아 두거나 놓아두지 말 것

정답

22 ③

23 1,500세대인 아파트에 소방안전관리자와 소방안전관리보조자는 각 몇 명을 선임하여야 하는가?

	소방안전리자	안전관리보조자
①	1	1
②	1	5
③	2	3
④	2	4

[소방안전관리보조자]
계산 결과 소수점은 버린다.

해설

■ 소방안전관리자

※ 특정소방대상물에 해당하는 소방안전관리자 1인을 선임하며, 300세대 이상인 아파트이므로 300세대마다 1명 이상 안전관리보조자를 선임한다.

1500세대/300세대 = 5명

보조자선임대상 특정소방대상물	최소 선임기준
300세대 이상인 아파트	1명(300세대마다 1명 이상 추가)
연면적이 1만 5천 m^2 이상인 특정소방대상물(아파트 및 연립주택 제외)	1명(연면적 1만 5천 m^2마다 1명 이상 추가) 다만 특정소방대상물의 종합방재실에 자위소방대가 24시간 상시 근무하고, 소방자동차 중 소방펌프차, 소방물탱크차, 소방화학차, 무인방수차를 운용하는 경우 3000 m^2 초과마다 1명 추가 선임한다.
1) 공동주택 중 기숙사 2) 의료시설 3) 노유자시설 4) 수련시설 5) 숙박시설(숙박시설로 사용되는 바닥면적의 합계가 1500 m^2 미만이고 관계인이 24시간 상시 근무하고 있는 숙박시설은 제외)	1명 다만 해당 특정소방대상물이 소재하는 지역을 관할하는 소방서장이 야간이나 휴일에 해당 특정소방대상물이 이용되지 않는다는 것을 확인한 경우에는 선임하지 않을 수 있다.

24 다음 중 소방안전관리자의 업무와 관계가 없는 것은?

① 건축물의 냉·난방설비의 운영
② 피난설비의 유지관리
③ 소방훈련 실시
④ 소방시설의 점검·정비

건축물의 냉·난방설비의 운영은 기계설비유지관리자의 업무이다.

정답

23 ② 24 ①

■ 소방안전관리자의 업무

1) 피난계획에 관한 사항과 대통령령으로 정하는 사항이 포함된 소방계획서의 작성 및 시행
2) 자위소방대 및 초기대응체계의 구성, 운영 및 교육
3) 피난시설, 방화구획 및 방화시설의 관리
4) 소방시설이나 그 밖의 소방 관련 시설의 관리
5) 소방훈련 및 교육
6) 화기 취급의 감독
7) 행정안전부령으로 정하는 바에 따른 소방안전관리에 관한 업무수행에 관한 기록·유지
8) 화재발생 시 초기대응
9) 그 밖에 소방안전관리에 필요한 업무

25 자위소방대의 유형별 중 TYPE-1의 편성대상은 무엇인가?

① 특급, 1급 소방대상물
② 2급(스프링클러, 물분무등소화설비) 또는 편성대원 10인 이상인 사업장
③ 2급으로 편성대원 10인 이상인 사업장
④ 2급 또는 3급(자탐, 수동식소화설비만 설치) 소방대상물, 편성대원 10인 미만 사업장

■ 자위소방대 유형

구분	편성대상	편성기준	
TYPE-1	2급 또는 3급(자탐, 수동식 소화설비만 설치) 편성대원 10인 미만 사업장	지휘통제	지휘통제팀
		현장대응	현장대응팀
		지휘통제	지휘통제팀
TYPE-2	2급(스프링클러, 물분무등 소화설비) 편성대원 10인 이상 사업장	지휘통제	지휘통제팀
		현장대응	비상연락팀, 초기소화팀, 피난유도팀(필요시 가감편성)
TYPE-3	1급, 특급	지휘통제	지휘통제팀
		현장대응	비상연락팀, 초기소화팀, 피난유도팀(필요시 가감편성)
		현장대응	각 구역마다 현장대응팀 구성 구역별 규모, 인력에 따라 편성
TYPE-4	TYPE-1, 2, 3	휴일야간	휴일야간팀 무인경비시스템 적용 시 비상연락체계

26 액화천연가스(LNG)를 사용하는 주방에 가스누설경보기 탐지부의 설치 위치로 옳은 것은?

① 하단은 천장면의 하방 30 cm 이내
② 상단은 천장면의 하방 30 cm 이내
③ 하단은 바닥면의 상방 30 cm 이내
④ 상단은 바닥면의 상방 30 cm 이내

해 설

■ 가스누설경보기
1) 공기보다 무거운 가스의 경우(LPG)
　① 탐지기 상단은 바닥면으로부터 30 cm 이내에 설치
　② 가스연소기 또는 관통부로부터 수평거리 4 m 이내에 설치
2) 공기보다 가벼운 가스의 경우(LNG)
　① 탐지기 하단은 천정면에서 30 cm 이내에 설치
　② 가스연소기로부터 수평거리 8 m 이내

Tip

[LPG와 LNG]
LPG의 주성분은 프로판(프로페인)과 부탄(부테인)이며 공기보다 무겁다.
LNG의 주성분은 메탄(메테인)이며 공기보다 가볍다.

27 무창층 여부를 판단하는 개구부로서 갖추어야 할 조건으로 옳은 것은?

① 개구부 크기가 지름 30 cm의 원이 내접할 수 있는 것
② 해당 층의 바닥면으로부터 개구부 밑부분까지의 높이가 1.5 m 인 것
③ 내부 또는 외부에서 쉽게 파괴 또는 개방할 수 있을 것
④ 창에 방범을 위하여 40 cm 간격으로 창살을 설치한 것

해 설

■ 무창층 개구부 기준
1) 크기는 지름 50 cm 이상의 원이 통과할 수 있는 크기일 것
2) 해당 층의 바닥면으로부터 개구부 밑 부분까지의 높이가 1.2 m 이내일 것
3) 도로 또는 차량이 진입할 수 있는 빈터를 향할 것
4) 화재 시 건축물로부터 쉽게 피난할 수 있도록 창살이나 그 밖의 장애물이 설치되지 아니할 것
5) 내부 또는 외부에서 쉽게 부수거나 열 수 있을 것

Tip

[무창층]
지상층 중 다음 요건을 모두 갖춘 개구부의 면적의 합계가 해당 층의 바닥면적 30분의 1 이하가 되는 층

[피난층]
곧바로 지상으로 갈 수 있는 출입구가 있는 층

정답

26 ①　27 ③

28 건축물의 방재계획 중에서 공간적 대응계획에 해당되지 않는 것은?

① 도피성 대응
② 대항성 대응
③ 회피성 대응
④ 소방시설방재 대응

해설

■ 건축물 방재계획

구분		내용
공간적 대응	대항성	방화구획, 방연구획, 내화재료 등을 사용하여 초기 소화에 대항성을 가지도록 하는 것
	회피성	불연화, 난연화 등의 내장재의 제한과 소방훈련 및 불조심 등 화재의 확대 가능성을 줄여 위험성을 낮추는 것
	도피성	화재 시 피난자가 위험에 빠지지 않도록 구조적으로 배려하는 것
설비적 대응		공간적 대응을 보완하는 것으로서 대항성에 대하여 스프링클러, 제연설비, 방화문, 방화셔터 등을, 도피성으로는 유도등, 피난설비 등을 설치하여 보조하는 것

29 소방안전관리대상물의 소방계획서에 포함되어야 하는 사항이 아닌 것은?

① 예방규정을 정하는 제조소 등의 위험물 저장·취급에 관한 사항
② 소방시설·피난시설 및 방화시설의 점검·정비계획
③ 특정소방대상물의 근무자 및 거주자의 자위소방대 조직과 대원의 임무에 관한 사항
④ 방화구획, 제연구획, 건축물의 내부 마감 재료(불연재료·준불연재료 또는 난연재료로 사용된 것) 및 방염물품의 사용현황과 그 밖의 방화구조 및 설비의 유지·관리계획

해설

■ 소방계획서 포함사항
1) 소방안전관리대상물의 위치·구조·연면적·용도 및 수용인원 등 일반 현황
2) 소방안전관리대상물에 설치한 소방·방화·전기·가스·위험물 시설의 현황
3) 화재 예방을 위한 자체점검계획 및 진압대책
4) 소방시설·피난시설 및 방화시설의 점검·정비계획
5) 피난층 및 피난시설의 위치와 피난경로의 설정, 화재안전취약자의 피난계획 등을 포함한 피난계획

정답

28 ④   29 ①

6) 방화구획, 제연구획, 건축물의 내부 마감재료 및 방염대상물품의 사용 현황과 그 밖의 방화구조 및 설비의 유지·관리계획

7) 관리의 권원이 분리된 특정소방대상물의 소방안전관리에 관한 사항

8) 소방훈련·교육에 관한 계획

9) 특정소방대상물의 근무자·거주자의 자위소방대 조직과 대원의 임무(화재안전취약자의 피난 보조 임무를 포함한다)에 관한 사항

10) 화기 취급 작업에 대한 사전 안전조치 및 감독 등 공사 중 소방안전관리에 관한 사항

11) 소화에 관한 사항과 연소 방지에 관한 사항

12) 위험물의 저장·취급에 관한 사항(「위험물안전관리법」 제17조에 따라 예방규정을 정하는 제조소등은 제외한다)

13) 소방안전관리에 대한 업무수행에 관한 기록 및 유지에 관한 사항

14) 화재발생 시 화재경보, 초기소화 및 피난유도 등 초기대응에 관한 사항

15) 그 밖에 소방본부장 또는 소방서장이 소방안전관리대상물의 위치·구조·설비 또는 관리 상황 등을 고려하여 소방안전관리에 필요하여 요청하는 사항

30 다음 중 옥내소화전 방수구를 설치하여야 하는 곳은?

① 냉장창고의 영하인 냉장실

② 식물원

③ 수영장의 관람석

④ 수족관

해설

■ 옥내소화전 방수구의 설치 제외

1) 냉장창고 중 온도가 영하인 냉장실 또는 냉동창고의 냉동실

2) 고온의 노가 설치된 장소 또는 물과 격렬하게 반응하는 물품의 저장 또는 취급 장소

3) 발전소·변전소 등으로서 전기시설이 설치된 장소

4) 식물원·수족관·목욕실·수영장(관람석 부분을 제외한다) 또는 그 밖의 이와 비슷한 장소

5) 야외음악당·야외극장 또는 그 밖의 이와 비슷한 장소

정답

30 ③

31 다음 그림은 동력제어반이다. 소화펌프 점검 완료 후 동력제어반의 복구 순서로 옳은 것은?

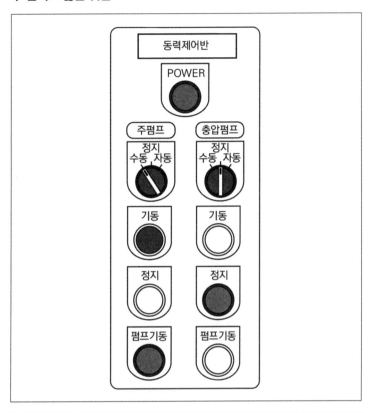

a : 주펌프 정지
b : 주펌프 자동
c : 충압펌프 자동

① a → c → b ② a → b → c
③ b → a → c ④ c → b → a

Tip
점검 후에는 동력제어반의 주펌프와 충압펌프가 자동으로 위치되어야 한다.

해설

■ 소화펌프 점검 후 동력제어반 정상세팅방법
1) 작동되고 있는 주펌프를 정지한다.
2) 충압펌프를 자동으로 하여 토출 측 배관 내 충압한다.
3) 충압이 완료된 후 주펌프를 자동으로 한다.

정답
31 ①

32 비상콘센트설비의 설치기준으로 옳지 않은 것은?

① 비상콘센트는 지하층 및 지상 8층 이상의 전 층에 설치할 것
② 비상콘센트는 바닥으로부터 높이 0.8 m 이상 1.5 m 이하의 위치에 설치할 것
③ 비상콘센트설비의 전원부와 외함 사이의 절연저항은 500 V 절연저항계로 측정할 때 20 MΩ 이상일 것
④ 전원으로부터 각층의 비상콘센트에 분기되는 경우에는 분기배선용 차단기를 보호함 안에 설치할 것

해설

■ 설치대상

소방대상물	설치대상
층수가 11층 이상인 특정소방대상물	11층 이상의 층
지하층의 층수가 3층 이상이고, 지하층의 바닥면적의 합계가 1000 m² 이상인 것	지하층의 모든 층
지하가 중 터널	길이 500 m 이상
위험물 저장 및 처리 시설 중 가스시설 또는 지하구는 제외	

■ 전원회로 설치기준

1) 전원회로 : 단상교류는 220 V , 공급용량은 1.5 kVA 이상
2) 전원회로는 각 층에 2 이상이 되도록 설치, 다만 설치하여야 할 층의 비상콘센트가 1개인 때에는 하나의 회로로 할 수 있다.
3) 전원회로는 주배전반에서 전용회로로 할 것
4) 전원으로부터 각 층의 비상콘센트에 분기되는 경우에는 분기배선용 차단기를 보호함 안에 설치할 것
5) 콘센트마다 배선용 차단기를 설치하여야 하며, 충전부가 노출되지 아니하도록 할 것
6) 개폐기에는 "비상콘센트"라고 표시한 표지를 할 것
7) 비상콘센트용의 풀박스 등은 방청도장을 한 것으로서, 두께 1.6 mm 이상의 철판으로 할 것
8) 하나의 전용회로에 설치하는 비상콘센트는 10개 이하로 할 것, 이 경우 전선 용량은 각 비상콘센트(비상콘센트가 3개 이상인 경우에는 3개)의 공급용량을 합한 용량 이상의 것으로 하여야 한다.

정답

32 ①

33 다음은 옥내소화전 감시제어반이다. 스위치 상태를 보고 옳은 것을 고르시오.

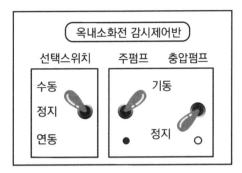

① 주펌프를 수동으로 기동 중이다.
② 충압펌프를 수동으로 기동 중이다.
③ 주펌프는 자동으로 기동 중이다.
④ 충압펌프를 자동으로 기동 중이다.

해설

■ 옥내소화전 감시제어반
옥내소화전 감시제어반의 선택스위치가 수동위치에 있으며 주펌프는 기동, 충압펌프는 정지에 두었으므로 주펌프를 수동기동 중이다.

34 화재대응 요령으로 옳지 않은 것은?

① 불을 발견하면 "불이야" 하고 외쳐 다른 사람에게 알리고, 발신기 버튼을 누른다.
② 화재를 인지한 경우 침착하게 불이 난 사실과 현재 위치만을 빠르게 소방기관에 신고한다.
③ 화재가 접수되면 초기대응체계를 구축하여 신속하게 화재에 대응한다.
④ 담당 대원은 비상연락체계를 통해 유관기관, 협력업체 등에 화재사실을 전파하고 신속한 대응준비를 지시한다.

해설

■ 화재대응 요령
1) 화재전파 및 접수 : 불을 발견하면 "불이야" 하고 외쳐 다른 사람에게 알리고, 화재경보장치(발신기)를 누름
2) 화재신고 : 화재를 인지/접수한 경우 침착하게 불이 난 사실과 현재 위치, 화재진행 상황 및 피해 현황등을 소방기관(119)에 신고
3) 비상방송 : 담당 대원은 비상방송설비(일반방송설비 또는 확성기 등 장비)를 사용하여 신속하게 화재사실을 전파하며 필요한 경우 즉각적인 피난 개시명령

4) 대원소집 및 임무부여 : 화재가 접수되면 초기대응체계를 구축하여 신속하게 화재에 대응하고 이후 화재의 확대 여부 등을 고려하여 자위소방대장 또는 부대장은 자위소방대원을 소집하고 임무 부여

5) 관계기관 통보, 연락 : 소방안전관리자 또는 자위소방조직상 담당 대원은 비상연락체계를 통해 유관기관, 협력업체 등에 화재사실을 전파하고 신속한 대응준비 지시

6) 초기소화 : 화재를 인지한 경우 화재현장에서 소화기 또는 옥내소화전을 사용하여 신속한 초기소화 작업을 실시하고, 초기소화가 어려운 경우에는 열 또는 연기 확산 방지를 위해 출입문을 닫고 즉시 피난

35 비상방송설비의 설치기준에 대한 설명으로 옳은 것은?

① 다른 전기회로에 따라 유도장애가 발생할 수 있을 것
② 다른 방송설비와 공용할 경우 화재 시 비상경보 외의 방송을 차단할 수 있을 것
③ 화재신고를 수신한 후 20초 이내에 방송이 자동으로 개시될 것
④ 음량조정기를 설치하는 경우 음량조정기의 배선은 2선식으로 할 것

[비상방송설비 전원 설치 기준]
(1) 상용전원
 ① 축전지, 교류전압의 옥내 간선, 전기저장장치
 ② 전원까지의 배선은 전용
 ③ 개폐기에는 "비상방송 설비용"이라고 표시한 표지를 할 것
(2) 감시상태를 60분간 지속한 후 유효하게 10분 이상, 층수가 30층 이상은 30분 이상 경보할 수 있는 축전지설비(수신기 내장 포함)를 설치

해설

■ 설치대상

소방대상물	설치대상
연면적 3500 m² 이상	모든 층
층수가 11층 이상인 것	모든 층
지하층 층수가 3층 이상인 것	모든 층

■ 설치기준
1) 확성기
 (1) 음성입력 : 실외 3 W 이상, 실내 1 W 이상
 (2) 수평거리 : 층의 각 부분으로부터 하나의 확성기까지의 25 m 이하
 (3) 확성기는 각 층마다 설치, 당해 층의 각 부분에 유효하게 경보를 발하도록 설치
2) 음량조정기(ATT) : 음량조정기의 배선은 3선식으로 한다.
3) 조작부
 (1) 조작스위치 높이 : 바닥으로부터 0.8 m 이상 1.5 m 이하
 (2) 기동장치의 작동과 연동하여 당해 기동장치가 작동한 층 또는 구역을 표시
 (3) 조작부 및 증폭기 설치 장소 : 수위실 등 상시 사람이 근무, 점검이 편리, 방화상 유효한 곳
 (4) 2 이상 조작부 설치 시 설치장소 상호 간 동시통화 가능, 어느 조작부에서도 전 구역 방송 가능
4) 층수가 11층(공동주택의 경우에는 16층)의 특정소방대상물은 다음과 같은 경보를 발할 수 있어야 한다.
 (1) 2층 이상의 층에서 발화한 때에는 발화층 및 그 직상 4개 층에 경보
 (2) 1층에서 발화한 때에는 발화층. 그 직상 4개 층 및 지하층에 경보

정답
35 ②

⑶ 지하층에서 발화한 때에는 발화층. 그 직상층 및 기타 지하층 경보
5) 기동장치에 따른 화재신고를 수신한 후 필요한 음량으로 화재 발생 상황 및 피난에 유효한 방송이 자동으로 개시될 때까지의 소요시간은 10초 이하로 할 것
6) 다른 방송설비와 공용할 경우 화재 시 비상경보 외의 방송을 차단할 수 있는 구조
7) 다른 전기회로에 따라 유도장애가 생기지 아니하도록 할 것
8) 음향장치의 구조 및 성능
⑴ 정격전압의 80 % 전압에서 음향을 발할 수 있는 것으로 할 것
⑵ 자동화재탐지설비의 작동과 연동하여 작동할 수 있는 것으로 할 것

36 발신기의 설치기준에 적합하지 않은 것은?

① 조작스위치는 바닥에서 0.5 m 이상 1.5 m 이하의 높이에 설치하여야 한다.
② 소방대상물의 각 부분으로부터 하나의 발신기까지의 수평거리가 25 m 이하가 되도록 한다.
③ 표시등은 함의 상부에 설치하되, 그 불빛은 부착면으로부터 15° 이상의 범위에서 부착지점으로부터 10 m 이내의 어느 곳에서도 쉽게 식별할 수 있는 적색등으로 한다.
④ 조작이 쉬운 장소에 설치한다.

해설

■ 발신기의 설치기준
1) 조작이 쉬운 장소에 설치하고, 스위치는 바닥으로부터 0.8 m 이상 1.5 m 이하의 높이에 설치할 것
2) 특정소방대상물의 층마다 설치하되, 해당 특정소방대상물의 각 부분으로부터 하나의 발신기까지의 수평거리가 25 m 이하가 되도록 할 것. 다만 복도 또는 별도로 구획된 실로서 보행거리가 40 m 이상일 경우에는 추가로 설치하여야 한다.
3) 2) 기준을 초과하는 경우로서 기둥 또는 벽이 설치되지 아니한 대형 공간의 경우 발신기는 설치 대상 장소의 가장 가까운 장소의 벽 또는 기둥 등에 설치할 것
4) 발신기의 위치를 표시하는 표시등은 함의 상부에 설치하되, 그 불빛은 부착면으로부터 15° 이상의 범위 안에서 부착지점으로부터 10 m 이내의 어느 곳에서도 쉽게 식별할 수 있는 적색등으로 하여야 한다.

Tip
[발신기 동작]
⑴ 동작
② 발신기 누름버튼 누름
② 수신기 동작(화재표시등, 지구표시등, 발신기등, 경보장치 동작)
③ 응답표시등 점등
⑵ 복구
① 발신기 누름버튼 원 위치로 복구
② 수신기 복구스위치를 누름
③ 응답표시등 소등, 수신기의 동작표시등 소등

정답

36 ①

37 할론소화약제 저장용기의 설치기준 중 다음 (   ) 안에 알맞은 것은?

> 축압식 저장용기의 압력은 온도 20 ℃에서 할론 1301을 저장하는 것은
> (㉠) MPa 또는 (㉡) MPa이 되도록 질소가스로 축압할 것

① ㉠ 2.5, ㉡ 4.2   ② ㉠ 2.0, ㉡ 3.5
③ ㉠ 1.5, ㉡ 3.0   ④ ㉠ 1.1, ㉡ 2.5

해설

▣ 할론소화약제
축압식 저장용기의 압력은 온도 20 ℃에서 할론 1301을 저장하는 것은 2.5 MPa
또는 4.2 MPa이 되도록 질소가스로 축압할 것

38 성인의 혈액 총량으로 옳은 것은?

① 2 ~ 3 L   ② 3 ~ 4 L
③ 4 ~ 5 L   ④ 5 ~ 6 L

해설

▣ 성인의 혈액 총량
약 5 ~ 6 L

39 정전기의 발생을 억제하기 위한 방법으로 틀린 것은?

① 접지 및 본딩을 한다.
② 상대습도를 50 % 이상으로 한다.
③ 공기를 이온화한다.
④ 대전 방지제를 사용한다.

해설

▣ 부도체의 정전기 발생
1) 부도체의 경우에는 정전기를 이동시키지 못하고, 지속적으로 축적을 해서 정전기
   발생을 증대시킨다.
2) 정전기 방지 옷은 섬유에 도체(철, 카본) 성분이 포함되어 있다.

▣ 정전기 발생원인
1) 부도체와의 마찰
2) 자동차를 장시간 주행
3) 옥외탱크에 석유 주입
4) 인체에서의 대전

Tip

[할론소화기]
⑴ 할론 1301 소화기 : 고압
   가스로서 가스 자체의 압
   력(증기압, 질소가스)으로
   방사, 소화능력이 가장 좋
   고, 독성이 가장 적으며,
   무취(지시압력계 ×)
⑵ 할론 1211·할론 2402
   소화기 : 용기 내 압력을
   가리키는   지시압력계가
   붙어 있어 사용 가능한 압
   력 범위가 녹색으로 되어
   있음
⑶ 할론소화기 소화효과 : 질
   식효과, 억제(부촉매)효과

정답

| 37 ① | 38 ④ | 39 ② |

■ 정전기 방지 대책

1) 배관 내 유속의 제한(1 m/s 이하)
2) 접지 및 본딩을 한다.
3) 가습(상대습도 70 % 이상)
4) 대전 방지제 사용
5) 공기의 이온화
6) 제전기 사용

40 소화기구 중 금속나트륨이나 칼륨 화재의 소화에 가장 적합한 것은?

① 산, 알칼리 소화기
② 물 소화기
③ 포 소화기
④ 팽창질석

해설

■ 제3류 위험물(자연발화성 · 금수성 물질)

1) 지정수량

위험물	지정수량	위험물	지정수량
칼륨	10 kg	알칼리금속 및 알칼리토금속	50 kg
나트륨		유기금속화합물	
알킬알루미늄		금속의 수소화물	300 kg
알킬리튬		금속의 인화물	
황린	20 kg	칼슘 · 알루미늄의 탄화물	

2) 금수성물질
　(1) 물과 접촉하여 발화, 가연성 가스 발생
　(2) 소화 : 마른 모래, 팽창질석, 팽창진주암에 의한 질식소화

41 가스계 소화설비의 방출방식 중 다음 그림은 어떤 방식인가?

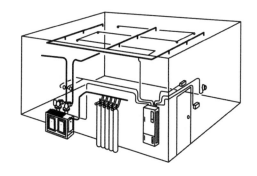

※ 출처 : 한국소방안전원

① 국소방출방식
② 전역방출방식
③ 호스릴방식
④ 축압식

정답

40 ④　41 ②

해설

■ 약제방출방식에 의한 분류

호스릴 방식	분사헤드가 배관에 고정되어 있지 않고 소화약제 저장용기에 호스를 연결하여, <u>사람이 직접 화점에 소화약제를 방출</u>하는 이동식 소화설비 
국소 방출 방식	고정식 이산화탄소 공급장치에 배관 및 분사헤드를 설치하여, <u>직접 화점에 이산화탄소를 방출</u>하는 설비로 화재 발생 부분에만 집중적으로 소화약제를 방출하도록 설치하는 방식 
전역 방출 방식	고정식 이산화탄소 공급장치에 배관 및 분사헤드를 고정 설치하여, <u>밀폐 방호구역 내에 이산화탄소를 방출</u>하는 설비 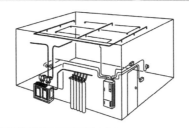

42 건축법상 내화구조의 설명으로 옳은 것은?

① 화염에 견딜 수 있는 성능을 가진 철근콘크리트조·연와조 기타 이와 유사한 구조이다.
② 화재 시에 일정시간 동안 형태나 강도 등이 크게 변하지 않는다.
③ 화재 후에 재사용은 불가능하다.
④ 화재확산을 방지하기 위한 구조이다.

해설

■ 내화구조
1) 화재에 견딜 수 있는 성능을 가진 철근콘크리트조·연와조 기타 이와 유사한 구조
2) 화재 시에 일정시간 동안 형태나 강도 등이 크게 변하지 않는 구조
3) 화재 후에도 재사용이 가능한 정도의 구조

🖙 Tip

[방화구조의 정의]
방화구조는 화염의 확산을 막을 수 있는 성능을 가진 구조를 말하며, 연소확대를 방지할 수 있는 구조로서 [방화구조의 기준]에 정하는 기준에 적합한 것

정답

42 ②

43 시험밸브함을 열어 밸브 개방 시 측정되는 압력의 정상 압력(MPa) 범위를 고르시오.

① 0.1 ~ 1.2   ② 0.17 ~ 0.7
③ 0.25 ~ 0.7   ④ 1.0 ~ 1.5

해설

■ 습식 스프링클러설비의 유지관리

압력계 밑에 부착된 개폐밸브는 평상시에 개방하여 시험밸브 배관 내의 압력이 정상 압력(0.1 MPa 이상 1.2 MPa 이하)인지 여부를 확인해주어야 하며 가압수 배출을 위한 시험밸브는 평상시에 폐쇄 상태로 유지 관리되어야 한다.

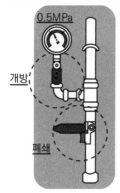

정답

43 ①

44 준비작동식 스프링클러설비의 수동조작함(SVP)을 작동시켰을 때의 사항으로 틀린 것을 고르시오.

① 감시제어반의 밸브개방 표시등 점등
② 사이렌과 경종 명동
③ 펌프 동작
④ 감지기 A 작동

> **해설**
>
> ▣ 준비작동식 스프링클러설비 작동순서
> 1) 화재발생
> 2) 교차회로 방식의 A or B 감지기 작동(경종 또는 사이렌 경보, 감시제어반의 화재 표시등 점등)
> 3) A and B 감지기 모두 작동
> 4) 준비작동식 유수검지장치(준비작동식 밸브)의 전자밸브(솔레노이드밸브) 작동
> 5) 중간챔버에 채워져 있던 물이 배수되며(감압) 준비작동식 밸브 개방
> 6) 1차 측 가압수의 2차 측으로의 유수를 통해 준비작동식 밸브의 압력스위치 작동
> 7) 감시제어반의 밸브개방표시등 점등
> 8) 감열에 의한 폐쇄형 헤드 개방
> 9) 배관 내 압력저하로 기동용 수압개폐장치(압력챔버)의 압력스위치 작동
> 10) 펌프 기동
> ※ 수동으로 조작하였기 때문에 감지기작동과는 관련이 없음

45 다음과 같은 장소에 차동식 스포트형 감지기 2종을 설치하는 경우 감지기 최소 설치 개수를 산정하시오. (단, 내화구조이며 감지기 설치높이는 3.8 m이다)

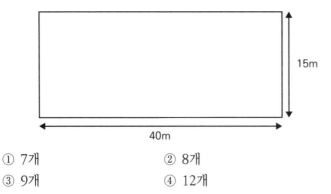

① 7개
② 8개
③ 9개
④ 12개

해설

■ 감지기 산정

부착높이 및 특정소방대상물의 구분		감지기의 종류(단위 m²)						
		차동식 스포트형		보상식 스포트형		정온식 스포트형		
		1종	2종	1종	2종	특종	1종	2종
4 m 미만	내화구조	90	70	90	70	70	60	20
	기타 구조	50	40	50	40	40	30	15
4 m 이상 8 m 미만	내화구조	45	35	45	35	35	30	-
	기타 구조	30	25	30	25	25	15	-

위 표에 의해 70 m²마다 감지기를 설치한다.

따라서 $\dfrac{40 \times 15}{70} = 8.57$ → 절상해서 9개 설치

46 다음 수신기를 보고 틀린 설명을 고르시오.

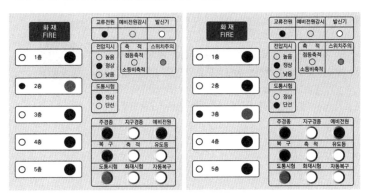

① 2층의 도통시험 결과 정상이다.
② 스위치주의표시등이 점등되었으므로 확인을 해야 한다.
③ 전원은 예비전원을 받고 있다.
④ 3층의 도통시험결과 단선이다.

해설

■ 수신기

수신기 도통시험스위치를 누르고 2층을 시험하였더니 정상에 점등이 되었으므로 도통시험 결과 정상이다.

스위치주의등이 현재 점등된 이유는 평상시 눌려있으면 안 되는 주경종스위치가 눌려있기 때문이다.

교류전원에 점등되어 있으므로 교류전원을 받고 있다.

3층의 도통시험 결과 단선에 점등되었으므로 3층은 단선이다.

정답

46 ③

47 다음 그림의 유도등으로 옳은 것을 고르시오.

① 피난구유도등
② 복도통로유도등
③ 객석유도등
④ 계단통로유도등

해설

■ 유도등
1) 피난구유도등(녹색 바탕에 백색문자)
   피난구 또는 피난경로로 사용되는 출입구를 표시하여 피난을 유도하는 등
2) 통로유도등(백색 바탕에 녹색문자)
   ⑴ 복도통로유도등 : 피난통로가 되는 복도에 설치하는 통로유도등으로서 피난구
      방향을 명시하는 것
   ⑵ 거실통로유도등 : 거주, 집무, 작업, 집회, 오락 등의 목적을 위하여 계속적으로
      사용하는 거실, 주차장 등 개방된 통로에 설치하는 유도등으로 피난의 방향을 명
      시하는 것
   ⑶ 계단통로유도등 : 피난통로가 되는 계단이나 경사로에 설치하는 통로유도등으로
      바닥면 및 디딤 바닥면을 비추는 것
3) 객석유도등
   객석의 통로, 바닥 또는 벽에 설치하는 유도등

[피난구유도등]

[복도통로유도등]

[거실통로유도등]

[계단통로유도등]

[객석유도등]

정답

47 ①

48 소방계획의 수립절차 4단계를 알맞게 나열한 것을 고르시오.

① 설계/개발 – 위험환경 분석 – 시행/유지관리 – 사전기획
② 사전기획 – 위험환경 분석 – 설계/개발 – 시행/유지관리
③ 사전기획 – 설계/개발 – 위험환경 분석 – 시행/유지관리
④ 위험환경 분석 – 사전기획 – 설계/개발 – 시행/유지관리

해설

■ 소방계획의 수립절차

단계	절차	주요 내용
1단계	사전기획	소방계획 수립을 위한 임시조직을 구성하거나 위원회 등을 개최하여 법적 요구사항은 물론 이해관계자의 의견을 수렴하고 세부 작성계획을 수립
2단계	위험환경 분석	대상물 내 물리적 및 인적 위험요인 등에 대한 위험요인을 식별하고, 이에 대한 분석 및 평가를 실시한 후 대책 수립
3단계	설계 및 개발	대상물의 환경 등을 바탕으로 소방계획수립의 목표와 전략을 수립하고 세부실행계획을 수립한다.
4단계	시행 및 유지관리	구체적인 소방계획을 수립하고 이해관계자의 검토를 거쳐 최종 승인을 받은 후 소방계획 이행 및 개선

49 화재 시 일반적인 피난행동으로 옳지 않은 것을 고르시오.

① 아파트의 경우 세대 밖으로 나가기 어려울 경우 세대 사이에 설치된 경량칸막이를 통해 옆 세대로 대피하거나 세대 내 대피공간으로 대피한다.
② 출입문을 열기 전 문손잡이가 뜨거우면 문을 열지 말고 다른 길을 찾는다.
③ 연기 발생 시 낮은 자세로 이동하고, 코와 입을 수건 등으로 막아 연기를 마시지 않도록 한다.
④ 계단보다는 엘리베이터를 이용하여 대피한다.

해설

■ 화재 시 일반적 피난행동
1) 엘리베이터는 절대 이용하지 않도록 하며 계단을 이용해 옥외로 대피
2) 아래층으로 대피가 불가능한 때에는 옥상으로 대피
3) 아파트의 경우 세대 밖으로 나가기 어려울 경우 세대 사이에 설치된 경량칸막이를 통해 옆 세대로 대피하거나 세대 내 대피공간으로 대피
4) 유도등, 유도표지를 따라 대피

Tip

[소방계획의 작성원칙]
⑴ 실현 가능한 계획 : 소방계획의 핵심은 위험관리이며, 대상물의 위험요인을 체계적으로 관리하기 위한 일련의 활동이기 때문에 위험요인의 관리는 반드시 실현 가능한 계획으로 구성
⑵ 관계인의 적극적 참여 : 소방계획의 수립 및 시행에 소방안전관리대상물의 관계인, 재실자 및 방문자 등 전원이 참여하도록 수립
⑶ 계획 수립의 구조화 : 체계적이고 전략적인 계획의 수립을 위해 작성 – 검토 – 승인의 3단계의 구조화된 절차를 거쳐야 함
⑷ 실행우선 : 문서로 작성된 계획만으로는 소방계획의 완료로 보기 어려우며, 교육훈련 및 평가 등 이행의 과정이 있어야 비로소 소방계획의 완성

정답

48 ② 49 ④

5) 연기 발생 시 최대한 낮은 자세로 이동하고, 코와 입을 젖은 수건 등으로 막아 연기를 마시지 않도록 주의
6) 출입문을 열기 전 문손잡이가 뜨거우면 문을 열지 말고 다른 길 찾기
7) 옷에 불이 붙었을 때에는 눈과 입을 가리고 바닥에서 뒹굴기
8) 탈출한 경우에는 절대로 다시 화재 건물로 들어가지 않기

50 출혈의 증상으로 틀린 것을 고르시오.

① 탈수현상이 나타나며 갈증을 호소한다.
② 혈압이 점차 높아지며 피부가 창백해진다.
③ 반사작용이 둔해진다.
④ 구토가 발생한다.

해설

■ 출혈 증상
(1) 호흡과 맥박이 빠르고 약하며 불규칙
(2) 저체온, 저혈압 및 호흡곤란(피부 창백)
(3) 탈수현상으로 인한 갈증
(4) 동공 확대 및 두려움이나 불안 호소
(5) 구토 발생

Tip

[출혈]
(1) 외출혈 : 혈액이 피부 밖으로 흘러나오는 것
(2) 내출혈 : 피부 안쪽에 고이는 것

정답
50 ②

실전모의고사

01 차동식 감지기에는 '리크구멍'이 있다. 리크구멍의 목적을 고르시오.

① 비화재보 방지   ② 온도상승 감지
③ 감지기 정밀도 측정   ④ 화재신호 전달

해설

■ 차동식 감지기

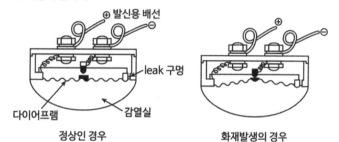

정상인 경우   화재발생의 경우

1) 구성요소 : 감열실(챔버), 다이어프램, 접점, 리크구멍(리크공), 작동표시 장치
2) 리크구멍 : 비화재보 방지

02 지하층을 제외한 층수가 8층인 병원건물에 습식 스프링클러설비가 설치되어 있다. 수원의 양을 계산하시오. (단, 헤드의 부착높이는 7 m이다)

① $16 \, m^3$ ② $32 \, m^3$
③ $39 \, m^3$ ④ $50 \, m^3$

해설

■ 설치장소에 따른 헤드의 기준개수

스프링클러설비 설치장소		기준개수
10층 이하 (지하층 제외)	공장 — 특수가연물 저장·취급	30
	공장 — 그 밖의 것	20
	근린생활시설 판매시설 운수시설 복합건축물 — 판매시설 또는 복합건축물 (판매시설이 설치되는 복합건축물)	30
	그 밖의 것	20

[동작원리]
화재 시 온도상승 → 감열실 내의 공기가 팽창 → 다이아프램을 압박 → 접점이 붙어 화재신호를 수신기에 보냄

정답
01 ①   02 ①

스프링클러설비 설치장소		기준개수
그 밖의 것	헤드부착높이가 8 m 이상	20
	헤드부착높이가 8 m 미만	10
지하층을 제외한 층수가 11층 이상(아파트 제외), 지하가 또는 지하역사		30

수원량(Q) = N × 1.6 m³ = 10개 × 1.6 m³ = 16 m³

※ 헤드부착높이가 8 m 미만이므로 기준개수는 10개이다.

03 대형 이산화탄소 소화기의 소화약제 충전량은 얼마인가?

① 20 kg 이상   ② 30 kg 이상

③ 40 kg 이상   ④ 50 kg 이상

해설

■ 대형소화기의 소화약제량

구분	충전량
물 소화기	80 L 이상
강화액 소화기	60 L 이상
포 소화기	20 L 이상
이산화탄소 소화기	50 kg 이상
할로겐화물 소화기	30 kg 이상
분말 소화기	20 kg 이상

04 어떤 인화성액체가 공기 중에서 열을 받아 점화원의 존재하에 지속적으로 연소를 일으킬 수 있는 온도를 무엇이라고 하는가?

① 인화점   ② 연소점

③ 발화점   ④ 산화점

해설

■ 연소 시 온도 관련 내용

1) 인화점 : 착화가 가능한 가연성물질의 최저온도

2) 연소점 : 화염이 꺼지지 않고 지속되는 온도

3) 발화점(착화점) : 외부로부터 직접적인 에너지 공급 없이 축적된 열만으로 착화가 가능한 온도

05 자동화재탐지설비의 수신기의 설치기준으로 옳지 않은 것은?

① 수위실 등 상시 사람이 근무하는 장소에 설치할 것
② 수신기가 설치된 장소에는 경계구역 일람도를 비치할 것
③ 하나의 경계구역은 하나의 표시등 또는 하나의 문자로 표시되도록 할 것
④ 수신기의 조작스위치는 바닥으로부터 높이 1.0 m 이상 1.8 m 이하에 설치할 것

해설

■ 수신기의 설치기준
1) 수신기가 설치된 장소에는 경계구역 일람도롤 비치할 것
2) 수신기의 조작스위치 높이 : 바닥으로부터 0.8 m 이상 1.5 m 이하
3) 수위실 등 상시 사람이 근무하고 있는 장소에 설치
4) 하나의 경계구역은 하나의 표시등 또는 하나의 문자로 표시되도록 할 것

06 피난구유도등 표지면의 색상으로 옳은 것은?

① 녹색바탕에 백색문자
② 녹색바탕에 황색문자
③ 백색바탕에 녹색문자
④ 백색바탕에 황색문자

해설

■ 피난유도표시 방법
• 피난구유도등 : 녹색바탕, 백색문자
• 통로유도등 : 백색바탕, 녹색문자

1) 복도통로유도등
피난통로가 되는 복도에 설치하는 통로유도등으로서 피난구 방향을 명시하는 것

2) 거실통로유도등
거주, 집무, 작업, 집회, 오락 등의 목적을 위하여 계속적으로 사용하는 거실, 주차장 등 개방된 통로에 설치하는 유도등으로 피난의 방향을 명시하는 것

3) 계단통로유도등
피난통로가 되는 계단이나 경사로에 설치하는 통로유도등으로 바닥면 및 디딤 바닥면을 비추는 것

Tip

[수신기 설치기준]
소방에 있어서 손으로 조작하는 것의 높이는 0.8 m 이상 1.5 m 이하 공통기준이다.

정답

05 ④   06 ①

07 다음 중 소방안전관리자의 업무와 관계가 없는 것은?

① 건축물의 냉·난방설비의 운영
② 피난시설의 유지관리
③ 소방훈련 실시
④ 소방시설의 점검·정비

건축물의 냉·난방설비의 운영은 기계설비유지관리자의 업무이다.

해설

■ 소방안전관리자의 업무
1) 피난계획에 관한 사항과 대통령령으로 정하는 사항이 포함된 소방계획서의 작성 및 시행
2) 자위소방대 및 초기대응체계 구성·운영·교육
3) 피난시설, 방화구획 및 방화시설의 유지·관리
4) 소방훈련 및 교육
5) 소방시설이나 소방 관련 시설의 유지·관리
6) 화기 취급의 감독
7) 소방안전관리에 관한 업무수행에 관한 기록·유지
8) 화재발생 시 초기대응
9) 그 밖에 소방안전관리에 필요한 업무

08 다음 중 스프링클러설비의 배관에 대한 설명으로 옳지 않은 것은?

① 교차배관에서 분기되는 지점을 기준으로 한쪽 가지배관에 설치되는 헤드의 개수는 8개 이하로 한다.
② 교차배관 끝에는 청소구를 설치하고 나사보호용 캡으로 마감한다.
③ 가지배관은 토너먼트방식으로 설치한다.
④ 교차배관은 가지배관과 수평 또는 밑에 설치한다.

해설

■ 스프링클러설비의 배관
1) 가지배관 : 스프링클러설비가 설치되어 있는 배관
　① 토너먼트방식이 아닐 것
　② 교차배관에서 분기되는 지점을 기준으로 한쪽 가지배관에 설치되는 헤드의 개수 : 8개 이하
2) 교차배관 : 직접 또는 수직배관을 통하여 가지배관에 급수하는 배관
　① 위치 : 가지배관과 수평 또는 밑에 설치
　② 교차배관 끝에 청소구를 설치하고 나사보호용의 캡으로 마감
3) 배관부속품, 물올림장치, 순환배관, 펌프성능시험배관은 옥내소화전설비 준용

정답
07 ① 08 ③

09 펌프의 성능 곡선상 ①, ②, ③으로 알맞은 것은?

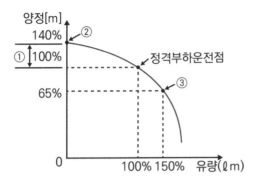

① 릴리프밸브 개방범위, 체절운전점, 최대운전점
② 순환배관 개방범위, 체절운전점, 최대운전점
③ 체절운전점, 릴리프밸브 개방범위, 최대운전점
④ 최대운전점, 순환배관 개방범위, 체절운전점

해설

■ 펌프성능곡선

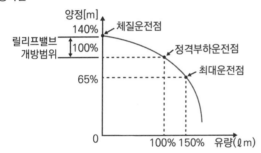

10 다음 중 자동심장충격기(AED) 사용순서로 옳은 것은?

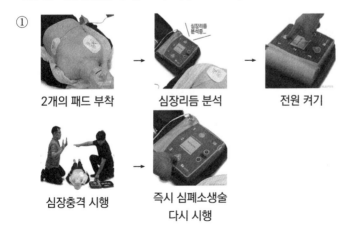

Tip

[펌프성능시험]

성능 시험	유량	압력
체절 운전	0	140 % 이하
정격 운전	100 %	100 % 이상
최대 운전	150 %	65 % 이상

정답

09 ① 10 ②

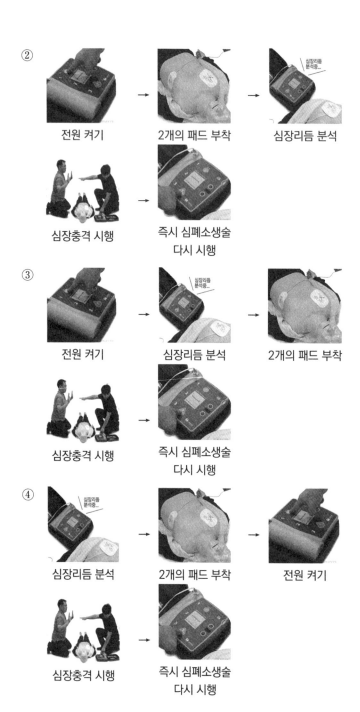

② 전원 켜기 → 2개의 패드 부착 → 심장리듬 분석
심장충격 시행 → 즉시 심폐소생술 다시 시행

③ 전원 켜기 → 심장리듬 분석 → 2개의 패드 부착
심장충격 시행 → 즉시 심폐소생술 다시 시행

④ 심장리듬 분석 → 2개의 패드 부착 → 전원 켜기
심장충격 시행 → 즉시 심폐소생술 다시 시행

해 설

◧ 자동심장충격기(AED) 사용방법

구분	사용방법
1단계	전원 ON
2단계	2개의 패드 부착 ① 패드1 : 환자의 오른쪽 빗장뼈 아래 부착 ② 패드2 : 환자의 왼쪽 젖꼭지 아래 중간겨드랑선 부착
3단계	심장리듬 분석 ① "분석 중"이라는 음성 지시가 나오면, 심폐소생술을 멈추고 환자에게서 손을 뗀다. ② "심장충격이 필요합니다"라는 음성 지시와 함께 스스로 설정된 에너지 충전을 시작한다. ③ 심장충격기의 충전은 수 초 이상 소요되므로 가능한 가슴압박을 시행한다. ④ 심장충격이 필요 없는 경우에는 "환자의 상태를 확인하고, 심폐소생술을 계속 하십시오"라는 음성 지시가 나오며, 이 경우에는 즉시 심폐소생술을 시작한다.
4단계	심장충격(제세동) 시행 ① 심장충격이 필요한 경우에만 심장충격 버튼이 깜박이기 시작한다. ② 깜박이는 버튼을 눌러 심장충격을 시행한다. ③ 심장충격 버튼을 누르기 전에는 반드시 다른 사람이 환자에게서 떨어져 있는지 확인하여야 한다.
5단계	즉시 심폐소생술 다시 시행 ① 심장충격을 실시한 뒤에는 즉시 가슴압박과 인공호흡을 30 : 2로 다시 시작한다. ② 심장충격기는 2분마다 심장리듬을 반복해서 분석한다. ③ 심장충격기의 사용 및 심폐소생술의 시행은 119구급대가 현장에 도착할 때까지 계속한다.

11 화재 시 일반적 피난행동으로 틀린 것은?

① 엘리베이터는 절대 이용하지 않도록 하며 계단을 이용해 옥외로 대피

② 윗층으로 대피가 불가능하면 지하로 대피

③ 아파트의 경우 세대 밖으로 나가기 어려울 경우 세대 사이에 설치된 경량칸막이를 통해 옆 세대로 대피하거나 세대 내 대피공간으로 대피

④ 유도등, 유도표지를 따라 대피

해 설

◧ 화재 시 일반적 피난행동
1) 엘리베이터는 절대 이용하지 않도록 하며 계단을 이용해 옥외로 대피
2) 아래층으로 대피가 불가능한 때에는 옥상으로 대피

Tip

[피난실패 시 행동요령]
(1) 건물 밖으로 대피하지 못한 경우 밖으로 통하는 창문이 있는 방으로 들어가기
(2) 방안으로 연기가 들어오지 못하도록 문틈을 커튼 등으로 막고, 내부 물건 등을 활용하여 자신의 위치를 알리고 구조를 기다리기

정답

11 ②

3) 아파트의 경우 세대 밖으로 나가기 어려울 경우 세대 사이에 설치된 경량칸막이를 통해 옆 세대로 대피하거나 세대 내 대피공간으로 대피
4) 유도등, 유도표지를 따라 대피
5) 연기 발생 시 최대한 낮은 자세로 이동하고, 코와 입을 젖은 수건 등으로 막아 연기를 마시지 않도록 주의
6) 출입문을 열기 전 문손잡이가 뜨거우면 문을 열지 말고 다른 길 찾기
7) 옷에 불이 붙었을 때에는 눈과 입을 가리고 바닥에서 뒹굴기
8) 탈출한 경우에는 절대로 다시 화재 건물로 들어가지 않기

12 화재의 위험에 대한 설명으로 옳지 않은 것은?

① 인화점, 착화점이 낮을수록 위험하다.
② 착화에너지가 작을수록 위험하다.
③ 비점 및 융점이 높을수록 위험하다.
④ 연소범위는 넓을수록 위험하다.

해설

■ 화재의 위험성
1) 착화 에너지가 적을수록 위험하다.
2) 인화점, 착화점이 낮을수록 위험하다.
3) 열전도율이 작을수록 위험하다.
4) 연소범위가 넓을수록 위험하다.
5) 비점, 융점이 낮을수록 위험하다.

※ [13 ~ 15] 다음에서 보여주는 소방안전관리대상물의 조건을 보고 각 물음에 답하시오.

용도	의료시설
규모	지상 15층, 지하 3층, 연면적 10000 m^2
소방시설	스프링클러설비, 소화기, 옥내소화전설비, 자동화재탐지설비, 유도등, 연결송수관설비, 비상조명등, 비상방송설비
소방안전관리자 현황	선임날짜 : 2024년 2월 12일
	강습 및 실무교육 : 이수이력 없음

※ 상기조건을 제외한 나머지 조건은 무시한다.

13 소방안전관리자의 실무교육 이수기한을 고르시오.

① 2024년 4월 30일   ② 2024년 5월 11일
③ 2024년 8월 11일   ④ 2025년 4월 11일

정답

12 ③   13 ③

해설

■ 소방안전관리자 실무교육

강습 및 실무교육		내용
실시권자		소방청장(한국소방안전원장에게 위임)
대상자		1) 소방안전관리자 및 소방안전관리보조자 2) 소방안전관리 업무를 대행하는 자를 감독할 수 있는 소방안전관리자 3) 소방안전관리자의 자격을 인정받으려는 자
실무교육 통보		교육실시 30일 전
실무교육 주기		선임된 날부터 6개월 이내, 교육실시 후에는 2년마다 실시 다만 강습교육 또는 실무교육 수료 후 1년 이내에 선임 시, 6개월 교육은 면제된다(즉, 선임 후 2년마다 실무교육 실시).
실무 교육 미이행 시	벌칙	과태료 50만 원
	자격 정지	1) 처분권자 : 소방청장 2) 1년 이하의 기간을 정하여 자격을 정지시킬 수 있음 ⑴ 1차 : 경고(시정명령) ⑵ 2차 : 자격정지(3개월) ⑶ 3차 : 자격정지(6개월)

※ 강습교육을 이수한 이력이 없으므로 선임날짜로부터 6개월 이내인 8월 11일까지 실무교육을 받아야 한다.

14 소방안전관리대상물의 등급을 고르시오.

① 특급 ② 1급
③ 2급 ④ 3급

Tip

11층 이상인 특정소방대상물이므로 1급 소방안전관리대상물이다.

해설

■ 소방안전관리대상물

특급 대상물	1급 대상물	2급 대상물	3급 대상물
[아파트] • 50층 이상 (지하층 제외) • 높이 200 m 이상 (지상부터)	[아파트] • 30층 이상 (지하층 제외) • 높이 120 m 이상 (지상부터)	• 지하구 • 공동주택 (의무관리) • 보물 · 국보목조 건축물 • 옥내 · 스프링클러 · 간이스프링클러 · 물분무등 설치대상(호스릴 제외)	자동화재 탐지설비 설치된 특정소방 대상물
[아파트 제외한 모든 건축물] • 30층 이상 (지하층 포함) • 높이 120 m 이상 (지상부터)	[아파트 제외한 모든 건축물] • 11층 이상 (지하층 제외)		

정답

14 ②

특급 대상물	1급 대상물	2급 대상물	3급 대상물
[모든 건축물] • 연면적 10만 m^2 이상	[모든 건축물] • 연면적 1만 5천 m^2 이상		
-	[가연성 가스] 1000 t 이상	[가연성 가스] 100 ~ 1000 t 가스제조설비 도시가스 허가시설	-

15 소방안전관리보조자 선임인원을 고르시오.

① 1명　　　　　　　　② 2명
③ 3명　　　　　　　　④ 대상이 아님

해설

■ 소방안전관리보조자 선임대상

보조자선임대상 특정소방대상물	최소 선임기준
300세대 이상인 아파트	1명(300세대마다 1명 이상 추가)
연면적이 1만 5천 m^2 이상인 특정소방대상물(아파트 및 연립주택 제외)	1명(연면적 1만 5천 m^2마다 1명 이상 추가) 다만 특정소방대상물의 종합방재실에 자위소방대가 24시간 상시 근무하고, 소방자동차 중 소방펌프차, 소방물탱크차, 소방화학차, 무인방수차를 운용하는 경우 3000 m^2 초과마다 1명 추가 선임한다.
1) 공동주택 중 기숙사 2) 의료시설 3) 노유자시설 4) 수련시설 5) 숙박시설(숙박시설로 사용되는 바닥 면적의 합계가 1500 m^2 미만이고 관계인이 24시간 상시 근무하고 있는 숙박시설은 제외)	1명 다만 해당 특정소방대상물이 소재하는 지역을 관할하는 소방서장이 야간이나 휴일에 해당 특정소방대상물이 이용되지 않는다는 것을 확인한 경우에는 선임하지 않을 수 있다.

연면적이 1만 5천 m^2 미만이지만 의료시설이므로 소방안전관리자는 1명 선임한다.

정답

15 ①

16 주거용 주방자동소화장치 중 다음 사진은 어느 부분인지 고르시오.

※ 출처 : 한국소방안전원

① 가스누설차단밸브
② 제어반
③ 감지센서 및 약제방출구
④ 가스누설탐지부

해 설

■ 주거용 주방자동소화장치

※ 출처 : 한국소방안전원

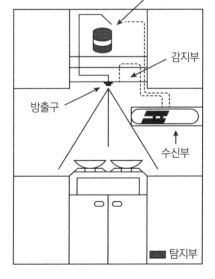

17 소방기본법상 화재 또는 구조·구급이 필요한 상황을 거짓으로 알린 사람의 과태료는?

① 100만 원 이하
② 200만 원 이하
③ 300만 원 이하
④ 500만 원 이하

해설

■ 과태료
1) 500만 원 이하의 과태료
   ⑴ 화재 또는 구조·구급이 필요한 상황을 거짓으로 알린 사람
   ⑵ 정당한 사유 없이 화재, 재난·재해, 그 밖의 위급한 상황을 소방본부, 소방서 또는 관계 행정기관에 알리지 아니한 관계인
2) 200만 원 이하의 과태료
   ⑴ 소방자동차의 출동에 지장을 준 자
   ⑵ 소방활동구역을 출입한 사람
   ⑶ 한국119청소년단, 한국소방안전원 또는 이와 유사한 명칭을 사용한 자
3) 100만 원 이하의 과태료
   전용구역에 차를 주차하거나 전용구역에의 진입을 가로막는 등의 방해 행위를 한 자
4) 20만 원 이하의 과태료
   화재로 오인할 만한 우려가 있는 불을 피우거나 연막 소독을 하기 전에 신고를 하지 않아 소방자동차를 출동하게 한 자

18 다음 물질 중 연소범위가 가장 넓은 것은?

① 에틸렌
② 프로판(프로페인)
③ 메탄(메테인)
④ 수소

해설

■ 연소범위(Flammability Limit)

가스	하한계vol%	상한계vol%
아세틸렌	2.5	81
수소	4	75
일산화탄소	12.5	74
에틸렌	2.1	32
암모니아	15	28
메탄(메테인)	5	15
에탄(에테인)	3	12.4
프로판(프로페인)	2.1	9.5
부탄(부테인)	1.8	8.4

19 목조건축물에서 화재의 최성기까지 소요시간을 고르시오.

① 1 ~ 5분   ② 5 ~ 15분
③ 20 ~ 30분   ④ 35 ~ 40분

해설

▣ 화재
목조건축물에서 화재의 최성기까지 소요시간 : 10분 정도 소요
내화구조에서 화재의 최성기까지 소요시간 : 20 ~ 30분

20 소방시설 설치 및 관리에 관한 법률상 특정소방대상물의 관계인이 소방시설에 폐쇄(잠금을 포함)·차단 등의 행위를 하여서 사람을 상해에 이르게 한 때에 대한 벌칙기준으로 옳은 것은?

① 10년 이하의 징역 또는 1억 원 이하의 벌금
② 7년 이하의 징역 또는 7천만 원 이하의 벌금
③ 5년 이하의 징역 또는 5천만 원 이하의 벌금
④ 3년 이하의 징역 또는 3천만 원 이하의 벌금

해설

▣ 소방시설의 폐쇄·차단행위 벌칙
1) 10년 이하의 징역 또는 1억 원 이하의 벌금
   소방시설에 폐쇄, 차단 등의 행위에 따른, 사망에 이르게 한 때
2) 7년 이하의 징역 또는 7천만 원 이하의 벌금
   소방시설에 폐쇄, 차단 등의 행위에 따른, 사람에게 상해를 이르게 한 때
3) 5년 이하의 징역 또는 5천만 원 이하의 벌금
   소방시설에 폐쇄·차단 등의 행위를 한 때

21 스프링클러헤드의 방수구에서 유출되는 물을 세분화시키는 작용을 하는 것은?

① 나사부   ② 디플렉터
③ 감열체   ④ 프레임

해설

▣ 스프링클러헤드의 구조
1) 감열체 : 정상상태에서는 방수구를 막고 있으나 열에 의해서 일정온도 도달 시 파괴 또는 용융되어 방수구가 열려 스프링클러헤드가 작동
2) 프레임 : 헤드 나사부분과 디플렉터의 연결이음쇠
3) 디플렉터 : 헤드의 방수구에서 유출되는 물을 세분화시키는 작용

Tip

[감열체 유무에 따른 분류]

구분	특징
폐쇄형 스프링클러헤드	감열체가 일정 온도에서 자동으로 파괴, 용해되어 방수구 개방
개방형 스프링클러헤드	감열체가 없이 방수구가 항시 개방

정답

19 ②   20 ②   21 ②

감열체

후레임

디플렉타

22 다음 중 건설현장 소방안전관리자 선임 대상물은?

① 연면적 5000 m² 이상, 지하층의 층수가 2개 층 이상인 신축 건설현장

② 신축을 하려는 연면적 10000 m² 이상인 건설현장

③ 연면적 5000 m² 이상, 지상층의 층수가 10층 이상인 증축인 건설현장

④ 연면적 3000 m² 이상, 냉동창고 건설현장

해설

■ 건설현장 소방안전관리대상물

1) 신축·증축·개축·재축·이전·용도변경 또는 대수선을 하려는 부분의 연면적 15000 m² 이상인 것

2) 신축·증축·개축·재축·이전·용도변경 또는 대수선을 하려는 부분의 연면적 5000 m² 이상인 것으로서 다음 어느 하나에 해당하는 것

(1) 지하층의 층수가 2개 층 이상인 것

(2) 지상층의 층수가 11층 이상인 것

(3) 냉동창고, 냉장창고 또는 냉동·냉장창고

소방시설공사 착공 신고일부터 건축물 사용승인일까지 선임

23 다음은 분말소화기 내용연수 및 폐기방법에 대한 설명이다. 옳지 않은 것을 고르시오.

① 분말소화기는 폐기물관리법에 따라 생활폐기물로 구분한다.

② 분말소화기는 신고필증(스티커)을 구매, 부착하여 지정된 장소에 배출하여야 한다.

③ 소화기의 내용연수는 10년이며, 내용연수가 지난 제품은 바로 폐기하여야 한다.

④ 지방자치단체의 조례에 따라 폐기 방법이 다를 수 있다.

해설

■ 분말소화기 내용연수

1) 내용연수 경과 후 10년 미만 : 3년마다 검사

2) 내용연수 경과 후 10년 이상 : 1년마다 검사

[분말소화기의 폐기방법]
폐기물관리법에 따라 생활폐기물 신고필증을 구매·부착하여 지정된 장소에 배출(지방자치단체 조례에 따라 폐기방법이 다를 수 있음)

정답

22 ① 23 ③

24 건식 스프링클러설비의 작동순서로 옳은 것을 고르시오.

① 화재발생 → 헤드개방 → 2차 측 공기압 저하 → 1차 측 물의 2
차 측 유수 → 클래퍼 개방 → 펌프기동

② 화재발생 → 헤드개방 → 2차 측 공기압 저하 → 클래퍼 개방 →
1차 측 물의 2차 측 유수 → 펌프기동

③ 화재발생 → 헤드개방 → 1차 측 물의 2차 측 유수 → 클리퍼 개
방 → 2차 측 공기압 저하 → 펌프기동

④ 화재발생 → 헤드개방 → 클래퍼 개방 → 2차 측 공기압 저하 →
1차 측 물의 2차 측 유수 → 펌프기동

Tip
습식 스프링클러설비와 준비
작동식 스프링클러설비가 가
장 많이 출제되고 있다.

해설

■ 스프링클러설비 작동순서
1) 습식 스프링클러설비 : 화재발생 → 열에 의해 폐쇄형 헤드 개방 및 방수 → 유수
검지장치의 클래퍼 개방 → 압력스위치 작동 → 사이렌 경보와 감시제어반의 화
재표시등 및 밸브개방표시등 점등 → 압력챔버의 압력스위치 작동 → 펌프 기동
2) 건식 스프링클러설비 : 화재발생 → 열에 의해 폐쇄형 헤드 개방 및 압축공기 방
출 → 유수검지장치의 클래퍼 개방 → 압력스위치 작동 → 사이렌 경보와 감시제
어반의 화재표시등 및 밸브개방표시등 점등 → 압력챔버의 압력스위치 작동 →
펌프 기동
3) 준비작동식 스프링클러설비 : 화재발생 → 교차회로 방식의 A or B 감지기 작동
→ 경종 또는 사이렌 경보, 감시제어반의 화재표시등 점등 → A and B 감지기 모
두 작동 → 전자밸브(솔레노이드밸브) 작동 → 중간챔버에 채워져 있던 물이 배수
되며(감압) 밸브 개방 → 압력스위치 작동 → 감시제어반의 밸브개방표시등 점등
→ 감열에 의한 폐쇄형 헤드 개방 → 압력챔버의 압력스위치 작동 → 펌프 기동
4) 일제살수식 스프링클러설비 : 화재발생 → 교차회로 방식의 A or B 감지기 작동
→ 경종 또는 사이렌 경보, 감시제어반의 화재표시등 점등 → A and B 감지기
모두 작동 → 전자밸브(솔레노이드밸브) 작동 → 중간챔버에 채워져 있던 물이
배수되며(감압) 밸브 개방 → 압력스위치 작동 → 감시제어반의 밸브개방표시등
점등 → 모든 개방형 헤드에서 소화수 방출 → 압력챔버의 압력스위치 작동 → 펌
프 기동

정답
24 ②

25 다음의 스프링클러설비 점검 시 확인사항이 아닌 것을 고르시오.

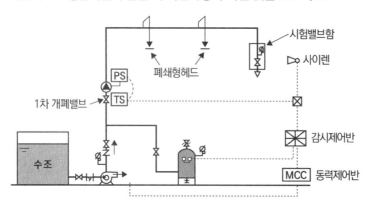

① 소화펌프 기동 여부
② 유수검지장치의 전자(솔레노이드)밸브 동작 확인
③ 감시제어반의 화재표시등 점등 확인
④ 방호구역의 경보(사이렌) 확인

해설

■ 스프링클러설비 점검확인사항
① 감시제어반(수신반) 화재표시등 및 해당구역 밸브개방표시등 점등 확인
② 해당 방호구역의 경보(사이렌) 상태 확인
③ 소화펌프 자동기동 여부 확인

Tip

25번 문제는 습식 스프링클러설비이다. 전자밸브 동작 확인은 준비작동식 스프링클러설비에 해당한다.

26 가스계 소화설비의 방출방식 중 다음 그림은 어떤 방식인가?

※ 출처 : 한국소방안전원

① 국소방출방식
② 전역방출방식
③ 호스릴방식
④ 축압식

정답

25 ②   26 ①

■ 가스계 소화설비

호스릴 방식	분사헤드가 배관에 고정되어 있지 않고 소화약제 저장용기에 호스를 연결하여, <u>사람이 직접 화점에 소화약제를 방출</u>하는 이동식 소화설비
국소 방출 방식	고정식 이산화탄소 공급장치에 배관 및 분사헤드를 설치하여, <u>직접 화점에 이산화탄소를 방출</u>하는 설비로 화재 발생 부분에만 집중적으로 소화약제를 방출하도록 설치하는 방식
전역 방출 방식	고정식 이산화탄소 공급장치에 배관 및 분사헤드를 고정 설치하여, <u>밀폐 방호구역 내에 이산화탄소를 방출</u>하는 설비

27 화재의 일반적 특성이 아닌 것은?

① 확대성   ② 정형성
③ 우발성   ④ 불안정성

해 설

■ 화재의 일반적 특성
1) 우발성
2) 확대성
3) 불안정성

Tip
[화재의 정의]
(1) 사람의 의도에 반하거나 고의로 발생되는 연소현상으로서 소화설비 등으로 소화할 필요가 있거나 화학적 폭발현상
(2) 자연 또는 인위적인 원인에 대하여 불이 물체를 연소시키고, 인명과 재산 손해를 주는 현상

정답
27 ②

28 화상의 부위에서 진물이 나고 수포(물집)가 발생하는 화상의 정도는?

① 1도 화상　　　　　　　　② 2도 화상
③ 3도 화상　　　　　　　　④ 4도 화상

해설

▣ 화상의 종류

구분	설명
1도 화상 (표피화상)	1) 표피손상 : 홍반성 2) 약간의 부종과 홍반 수반 3) 가벼운 통증
2도 화상 (부분층화상)	1) 진피손상 : 수포성 2) 심한 통증과 발적, 수포 발생 3) 진물이 나고 감염 위험
3도 화상 (전층화상)	1) 피하지방층 및 근육층 손상 : 괴사성 2) 피부는 가죽처럼 매끈하고 피부색은 검게 변함 3) 화상부위 건조하며 통증 없음

29 주요구조부를 내화구조로 한 특정소방대상물의 바닥면적이 420 m²인 부분에 설치해야 하는 감지기의 최소 수량은? (단, 감지기 부착높이는 바닥으로부터 4.3 m이고, 보상식 스포트형 2종을 설치한다)

① 6개　　　　　　　　② 7개
③ 8개　　　　　　　　④ 13개

해설

▣ 감지기 수량

부착높이 및 특정소방대상물 구분		감지기의 종류				
		차동식 / 보상식 스포트		정온식 스포트		
		1종	2종	특종	1종	2종
4 m 미만	내화구조	90	70	70	60	20
	기타구조	50	40	40	30	15
4 m 이상 8 m 미만	내화구조	45	35	35	30	-
	기타구조	30	25	25	15	-

위 표에 의해 35 m²마다 감지기를 설치해야하므로, 420/35 = 12.86. 절상하여 13개 설치한다.

30 무창층 여부를 판단하는 개구부로서 갖추어야 할 조건으로 옳은 것은?

① 개구부 크기가 지름 30 cm의 원이 내접할 수 있는 것
② 해당 층의 바닥면으로부터 개구부 밑부분까지의 높이가 1.5 m 인 것
③ 내부 또는 외부에서 쉽게 파괴 또는 개방할 수 있을 것
④ 창에 방범을 위하여 40 cm 간격으로 창살을 설치한 것

해설

■ 무창층의 개구부 요건
1) 크기 : 지름 50 cm 이상의 원이 내접
2) 개구부 밑 부분까지의 높이 : 1.2 m 이내
3) 도로 또는 차량이 진입 가능한 빈터를 향할 것
4) 화재 시 쉽게 피난할 수 있도록 창살이나 장애물이 설치되지 아니할 것
5) 내부, 외부에서 쉽게 부수거나 열 수 있을 것

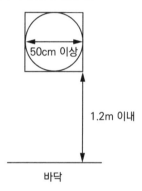

31 다음 중 전기화재의 예방을 위한 것으로 틀린 것을 고르시오.

① 하나의 콘센트에 여러 가지 전기기구를 꽂아서 사용할 것
② 플러그를 뽑을 때는 선을 당기지 말고 몸체를 잡고 뽑을 것
③ 과전류 차단장치 설치할 것
④ 전선은 묶거나 꼬이지 않도록 주의할 것

해설

■ 전기화재 예방
1) 하나의 콘센트에 여러 가지 전기기구를 꽂아서 사용하지 않을 것
2) 사용하지 않는 기구는 전원을 끄고 플러그를 뽑아 둘 것
3) 플러그를 뽑을 때는 선을 당기지 말고 몸체를 잡고 뽑을 것
4) 과전류 차단장치 설치할 것
5) 규격 퓨즈를 사용하고 끊어질 경우 그 원인을 해결할 것
6) 전기시설 설치 시 전문 면허업체에 의뢰하여 정확하게 시공할 것
7) 콘센트에 플러그는 흔들리지 않게 완전히 꽂아 사용할 것

Tip

[무창층]
지상층 중 개구부 요건을 모두 갖춘 개구부의 면적의 합계가 해당 층의 바닥면적 30분의 1 이하가 되는 층

[피난층]
곧바로 지상으로 갈 수 있는 출입구가 있는 층

Tip

[전기화재의 원인]
⑴ 전류 : 줄의 법칙에 의해 발열
⑵ 단락(합선) : 1000 A 이상의 단락전류
⑶ 지락 : 단락전류가 목재, 금속체 등에 흐를 때 발화
⑷ 누전 : 절연이 파괴되어 누설전류의 발열
⑸ 접속부 과열 : 접촉저항 등 접촉상태가 불완전할 때 발열
⑹ 스파크 : 스위치의 ON, OFF 시 스파크에 의한 발열
⑺ 정전기 : 부도체의 마찰에 의해 전하가 축적되어 방전, 발화
⑻ 열적경과 : 방열이 잘 되지 않는 장소에서의 열 축적
⑼ 절연열화 또는 탄화 : 절연체 등이 시간경과에 의해 절연성이 저하되거나 탄화되어 발열
⑽ 낙뢰 : 번개 등으로 순간적으로 수 만 A 이상의 전류가 발생

정답

30 ③	31 ①

8) 누전차단기를 설치하고 월 1 ~ 2회 동작 여부 확인할 것

9) 전선은 묶거나 꼬이지 않도록 주의할 것

10) 전기담요는 접힌 부분에 열이 발생하므로 밟거나 접어서 사용하지 않을 것

11) 비닐전선은 열에 약하므로 백열전등이나 전열기구 등 고열을 발생하는 기구에는 고무코드 전선을 사용할 것

12) 비닐장판이나 양탄자 밑으로는 전선이 지나지 않도록 할 것

13) 전기기구는 'KS' 제품을 사용하고 사용 전 사용설명서 읽어볼 것

14) 전선이 쇠붙이나 움직이는 물체와 접촉되지 않도록 할 것

32 다음 중 물 또는 그 밖의 소화약제를 사용하여 소화하는 기계, 기구 또는 설비가 아닌 것은?

① 소화기
② 간이소화용구
③ 옥내소화전설비
④ 연결송수관설비

해 설

■ 소화설비

물, 그 밖의 소화약제를 사용하여 소화하는 기계 · 기구 또는 설비

1) 소화기구
   ① 소화기
   ② 자동확산소화기
   ③ 간이소화용구

2) 자동소화장치
   ① 주거용 주방
   ② 상업용 주방
   ③ 캐비닛형
   ④ 가스
   ⑤ 분말
   ⑥ 고체에어로졸

3) 옥내소화전설비(호스릴옥내소화전설비 포함)

4) 옥외소화전설비

5) 스프링클러설비등
   ① 스프링클러설비
   ② 간이스프링클러설비(캐비닛형 포함)
   ③ 화재조기진압용 스프링클러설비

6) 물분무등소화설비
   ① 물분무소화설비
   ② 미분무소화설비
   ③ 포소화설비
   ④ 이산화탄소소화설비
   ⑤ 분말소화설비
   ⑥ 할론소화설비
   ⑦ 할로겐화합물 및 불활성기체소화설비소화설비
   ⑧ 강화액소화설비
   ⑨ 고체에어로졸소화설비

33 응급처치 기본사항으로 기도확보가 필요한 경우이다. 다음 중 환자의 구강 내에 이물질이 있는 경우 응급처치 방법으로 옳지 않은 것을 고르시오.

① 눈에 보이는 이물질은 손으로 제거한다.
② 기침을 할 수 없는 경우엔 하임리히법을 실시한다.
③ 이물질이 제거된 후 머리를 뒤로 젖히고 턱을 올려 기도가 개방되도록 한다.
④ 이물질이 제거될 수 있도록 기침을 유도한다.

해설

▣ 응급처치 기본사항
1) 기도 확보(유지)
  ⑴ 구강 내 이물질 제거하기 위해 기침 유도, 기침이 어려울 시 하임리히법 실시(이물질 함부로 제거 금지)
  ⑵ 구토를 하는 경우 머리를 옆으로 돌려 구토물의 흡입으로 인한 질식 예방
  ⑶ 이물질 제거 후 머리를 뒤로 젖히고, 턱을 위로 들어 올려 기도 개방
2) 지혈
  출혈부위 지압으로 저산소 출혈성 쇼크 방지
3) 상처 보호
  상처 부위에 소독거즈로 응급처치하고 붕대로 드레싱하되, 1차 사용한 거즈 등으로 상처를 닦는 것은 금하고 청결하게 소독된 거즈 사용

34 다음 [보기]에 제시된 소화방법으로 알맞은 것을 고르시오.

[보기]
1. 가스밸브를 잠근다.
2. 가연물을 직접 제거한다.
3. 촛불을 입으로 강하게 불어 가연성 증기를 날려 보낸다.

① 질식소화
② 제거소화
③ 냉각소화
④ 억제소화

Tip

[화학적 소화 = 부촉매소화]
• 연쇄반응 차단에 의한 소화
• 적용 : 할론소화설비, 청정 할로겐 강화액 및 분말소화설비 등

해설

▣ 소화

구분	소화	내용
물리적 소화	냉각 소화	• 점화원을 냉각하여 소화 • 주수로 물의 증발잠열(기화잠열)을 이용 • CO_2 소화설비 : 줄 – 톰슨효과에 의한 냉각 • 적용 : 스프링클러설비, 옥내·옥외소화전, 포소화설비 등

구분	소화	내용
물리적 소화	질식 소화	• 산소농도를 15 % 이하로 희박하게 하여 소화 • 유류화재에서의 포소화설비 • CO_2 소화설비 : 피복을 입혀 소화 • 적용 : 마른모래, 팽창질석, 팽창진주암
	제거 소화	• 가연물을 이동·제거하여 소화 • 적용 : 산림벌목, 촛불 끄기

35 공연장에 설치하는 유도등 및 유도표지의 종류를 모두 고르시오.

> ㉠ 객석유도등   ㉡ 통로유도등
> ㉢ 소형피난구유도등   ㉣ 중형피난구유도등
> ㉤ 대형피난구유도등   ㉥ 피난구유도표지

① ㉠, ㉢
② ㉠, ㉡, ㉢
③ ㉠, ㉡, ㉤
④ ㉠, ㉡, ㉤, ㉥

아파트에는 소형피난구유도등을 설치한다.

해설

■ 유도등

설치장소	유도등 및 유도표지
1. 공연장·집회장(종교집회장 포함)·관람장·운동시설	• 대형피난구유도등 • 통로유도등 • 객석유도등
2. 유흥주점영업시설(유흥주점영업중 손님이 춤을 출 수 있는 무대가 설치된 카바레, 나이트클럽 등 영업시설만 해당)	
3. 위락시설·판매시설·운수시설·관광숙박업·의료시설·장례식장·방송통신시설·전시장·지하상가·지하철역사	• 대형피난구유도등 • 통로유도등
4. 숙박시설 (관광숙박업 외의 것)·오피스텔	• 중형피난구유도등 • 통로유도등
5. 1 ~ 3 외 건축물로서 지하층·무창층 또는 층수가 11층 이상 특정소방대상물	
6. 1 ~ 5 외 건축물로서 근린생활시설·노유자시설·업무시설·발전시설·종교시설(집회장 용도로 사용하는 부분 제외)·교육연구시설·수련시설·공장·교정 및 군사시설 (국방·군사시설 제외)·자동차정비공장·운전학원 및 정비학원·다중이용업소·복합건축물	• 소형피난구유도등 • 통로유도등
7. 그 밖의 것	• 피난구유도표지 • 통로유도표지

• 소방서장은 특정소방대상물의 위치·구조 및 설비의 상황을 판단하여 대형피난구유도등을 설치하여야 할 장소에 중형피난구유도등 또는 소형피난구유도등을 설치하게 할 수 있다.
• 복합건축물의 경우 주택의 세대 내에는 유도등을 설치하지 아니할 수 있다.

정답
35 ③

PART 01. 실전모의고사

36 펌프의 체절운전 시 수온이 상승하면 펌프에 무리가 발생하므로 순환배관상의 어떠한 밸브를 통해 과압을 방출하여 수온상승을 방지한다. 이 밸브를 고르시오.

① 개폐밸브   ② 후드밸브
③ 체크밸브   ④ 릴리프밸브

Tip

[기어식 버터플라이밸브]

[레버식 버터플라이밸브]

해설

■ 밸브
1) 풋밸브(후드밸브) : 수원이 펌프보다 아래에 설치된 경우 흡입 측 배관의 말단에 설치하며, 이물질을 제거하는 여과기능과 흡입배관 내의 물이 수조로 다시 빠져나가는 것을 막는 체크기능이 있다.
2) 개폐밸브 : 개폐밸브는 배관을 열고 닫음으로써 유체의 흐름을 제어하는 밸브이다.
  (1) 개폐표시형 개폐밸브 : 개폐표시형 개폐밸브는 외부에서도 밸브가 개방되었는지 폐쇄되었는지를 쉽게 알 수 있는 밸브를 말한다. 옥내소화전의 급수배관에 개폐밸브를 설치할 때는 개폐표시형을 설치하여야 하며, 주로 OS & Y밸브와 버터플라이밸브가 설치되나 버터플라이밸브는 마찰손실이 크므로 펌프 흡입 측에는 설치할 수 없다.
  (2) 체크밸브 : 배관 내 유체의 흐름을 한쪽 방향으로만 흐르게 하는 기능(역류방지기능)이 있는 밸브를 체크밸브라고 하며, 현재 많이 사용하고 있는 체크밸브는 스모렌스키 체크밸브와 스윙체크밸브가 있다.
  ① 스모렌스키 체크밸브 : 스프링이 내장된 리프트 체크밸브로서 평상시에는 체크밸브 기능을 하며, 수격이 발생할 수 있는 펌프 토출 측과 연결송수구 연결배관 등에 주로 설치된다.
  ② 스윙체크밸브 : 주 급수배관이 아닌 물올림장치의 펌프 연결배관, 유수검지장치의 주변배관과 같은 유량이 적은 배관상에 사용된다.
3) 릴리프밸브 : 순환배관에 설치하여 설정압력 이상이 되면 과압을 방출하여 수온상승 방지

37 다음 ㉠과 ㉡에 들어갈 알맞은 용어를 고르시오.

> • (㉠)이란 접합하고자 하는 둘 이상의 물체(주로 금속)의 접합 부분에 존재하는 방해물질을 제거하여 결합시키는 과정으로, 주로 열을 통하여 두 금속을 용융시켜 물체(금속)을 접하는 것이다.
> • (㉡)이란 고체 금속을 절단하는 것을 말하며, 금속 절단 부분에 산화반응 등을 일으켜 그 열로 재료를 녹여서 절단하는 것이다.

① ㉠ 용단, ㉡ 용접   ② ㉠ 용접, ㉡ 용단
③ ㉠ 절단, ㉡ 용단   ④ ㉠ 용단, ㉡ 절단

해설

■ 불꽃을 사용하는 기구
1) 용접·용단 작업장 주변 반경 5 m 이내 소화기 갖출 것
2) 용접·용단 작업장 주변 반경 10 m 이내에는 가연물을 쌓아 두거나 놓아두지 말 것

정답
36 ④ 37 ②

38 습식 스프링클러설비의 점검을 위해 시험밸브함을 열었더니 다음과 같은 상태였다. 틀린 설명을 고르시오.

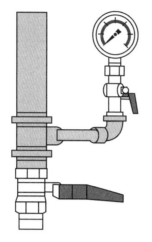

① 두 개의 밸브는 정상상태를 유지하고 있다.
② 압력계 지침이 0을 가리키고 있다.
③ 펌프 내의 가압수가 없는 상태이다.
④ 말단시험밸브가 잘못 설치되어 있다.

해설

■ 습식 스프링클러설비의 유지관리

압력계 밑에 부착된 개폐밸브는 평상시에 개방하여 시험밸브 배관 내의 압력이 정상 압력(0.1 MPa 이상 1.2 MPa 이하)인지 여부를 확인해주어야 하며 가압수 배출을 위한 시험밸브는 평상시에 폐쇄 상태로 유지 관리되어야 한다.

* 압력계 지침이 0을 가리키고 있으므로 펌프 내의 가압수가 없는 상태이다.
* 말단시험밸브의 압력계 밑에 부착된 개폐밸브는 평상시 개방되어 있으며 가압수 배출을 위한 시험밸브는 폐쇄상태로 유지 관리되고 있으므로 잘 설치되어 있다.

39 침대가 있는 숙박시설로서 종사자 수가 20명, 객실 수는 50실이다. 2인용 침대를 한 객실당 하나씩 설치할 경우 수용인원은 몇 명인가?

① 50명 ② 100명
③ 120명 ④ 150명

Tip
[수용인원 산정]
⑴ 바닥면적 산정 시 복도, 계단 및 화장실은 바닥면적을 포함하지 않는다.
⑵ 소수점 이하의 수는 반올림한다.

정답
38 ④ 39 ③

해설

■ 수용인원산정

대상	용도	수용인원의 산정
숙박시설이 있는 대상물	침대가 있는 숙박시설	종사자 수 + 침대 수
	침대가 없는 숙박시설	종사자 수 + 바닥면적의 합계 $\left[\dfrac{m^2}{3m^2}\right]$
그 외 특정소방대상물	강의실·교무실·상담실·실습실·휴게실 용도	바닥면적의 합계 $\left[\dfrac{m^2}{1.9m^2}\right]$
	강당, 문화 및 집회시설, 운동시설, 종교시설	바닥면적의 합계 $\left[\dfrac{m^2}{4.6m^2}\right]$
		고정식 의자 수
		고정식 긴 의자 $\left[\dfrac{m}{4.5m}\right]$
	그 밖의 특정소방대상물	바닥면적의 합계 $\left[\dfrac{m^2}{3m^2}\right]$

※ 종사자 수 + 침대 수 = 20 + (50 × 2) = 120명

40 소방안전관리대상물의 소방계획서에 포함되어야 하는 사항이 아닌 것은?

① 예방규정을 정하는 제조소 등의 위험물 저장·취급에 관한 사항
② 소방시설·피난시설 및 방화시설의 점검·정비계획
③ 특정소방대상물의 근무자 및 거주자의 자위소방대 조직과 대원의 임무에 관한 사항
④ 방화구획, 제연구획, 건축물의 내부 마감 재료(불연재료·준불연재료 또는 난연재료로 사용된 것) 및 방염물품의 사용현황과 그 밖의 방화구조 및 설비의 유지·관리계획

해설

■ 소방안전관리대상물의 소방계획서 포함사항

1) 소방안전관리대상물의 위치·구조·연면적·용도 및 수용인원 등 일반 현황
2) 소방안전관리대상물에 설치한 소방시설·방화시설전기시설·가스시설 및 위험물시설의 현황
3) 화재 예방을 위한 자체점검계획 및 진압대책
4) 소방·피난시설 및 방화시설 점검·정비계획
5) 피난층 및 피난시설의 위치와 피난경로의 설정, 장애인 및 노약자의 피난계획 등을 포함
6) 방화구획, 제연구획, 내부 마감재료(불연·준불연·난연재료) 및 방염물품의 사용현황과 그 밖의 방화구조 및 설비의 유지·관리계획

정답

40 ①

7) 소방훈련 및 교육에 관한 계획

8) 특정소방대상물의 근무자 및 거주자의 자위소방대 조직과 대원의 임무(장애인 및 노약자의 피난보조 임무 포함)에 관한 사항

9) 증축·개축·재축·이전·대수선 중인 특정소방대상물의 공사장 소방안전관리에 관한 사항

10) 공동 및 분임 소방안전관리에 관한 사항

11) 소화와 연소 방지에 관한 사항

12) 위험물의 저장·취급에 관한 사항(예방규정을 정하는 제조소 등은 제외)

13) 소방안전관리에 대한 업무수행에 관한 기록 및 유지에 관한 사항(월 1회 이상 작성, 2년간 보관)

14) 화재 발생 시 화재경보, 초기소화 및 피난유도 등 초기대응에 관한 사항

15) 그 밖에 소방안전관리를 위하여 소방본부장 또는 소방서장이 소방안전관리대상물의 위치·구조·설비 또는 관리 상황 등을 고려하여 소방안전관리에 필요하여 요청하는 사항

41 최상층 소화전을 이용하여 방수압시험을 할 때 감시제어반에서 확인해야 하는 항목으로 옳은 것을 고르시오.

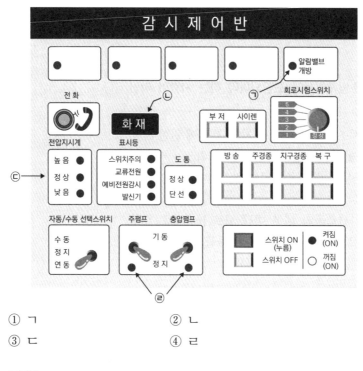

① ㄱ

② ㄴ

③ ㄷ

④ ㄹ

해설

■ 방수압시험 시 감시제어반

1) 옥내소화전의 방수압시험을 하면 방수구 개방에 따라 압력챔버의 수위가 감소한다. 압력챔버의 압력 감소에 따라 충압펌프 기동점에 도달하여 충압펌프가 기동하며, 이후 소화전에서 계속된 방수에 따라 주펌프 기동점에 도달하면 주펌프가 기동한다.

2) 주펌프가 기동하는 경우 방수압도 증가하지만 압력챔버의 수위도 증가(압력이 증가)하여 충압펌프는 정지점에 도달하여 곧 정지한다. 하지만, 주펌프는 수동정지를 해야 하므로 방수압시험을 완료한 이후 관계자가 직접 감시제어반 또는 동력제어반에서 수동으로 정지한다.

3) 옥내소화전 방수압시험을 하면 감시제어반에서는 충압펌프 기동확인등이 점등되고 이후 주펌프 기동확인등이 점등되며 시간이 지나면 충압펌프 기동확인등은 소등되고 마지막으로 방수압시험 완료 후 주펌프를 수동정지하게 되면 주펌프 기동확인등이 소등된다.

42 다음에 제시된 건축물의 일반현황을 참고하여 모아빌딩에 대한 설명으로 옳은 것을 고르시오.

구분	건축물 일반현황
명칭	민정빌딩
규모 / 구조	• 연면적 : 23000 m^2 • 층수 : 지하 5층, 지상 10층 • 높이 : 39 m • 용도 : 업무시설 • 사용승인일 : 2022.01.04
소방시설 현황	• 자동화재탐지설비 • 스프링클러설비 • 옥내소화전설비 • 비상방송설비

① 모아빌딩은 3급 소방안전관리대상물이다.
② 2024년 1월에 종합점검을 하며, 2024년 7월에는 작동점검을 실시한다.
③ 소방안전관리보조자를 선임하지 않아도 된다.
④ 종합점검대상이 아니다.

해설

■ 건축물일반현황

스프링클러설비가 설치되어 있으므로 종합점검대상에 해당하며, 종합점검은 매년 사용승인일을 받은 달에 실시하고 작동점검은 그로부터 6개월이 되는 달에 실시한다.
* 연면적이 15000 m^2 이상이므로 1급소방안전관리대상물이다.
* 연면적이 15000 m^2 이상이므로 소방안전관리보조자를 선임해야 한다.

정답

42 ②

43 이산화탄소소화약제의 저장용기 설치기준에 적합하지 않은 것은?

① 온도가 60 ℃ 이상인 장소
② 방호구역 외의 장소에 설치할 것
③ 직사광선 및 빗물이 침투할 우려가 없는 곳
④ 온도의 변화가 적은 곳에 설치할 것

해설

▣ 이산화탄소소화약제
이산화탄소소화약제의 저장용기는 온도가 높아지면 용기파열의 우려가 있기 때문에 40 ℃ 이하인 장소에 설치한다.

44 자동화재탐지설비의 수신기의 설치기준으로 옳지 않은 것은?

① 수위실 등 상시 사람이 근무하는 장소에 설치할 것
② 수신기가 설치된 장소에는 경계구역 일람도를 비치할 것
③ 하나의 경계구역은 하나의 표시등 또는 하나의 문자로 표시되도록 할 것
④ 수신기의 조작스위치는 바닥으로부터 높이 1.0 m 이상 1.8 m 이하에 설치할 것

해설

▣ 수신기의 설치기준
1) 수신기가 설치된 장소에는 경계구역 일람도를 비치할 것
2) 수신기의 조작스위치 높이 : 바닥으로부터 0.8 m 이상 1.5 m 이하
3) 수위실 등 상시 사람이 근무하고 있는 장소에 설치
4) 하나의 경계구역은 하나의 표시등 또는 하나의 문자로 표시되도록 할 것

45 전통시장에서 신고하지 않고 연막소독을 실시하여 화재로 오인되어 소방자동차가 출동하였다. 이때 소방자동차를 출동하게 한 자에게 부과될 수 있는 벌칙으로 옳은 것을 고르시오.

① 300만 원 이하의 벌금
② 500만 원 이하의 벌금
③ 100만 원 이하의 과태료
④ 20만 원 이하의 과태료

[이산화탄소 소화]
• 공기보다 무거운 무색, 무취인 가스이다.
• 다량 존재 시 산소 부족을 유발하여 질식효과가 있다.
• 완전연소 시 발생한다.
• 독성은 거의 없으나 호흡속도를 증가시켜 유해가스 흡입을 증가시킨다.

20만 원 과태료는 소방본부장과 소방서장에게 부과한다.

정답

43 ① 44 ④ 45 ④

■ 20만 원 이하의 과태료

다음 어느 하나에 해당하는 지역 또는 장소에서 화재로 오인할 만한 우려가 있는 불을 피우거나 연막 소독을 하려는 사람이 신고를 하지 아니하여 소방자동차를 출동하게 한 사람
1) 시장지역
2) 공장·창고가 밀집한 지역
3) 목조건물이 밀집한 지역
4) 위험물의 저장 및 처리시설이 밀집한 지역
5) 석유화학제품을 생산하는 공장이 있는 지역
6) 그 밖에 시·도의 조례로 정하는 지역 또는 장소

46 소방안전관리자의 업무수행 기록·유지에 관한 사항으로 틀린 것을 고르시오.

① 소방안전관리자는 소방안전관리업무 수행에 관한 기록을 소방안전관리 업무수행 기록표에 월 1회 이상 작성·관리해야 한다.
② 당해 연도 소방계획서 및 소방시설등(최초점검, 작동점검, 종합점검) 점검표에 따른 점검항목 참고하여 작성한다.
③ 경보설비의 수신기, 소화설비의 제어반 및 가압송수장치(펌프 등)를 중점적으로 확인하여 작성한다.
④ 업무 수행에 관한 기록을 작성한 날부터 1년간 보관한다.

■ 소방안전관리자의 업무수행 기록의 작성·유지
1) 소방안전관리자는 소방안전관리업무 수행에 관한 기록을 소방안전관리 업무수행 기록표에 월 1회 이상 작성·관리해야 하며, 소방안전관리업무 수행 중 보수 또는 정비가 필요한 사항을 발견한 경우에는 이를 지체 없이 관계인에게 알리고, 소방안전관리 업무수행 기록표에 기록
2) 당해 연도 소방계획서 및 소방시설등(최초점검, 작동점검, 종합점검) 점검표에 따른 점검항목 참고하여 작성
3) 소방안전관리대상물의 특성에 따라 기타사항에 추가항목 작성
4) 경보설비의 수신기, 소화설비의 제어반 및 가압송수장치(펌프 등)를 중점적으로 확인하여 작성
5) 업무 수행에 관한 기록을 작성한 날부터 2년간 보관

정답
46 ④

47 옥외소화전이 57개 설치되어 있을 때 소화전함 설치 개수를 고르시오.

① 11개   ② 13개

③ 20개   ④ 29개

해설

■ 옥외소화전함의 설치개수

옥외소화전	옥외소화전함의 개수
10개 이하	옥외소화전마다 5 m 이내의 장소에 1개 이상 설치
11개 이상 30개 이하	11개 이상의 소화전함을 각각 분산하여 설치
31개 이상	옥외소화전 3개마다 1개 이상 설치

옥외소화전이 31개 이상 설치되어 있으므로 3개마다 1개 이상 설치

∴ 57/3 = 29

48 다음은 수신기를 나타내는 그림이다. 수신기 점검 중 회로별 감지기의 배선 정상 여부를 확인하고자 할 때 수신기 스위치 중 어느 것을 눌러야 하는지 고르시오.

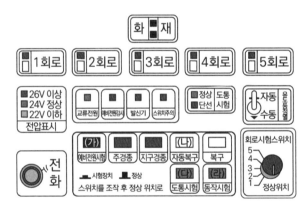

※ 출처 : 한국소방안전원

① (가)   ② (나)

③ (다)   ④ (라)

해설

■ 수신기 회로도통시험

수신기에서 감지기 사이 회로의 단선 유무와 기기 등의 접속 상황을 확인하기 위한 시험

Tip

[도통시험]

(1) 시험순서

　① 도통시험 스위치를 누름

　② 로터리 방식 : 회로선택 스위치를 차례로 회전시켜 시험, 버튼 방식 : 각 경계구역별 동작버튼을 누른 후 시험

(2) 적부 판정방법

　① 전압계 방식 : 정상(4 ~ 8 V), 단선(0 V)

　② 도통시험 확인등 : 정상 확인등 점등(녹색), 단선 확인등 점등(적색)

(3) 복구방법

　① 회로선택스위치를 초기(정상) 위치로 복구(로터리 방식만 해당)

　② 도통시험스위치 복구

49 소방훈련을 목적으로 옥내소화전함의 앵글밸브를 열어서 방수를 시도했으나 펌프가 작동하지 않았다. 그 원인으로 틀린 것을 고르시오.

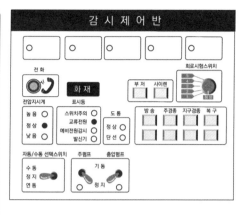

① 감시제어반의 자동/수동 선택스위치가 정지위치에 있다.
② 감시제어반의 주펌프, 충압펌프 스위치가 정지위치에 있다.
③ 동력제어반의 주펌프 선택스위치가 수동위치에 있다.
④ 동력제어반의 충압펌프 선택스위치가 정지위치에 있다.

해설

■ 감시제어반
• 감시제어반의 주펌프, 충압펌프 스위치 : 평상시 정지 위치
• 점검 시 : 자동/수동 선택스위치를 수동으로 전환 → 주펌프, 충압펌프 스위치를 기동으로 전환하여 수동기동

50 다음의 옥내소화전함을 보고 동력제어반의 모습으로 옳은 것을 모두 고르시오. (단, 주펌프 자동기동 시 충압펌프는 정지한 상태이다)

동력 제어반	충압펌프		
	기동표시등	정지표시등	펌프 기동표시등
㉠	소등	점등	소등
㉡	소등	소등	점등
㉢	점등	소등	점등
㉣	소등	점등	점등

동력 제어반	주펌프		
	기동표시등	정지표시등	펌프 기동표시등
㉤	점등	소등	소등
㉥	점등	소등	점등
㉦	점등	점등	소등
㉧	소등	점등	소등

① ㉠, ㉥   ② ㉡, ㉥
③ ㉣, ㉧   ④ ㉢, ㉦

해설

▣ 옥내소화전

1) 옥내소화전의 위치표시등은 상시 점등이며, 주펌프 기동표시등은 주펌프가 기동 시 점등된다.

2) 옥내소화전함의 주펌프 기동표시등이 점등된 상태이므로 주펌프가 기동중이다. 또한 주펌프가 기동되면 충압펌프는 정지점에 도달하여 자동 정지한다.

실전모의고사

01 다음과 같은 소화기 불량사항을 바르게 연결한 것을 고르시오.

| (1) | (2) | (3) | (4) |

① (1) 노즐파손 (2) 호스파손 (3) 호스탈락 (4) 혼 파손
② (1) 호스파손 (2) 호스탈락 (3) 노즐파손 (4) 혼 파손
③ (1) 호스파손 (2) 호스탈락 (3) 노즐파손 (4) 혼 파손
④ (1) 노즐파손 (2) 호스탈락 (3) 호스파손 (4) 혼 파손

해설

■ 소화기 불량사항
⑴ : 호스파손
⑵ : 호스탈락
⑶ : 노즐파손
⑷ : 혼 파손

02 축압식 소화기의 압력게이지가 다음과 같은 상태를 가리켰다. 알맞은 것을 고르시오.

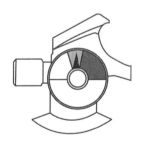

① 정상압력이다.
② 압력이 부족한 상태이다.
③ 과압상태이다.
④ 소화약제를 정상적으로 방출하기 어렵다.

Tip
[축압식 소화기]
⑴ 용기 내 축압가스(질소)로 가압하여 소화약제 방출
⑵ 압력계를 설치하며 0.7 ~ 0.98 MPa를 유지한다.

[가압식 소화기]
⑴ 별도의 가압용기의 압력에 의해 약제가 방출
⑵ 압력계가 불필요하다.

정답
01 ② 02 ①

■ 축압식 소화기

황색	압력부족
녹색	정상
적색	과압

03 다음 중 화재예방강화지구 지정대상지역에 해당되는 기준과 가장 거리가 먼 것은?

① 시장지역
② 공장·창고가 밀집한 지역
③ 소방시설·소방용수시설 또는 소방출동로가 있는 지역
④ 노후·불량건축물이 밀집한 지역

해설

■ 화재예방강화지구의 지정 등
1) 지정권자 : 시·도지사
2) 화재예방강화지구
　(1) 시장지역
　(2) 공장·창고 밀집 지역
　(3) 목조건물 밀집 지역
　(4) 노후·불량건축물 밀집 지역
　(5) 위험물의 저장 및 처리 시설이 밀집 지역
　(6) 석유화학제품 생산 공장이 있는 지역
　(7) 산업단지
　(8) 소방시설·소방용수시설 또는 소방출동로가 없는 지역
　(9) 물류단지
　(10) 그 밖에 소방청장·소방본부장 또는 소방서장이 화재예방강화지구로 지정할 필요가 있다고 인정하는 지역

정답

03 ③

04 다음 수신기를 보고 틀린 설명을 고르시오.

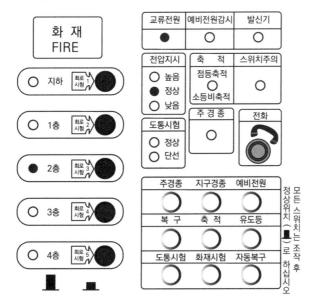

① 화재가 발생하였으며, 그 장소는 2층이다.
② 화재통보는 발신기로부터 온 것이다.
③ 화재진압 후 수신기의 복구스위치를 눌러서 복구한다.
④ 지구경종과 주경종이 명동하고 있다.

해설

■ P형 수신기
1) 현재 2층에서 화재가 발생하였다.
2) 발신기표시등이 소등되어 있으므로 화재신호는 감지기로부터 온 것이다.
3) 수신기 복구는 수동복구이다.
4) 주경종스위치와 지구경종스위치가 눌려진 상태가 아니므로 명동하고 있다.

05 준비작동식 스프링클러설비의 특징으로 옳지 않은 것은?

① 열에 의해 폐쇄형 헤드가 개방된다.
② 동결의 우려가 있는 장소에 설치 가능하다.
③ 수동기동스위치를 누르면 사이렌이 경보한다.
④ 1차 측, 2차 측이 모두 가압수로 차있다.

해설

■ 준비작동식 스프링클러설비 특징
1) 열에 의해 폐쇄형헤드 개방
2) 감지기 또는 수동기동스위치를 통해 사이렌 경보, 감시제어반의 화재표시등 점등
3) 1차 측 : 가압수, 2차 측 : 대기압(동결 우려 장소 사용)

정답
04 ② 05 ④

06 공기의 요동이 심하면 불꽃이 노즐에 정착하지 못하고 떨어지게 되어 꺼지는 현상을 무엇이라 하는가?

① 역화   ② 블로우 오프

③ 불완전연소   ④ 플래시 오버

Tip

[플래시 오버]
화재로 인하여 실내의 온도가 급격히 상승하여 화재가 순간적으로 실내 전체에 확산되는 현상

해 설

■ 연소 시 이상현상

이상현상	내용
불완전연소	연소 요소가 부적합하여 완전연소되지 못하여 가연물 일부가 미연소되는 현상
리프팅(Lifting)	• 연료가스의 분출속도 > 연소속도 • 버너의 염공이 작거나 막힌 경우 • 1차공기가 많아 공급가스 압력이 높은 경우
역화(Back Fire)	• 분출속도 < 연소속도 • 1차공기가 적거나 가스압력이 낮을 때 • 염공의 부식
황염(Yellow Tip)	불완전연소의 일종으로 노란 그을음
블로우 오프(Blow Off)	• 분출속도 > 연소속도 • 공기의 움직임 등에 의해 불꽃이 꺼지는 현상

07 다음은 R형 수신기의 운영기록이다. 틀린 설명을 고르시오.

운영기록	BC빌딩				
시작일자 : 2024.01.01.			종료일자 : 2024.06.20		
NO	일시	수신기	회선 정보	회선 설명	동작 구분	메세지
1	24/06/07 17:24:18	1	002 - 정지	SP 주펌프 - 정지	MCC	기동 정지
2	24/06/07 15:12:14	1	001		수신기	주경종 정지 ON
중략						
5	24/06/05 17:14:40	1	001	전기실 가스계 소화 설비	감시	CO_2 방출

정답

06 ②   07 ③

6	24/06/05 17:14:10	1	001	전기실 감지기 A	화재	화재 발생
7	24/06/05 17:13:31	1		수신기	사이렌 출력
8	24/06/05 17:13:29	1	001	1층 지구 경종	출력	중계기 출력
9	24/06/05 17:13:28	1		수신기	주음향 출력
10	24/06/05 17:13:28	1	001	전기실 감지기 B	화재	화재 발생
			중략			
11	24/06/01 10:30:19	1	001	시스템 고장	예비 전원 고장 발생

① 6월 1일에 예비전원 고장발생이 생겼다.
② 6월 5일에는 전기실에서 화재가 발생하였으며, 감지기 A, B가 동작하여 음향장치 주경종, 지구경종, 사이렌이 출력되었다.
③ 6월 5일 발생한 화재는 스프링클러소화설비로 소화되었다.
④ BC빌딩은 현재 스프링클러 주펌프와 주경종이 정지되어 있는 상태이며, 5년 5천만 원 이하의 벌금에 처할 우려가 있다.

해설

■ R형 수신기
06/05 전기실에서 발생한 화재는 전기실화재이므로 스프링클러소화설비가 아닌 가스계 소화설비로 소화한다.

08 인화성 액체의 연소점, 인화점, 발화점을 온도가 높은 것부터 옳게 나열한 것은?

① 발화점 > 연소점 > 인화점
② 연소점 > 인화점 > 발화점
③ 인화점 > 발화점 > 연소점
④ 인화점 > 연소점 > 발화점

해설

■ 인화점, 연소점, 발화점

인화점 < 연소점 < 발화점

인화점	점화원을 가했을 때 연소가 시작되는 최저온도
연소점	• 외부 점화원에 의해 발화 후 연소를 지속시킬 수 있는 최저온도 • 인화점보다 5 ~ 10 ℃ 높고, 불꽃이 최소 5초 이상 지속되는 온도
발화점	가연성 물질에 불꽃을 접하지 아니하였을 때 연소가 가능한 최저온도

※ 온도가 올라갈수록 액체 위험물의 점도가 낮아져서 쉽게 점화할 수 있으므로 위험성이 더 크다.

09 준비작동식 스프링클러설비의 프리액션밸브를 작동시키는 방법으로 옳은 것은?

① 해당 방호구역 감지기 한 개 동작
② 수동조작함의 수동조작스위치 동작
③ 수신반에서 자동기동으로 전환
④ 밸브 자체에 부착된 수동기동밸브 폐쇄

해설

■ 준비작동식밸브(프리액션밸브) 작동방법
1) 해당 방호구역의 교차회로 감지기 2개 회로 작동
2) 수동조작함(SVP)의 수동조작스위치 작동
3) 밸브 자체에 부착된 수동기동밸브 개방
4) 감시제어반(수신반)측의 준비작동식 유수검지장치 수동기동스위치 작동
5) 감시제어반(수신반)에서 동작시험스위치 및 회로선택스위치로 해당 방호구역의 교차회로 감지기 2개 회로 작동

정답

08 ① 09 ②

10 옥외소화전이 50개 설치된 때 설치해야 하는 소화전함의 개수로 옳은 것은?

① 15개   ② 16개
③ 17개   ④ 18개

해설

■ 옥외소화전함의 설치개수

옥외소화전	옥외소화전함
10개 이하	옥외소화전마다 5 m 이내에 1개 이상 설치
11개 이상 30개 이하	11개 이상의 소화전함을 각각 분산 설치
31개 이상	옥외소화전 3개마다 1개 이상 설치

50 ÷ 3 = 16.67 → 절상해서 17개

11 다음은 평상시의 동력제어반과 감시제어반의 상태를 나타낸 것이다. 틀린 것을 고르시오.

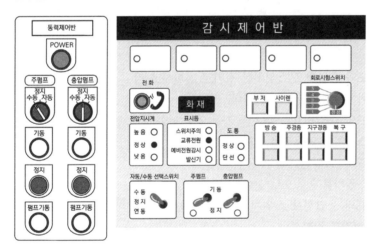

① 동력제어반의 주펌프와 충압펌프 스위치는 자동으로 절환해야 한다.
② 평상시이기 때문에 감시제어반의 주펌프와 충압펌프는 정지에 위치해야 한다.
③ 평상시이기 때문에 감시제어반의 화재표시등이 소등되어야 한다.
④ 감시제어반의 자동/수동 선택스위치를 정지상태로 두어야 한다.

정답

10 ③   11 ④

■ 제어반

감시제어반의 선택스위치는 평상시 자동(연동) 상태이어야 한다.

12 옥내소화전함 내의 앵글밸브를 열어 방수를 시도하였으나 펌프가 작동되지 않았다. 동력제어반과 감시제어반의 상태가 다음과 같을 때 펌프를 동작시키기 위한 방안을 고르시오.

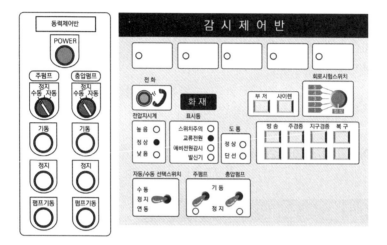

① 동력제어반의 주펌프와 충압펌프 스위치를 정지로 전환하고 감시제어반의 선택스위치를 수동으로 전환한다.
② 동력제어반의 주펌프와 충압펌프 스위치를 자동으로 전환하고 감시제어반의 선택스위치를 연동으로 전환한다.
③ 동력제어반의 주펌프와 충압펌프는 수동위치에 그대로 두고, 감시제어반의 선택스위치를 연동으로 전환한다.
④ 동력제어반의 주펌프와 충압펌프 스위치 그리고 감시제어반의 선택스위치를 전부 정지로 전환한다.

■ 제어반

동력제어반의 주펌프와 충압펌프 스위치를 자동으로 전환하고 감시제어반의 선택스위치를 연동으로 전환한다.

정답

12 ②

13 다음 그림은 감지기를 동작시험을 하였다. 감지기가 동작되어서 작동램프 동작 시 전압은 몇 V인가?

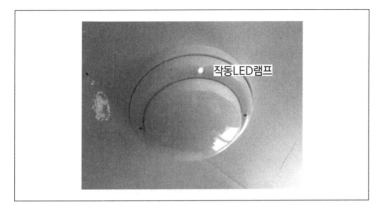

작동LED램프

① 24 V   ② 22 V
③ 4 ~ 4.5 V   ④ 0 V

해설

■ 감지기 선로 전압 체크 시
1) 24 V인 경우 – 말단에 종단저항을 미설치한 경우
2) 22 V인 경우 – 선로의 평상시 정상전압
3) 4 ~ 4.5 V인 경우 – 감지기 동작 시 전압(작동LED을 점등시켜 주는 최소전압)
4) 0 V인 경우 – 감지기 선로의 단선

14 준비작동식 스프링클러설비의 감시제어반이 다음과 같은 상황일 때 틀린 설명을 고르시오.

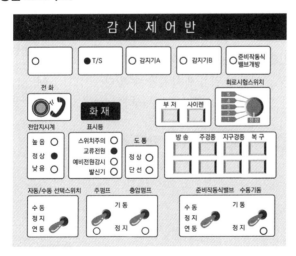

Tip
[적부 판정방법]
⑴ 화재표시등, 지구(경계구역)표시등, 기타 표시장치의 점등, 음향장치의 작동 확인, 감지기회로 또는 부속기기 회로와의 연결접속 정상 여부 확인
⑵ 동작시험 결과 위와 같은 기능이 작동하지 못하는 회로는 즉시 수리

정답

13 ③   14 ③

① 전원은 교류전원을 받고 있으며, 전압은 정상상태이다.

② 준비작동식 스프링클러설비가 동작하지 않은 상태이다.

③ 화재가 발생한다면 경종이 명동하지 않을 것이다.

④ 탬퍼스위치표시등이 점등되어 있으므로 밸브가 폐쇄되어 있다.

해설

■ 감시제어반

주경종과 지구경종 스위치가 눌러있지 않으므로 화재가 발생한다면 잘 명동할 것이다.

15 문틈으로 연기가 새어 들어오는 화재를 발견할 때 안전대책으로 옳지 않은 것은?

① 빨리 문을 열고 복도로 대피한다.

② 바닥에 엎드려 숨을 짧게 쉬면서 대피 대책을 세운다.

③ 문을 열지 않고 수건이나 시트로 문틈을 완전히 밀폐한다.

④ 창문으로 가서 외부에 자신의 구조를 요청한다.

해설

■ 피난실패 시 행동요령

1) 건물 밖으로 대피하지 못한 경우 밖으로 통하는 창문이 있는 방으로 들어가기

2) 방안으로 연기가 들어오지 못하도록 문틈을 커튼 등으로 막고, 내부 물건 등을 활용하여 자신의 위치를 알리고 구조 기다리기

16 통로유도등의 설치기준 중 틀린 것은?

① 거실의 통로가 벽체 등으로 구획된 경우에는 거실통로유도등을 설치한다.

② 거실통로유도등은 거실통로에 기둥이 설치된 경우에는 기둥 부분의 바닥으로부터 높이 1.5 m 이하의 위치에 설치할 수 있다.

③ 복도통로유도등은 구부러진 모퉁이 및 보행거리 20 m마다 설치한다.

④ 계단통로유도등은 바닥으로부터 높이 1 m 이하의 위치에 설치한다.

해설

■ 통로유도등의 설치기준

거실통로유도등은 거실의 통로에 설치

(다만 거실의 통로가 벽체 등으로 구획된 경우 복도통로유도등을 설치)

Tip

거실통로유도등은 바닥으로부터 높이 1.5 m 이상에 설치하되, 기둥이 설치된 경우에는 기둥 부분의 바닥으로부터 높이 1.5 m 이하의 위치에 설치한다.

17 출혈 시 응급조치 중 지혈대에 대한 내용으로 옳지 않은 것은?

① 지혈대를 오랜 시간 장착하면 산소의 공급으로 조직괴사 유발되므로 관절부위에는 착용 금지
② 신체의 절단이나 과다출혈의 경우 최후의 수단으로 사용
③ 출혈부위에서 5 ~ 7 cm 하단부위 묶기
④ 출혈이 멈추는 지점에서 조임 정지

해설

▣ 지혈대
1) 신체의 절단이나 과다출혈의 경우 최후의 수단으로 사용
2) 지혈대를 오랜 시간 장착하면 산소의 공급으로 조직괴사 유발되므로 관절부위에는 착용 금지(5 cm 이상의 띠 사용)
3) 지혈대 사용법
 ① 출혈부위에서 5 ~ 7 cm 상단부위 묶기
 ② 출혈이 멈추는 지점에서 조임 정지
 ③ 지혈대가 풀리지 않도록 정리
 ④ 지혈대 착용시간 기록

18 다음 중 소화기의 사용방법으로 옳은 것은?

① 소화기는 안전장치를 푸는 동작을 제외하는 경우에 1동작 이내로 방사할 수 있어야 한다.
② 바람이 불 때는 바람이 불어오는 방향으로 방사하여야 한다.
③ 불길의 윗부분에 약제를 방출하고 가까이에서 전방으로 향하여 방사한다.
④ 개방되어 있는 실내에서는 질식의 우려가 있으므로 사용하지 않는다.

해설

▣ 소화기
소화기는 안전장치를 푸는 동작을 제외하는 경우에 1동작 이내로 방사할 수 있어야 한다.

Tip

[직접 압박법]
(1) 출혈부위를 압박붕대 및 솜 등으로 압박하여 지혈하는 방법
(2) 소독거즈로 출혈부위를 덮은 후 4 ~ 6인치 압박붕대로 출혈부위가 압박되게 감아줌
(3) 압박 후 출혈이 계속되면 소독된 거즈를 추가로 덮고 압박붕대를 한 번 더 감아 출혈부위를 심장보다 높여줌으로써 출혈량 감소

정답
17 ③ 18 ①

19 소화기구의 화재안전기준상 소화설비가 설치되지 아니한 특정소방대상물 중 다음과 같은 장소에 자동확산소화기를 설치하려 한다. 설치해야 하는 개수를 고르시오.

> 1. 보일러실이다.
> 2. 자동확산소화장치를 설치하려한다.
> 3. 보일러실의 바닥면적은 19 m²이다.

① 1개   ② 2개
③ 3개   ④ 4개

해설

■ 부속용도별로 추가할 소화기구

용도별	소화기구의 능력단위
1. 다음 각 목의 시설. 다만 스프링클러설비, 간이스프링클러설비, 물분무등소화설비 또는 상업용 주방자동소화장치가 설치된 경우에는 자동확산소화기를 설치하지 않을 수 있다. 가. 보일러실·건조실·세탁소, 대량화기 취급소 나. 음식점·다중이용업소·호텔·기숙사·노유자시설·의료시설·업무시설·공장·장례식장·공장·교육연구시설·교정 및 군사시설의 주방 다. 관리자의 출입이 곤란한 변전실·송전실·변압기실 및 배전반실	1. 해당 용도의 바닥면적 25 m²마다 능력단위 1단위 이상의 소화기로 할 것. 이 경우 나목의 주방에 설치하는 소화기 중 1개 이상은 주방화재용 소화기(K급)로 설치해야 한다. 2. 자동확산소화기는 해당 용도의 바닥면적을 기준으로 10 m² 이하는 1개, <u>10 m² 초과는 2개</u> 이상을 설치하되, 보일러, 조리기구, 변전설비 등 방호대상에 유효하게 분사할 수 있는 위치에 배치될 수 있는 수량으로 설치할 것)
발전실·변전실·송전실·변압기실·배전반실·통신기기실·전산기기실 기타 이와 유사한 시설이 있는 장소. 다만 제1호 다목의 장소를 제외한다.	해당 용도의 바닥면적 50 m²마다 적용성이 있는 소화기 1개 이상 또는 유효설치방호체적 이내의 가스·분말·고체에어로졸 자동소화장치, 캐비닛형 자동소화장치(다만 통신기기실·전자기기실을 제외한 장소에 있어서는 교류 600 V 또는 직류 750 V 이상의 것에 한한다)
지정수량의 1/5 이상 지정수량 미만의 위험물을 저장, 취급하는 장소	능력단위 2단위 이상 또는 유효설치방호체적 이내의 가스·분말·고체에어로졸 자동소화장치, 캐비닛형 자동소화장치
특수가연물을 저장 또는 취급하는 장소 지정수량 이상	지정수량의 50배 이상마다 능력단위 1단위 이상
지정수량의 500배 이상	대형 소화기 1개 이상

따라서 보일러실의 10 m² 초과이기 때문에 2개 설치

정답
19 ②

20 소화기구(자동식 소화기 및 자동확산 소화용구, 고체 에어로졸 자동소화기를 제외한다)는 바닥으로부터 몇 m 이하의 곳에 비치하여야 하는가?

① 0.5   ② 1.0
③ 1.5   ④ 2.0

해설

▣ 소화기구의 설치기준(자동확산소화기 제외)

구분	설치기준
높이	바닥으로부터 1.5 m 이하
표지판	"소화기", "투척용소화용구", "소화용모래", "소화질석" 표지 부착

21 분말소화기에 표시된 A, B, C 중 A, B의 의미는 무엇인가?

① A급 – 일반화재, B급 화재 – 유류화재
② A급 – 전기화재, B급 화재 – 유류화재
③ A급 – 금속화재, B급 화재 – 유류화재
④ A급 – 주방화재, B급 화재 – 유류화재

해설

▣ 소화기구의 설치기준(자동확산소화기 제외)

구분	설치기준
높이	바닥으로부터 1.5 m 이하
표지판	"소화기", "투척용소화용구", "소화용모래", "소화질석" 표지 부착

22 분말소화약제 분말입도의 소화성능에 관한 설명으로 옳은 것은?

① 미세할수록 소화성능이 우수하다.

② 입도가 클수록 소화성능이 우수하다.

③ 입도와 소화성능과는 관련이 없다.

④ 입도가 너무 미세하거나, 너무 커도 소화성능은 저하된다.

해설

▣ 분말소화약제

입도가 너무 미세하거나 너무 커도 소화성능은 저하된다.

23 다음과 같이 옥내소화전설비가 설치가 되어 있을 때, 옥내소화전설비를 위한 최소 수원의 양을 고르시오.

> 1. 1층에는 옥내소화전설비가 4개 설치되어 있다.
> 2. 2층에는 옥내소화전설비가 3개 설치되어 있다.
> 3. 3층에는 옥내소화전설비가 2개 설치되어 있다.

① $2.6 \, m^3$ ② $5.2 \, m^3$

③ $13 \, m^3$ ④ $26 \, m^3$

해설

▣ 옥내소화전설비

소화수조

> 소화수조 수원의 양 = 옥내소화전 설치 개수(최대 2개) × 2.6 m^3 이상
> • 30 ~ 49층 : 설치 개수(최대 5개) × 5.2 m^3 이상
> • 50층 이상 : 설치 개수(최대 5개) × 7.8 m 이상

① 방수량 : 130 L/min 이상

② 방수압력 : 0.17 MPa 이상 0.7 MPa 이하

③ 펌프 토출량 : 130 L/min × 설치개수

④ 수원의 양 : 130 L/min × 설치개수 × 20분(40분, 60분)

3층 건축물이며 최대 2개까지의 수원의 양을 산정하므로 2 × 2.6 m^3 = 5.2 m^3

24 옥내소화전방수구는 특정소방대상물의 층마다 설치하되, 해당 특정소방대상물의 각 부분으로부터 하나의 옥내소화전방수구까지 수평거리가 몇 m 이하가 되도록 하는가?

① 20   ② 25
③ 30   ④ 40

해설

■ 방수구

구분	설치기준
위치	층마다 설치
수평거리	25 m 이하(호스릴함)
높이	0.8 m 이상 1.5 m 이하
호스구경	40 mm(호스릴 : 25 mm) 이상

25 다음은 옥내소화전 함의 표시등에 대한 설명이다. 가장 적합한 것은?

① 위치표시등은 평상시 불이 켜지지 않은 상태로 있어야 한다.
② 기동표시등은 평상시 불이 켜지지 않은 상태로 있어야 한다.
③ 위치표시등 및 기동표시등은 평상시 불이 켜진 상태로 있어야 한다.
④ 위치표시등 및 기동표시등은 평상시 불이 안 켜진 상태로 있어야 한다.

해설

■ 옥내소화전
1) 옥내소화전의 위치표시등은 상시 점등이며, 주펌프 기동표시등은 주펌프가 기동 시 점등된다.
2) 옥내소화전함의 주펌프 기동표시등이 점등된 상태이므로 주펌프가 기동 중이다. 또한 주펌프가 기동되면 충압펌프는 정지점에 도달하여 자동 정지한다.

Tip

[표시등]

구분	설치기준
소화전 위치표시등	함의 상부에 설치
펌프 기동표시등	위치표시등 바로 밑쪽에 작은 적색등

정답

24 ②   25 ②

26 옥내·옥외 소화전 노즐에 사용되는 적합한 호스결합금구의 호칭구경은 각각 몇 mm 이상으로 하여야 하는가?

① 40, 50
② 40, 65
③ 50, 55
④ 50, 60

해설

◼ 호칭구경

구분	옥내소화전함	옥외소화전함
방수구(노즐)	앵글밸브 40 mm	65 mm(쌍구형)
노즐	13 mm	19 mm
수평거리	25 m 이하	40 m 이하

27 배관 내에 헤드까지 물이 항상 차 있어 가압된 상태에 있는 스프링클러설비는?

① 폐쇄형 습식
② 폐쇄형 건식
③ 개방형 습식
④ 개방형 건식

해설

◼ 스프링클러설비

1) 감열체 유무에 따른 분류

구분	특징	헤드
폐쇄형 스프링클러헤드	감열체가 일정온도에서 자동으로 파괴, 융해되어 방수구가 개방	
개방형 스프링클러헤드	감열체가 없이 방수구가 항시 개방	

Tip

[헤드의 구조]
(1) 열체 : 정상상태에서는 방수구를 막고 있으나 열에 의해서 일정온도 도달 시 파괴 또는 용융되어 방수구가 열려 스프링클러헤드가 작동(퓨즈블링크형, 유리벌브형)
(2) 프레임(Frame) : 헤드 나사부분과 디플렉터의 연결이음쇠
(3) 디플렉터(Deflector) : 헤드의 방수구에서 유출되는 물을 세분화시키는 작용

정답

26 ② 27 ①

2) 부착방식에 따른 분류

구분	특징	종류
상향형	• 반자가 없는 곳에 설치 • 분사패턴이 가장 우수 • 준비작동식, 건식에 적용	
하향형	• 반자가 있는 곳에 설치 • 습식에 적용 • 가지관 상부에서 분기하여 회향식으로 설치	
측벽형	• 실내의 벽 상부에 설치(벽의 폭이 9 m 이하인 경우) • 분사패턴은 축을 중심으로 반원상 균일 방사	

28 화재 시 스프링클러설비 동작으로 압력스위치 동작 시 발생되는 일이 아닌 것은?

① 소화펌프의 기동
② 수신반 화재표시등 점등, 경종명동
③ 소화펌프 2차 측 압력챔버 압력스위치 동작
④ 헤드 개방

해설

■ 습식 스프링클러의 작동순서
화재 발생 → 헤드 개방 → 방수 2차 측 배관 내 수압 감소 → 클래퍼 개방 → 압력스위치 동작 → 수신반 신호입력 → 사이렌 출력 → 소화펌프 기동

29 다음 중 소방시설공사의 하자보수 보증기간이 같은 것으로 짝지어진 것을 고르시오.

① 피난기구, 유도등, 스프링클러설비
② 유도등, 자동화재탐지설비, 상수도소화용수설비
③ 비상경보설비, 비상방송설비, 자동화재탐지설비
④ 자동소화장치, 옥내소화전설비, 스프링클러설비

▣ 소방시설공사 하자보수 보증기간

2년	3년
• 피난기구, 유도등, 유도표지 • 비상경보설비, 비상조명등, 비상방송설비 • 무선통신보조설비	• 자동소화장치 • 옥내 · 옥외소화전설비 • 스프링클러설비, 간이스프링클러설비 • 물분무등소화설비 • 자동화재탐지설비 • 상수도소화용수설비 • 소화활동설비(무선통신보조설비 제외)

30 다음의 화학반응식을 보고 ⓐ와 ⓑ에 들어갈 알맞은 숫자를 고르시오.

$$CH_4 + (\text{ⓐ})O_2 \rightarrow CO_2 + (\text{ⓑ})H_2O$$

① ⓐ 1, ⓑ 2
② ⓐ 2, ⓑ 2
③ ⓐ 4, ⓑ 3
④ ⓐ 3, ⓑ 4

▣ 메탄(메테인)의 완전연소방정식

$CH_4 + 2O_2 \rightarrow \underline{CO_2 + 2H_2O}$(연소생성물)

31 방염성능검사의 권한자(A)와 설치 현장에서 방염처리를 하는 합판 · 목재류의 경우 방염성능검사의 권한자(B)를 각각 고르시오.

① (A) 시도지사, (B) 소방청장
② (A) 시도지사, (B) 소방본부장
③ (A) 소방청장, (B) 소방서장
④ (A) 소방청장, (B) 시도지사

▣ 방염성능검사

현장에서 방염처리를 하는 합판 · 목재류의 경우 방염성능검사의 권한자는 시 · 도지사이다.

Tip

[완전연소]
탄소와 수소로 이루어진 탄화수소의 완전연소 시 이산화탄소와 물이 생성된다.

정답

| 30 ② | 31 ④ |

32 전역방출식의 할론소화설비의 분사헤드를 설치할 때 기준저장량의 소화약제를 방사하기 위한 시간은 몇 초 이내인가?

① 20초 이내   ② 15초 이내
③ 10초 이내   ④ 5초 이내

해설

▣ 전역방출식
전역방출식의 할론소화설비의 분사헤드를 설치할 때 기준저장량의 소화약제를 방사하기 위한 시간 : 10초 이내

33 가스화재의 주의사항으로 옳지 않은 것은?

① 가스가 새고 있는지 냄새 확인하고, 환기시킬 것
② 붉은색불꽃 상태가 되도록 조절
③ 가스연소기 부근에는 가연성 물질 두지 않을 것
④ 가스연소기에 부착된 콕크는 물론 중간밸브도 확실하게 잠글 것

해설

▣ 가스화재의 주의사항
1) 가스가 새고 있는지 냄새를 확인하고, 환기시킬 것
2) 가스연소기 부근에는 가연성 물질 두지 않을 것
3) 콕크, 호스 등 연결부는 호스밴드로 확실하게 조이고, 호스가 낡거나 손상이 있을 때에는 즉시 교체
4) 연소기구는 자주 청소하여 불구멍 등이 막히지 않도록 주의
5) 콕크를 돌려 점화 시 불이 붙었는지 확인
6) 파란불꽃 상태가 되도록 조절(황색, 적색 불꽃은 불완전 연소로 일산화탄소 발생)
7) 장시간 자리를 비우지 말고 주의하여 지켜볼 것
8) 가스연소기에 부착된 콕크는 물론 중간밸브도 확실하게 잠글 것
9) 장기간 외출 시 중간밸브와 함께 용기밸브도 잠그고, 도시가스를 사용 시 메인밸브까지 잠글 것

Tip
[완전연소]
푸른색불꽃 상태일 때가 완전연소이다.

정답
32 ③   33 ②

34 **건축물에 설치하는 방화구획의 기준에 관한 설명으로 옳지 않은 것은?**

① 매 층마다 구획한다.

② 10층 이하의 층은 바닥면적 1000 m² 이내마다 구획한다.

③ 11층 이상의 층은 바닥면적 200 m² 이내마다 구획한다.

④ 벽 및 반자에 실내에 접하는 부분의 마감이 불연재료이고, 스프링클러소화설비가 설치된 11층 이상의 층은 600 m² 이내마다 구획한다.

[해설]

■ 방화구획

1) 화재 발생 시 인접구역의 화염 확산을 방지하기 위해 구획하는 것(면적별, 층별, 용도별 구획)

2) 방화구획의 기준

구획의 종류	구획의 단위	구획의 구조
면적별 구획	① 10층 이하의 층은 바닥면적 1000 m² 이내마다 구획 ② 11층 이상의 층은 바닥면적 200 m² 이내마다 구획(불연재료 : 500 m²) → 스프링클러 등 자동식 소화설비의 설치 부분은 위 면적의 3배 적용	① 내화구조 바닥, 벽 ② 60분+ 방화문 또는 60분 방화문 ③ 자동방화 셔터
층별 구획	매 층마다 구획(지하 1층에서 지상으로 직접 연결하는 경사로 부위 제외)	
용도별 구획	주요구조부를 내화구조로 해야 하는 대상 부분과 기타 부분 사이의 구획	

※ 스프링클러설비가 설치되어 있으며 11층 이상이고 불연재료로 되어 있기 때문에 500 m²의 3배를 적용한 1500 m²마다 구획한다.

35 광전식분리형 감지기의 설치기준으로 옳은 것은?

① 광축은 나란한 벽으로부터 1 m 이상 이격하여 설치할 것
② 광축의 높이는 천장 등 (천장의 실내에 면한 부분) 높이의 80 % 이상일 것
③ 감지기의 송광부와 수광부는 설치된 뒷벽으로부터 0.6 m 이내 위치에 설치할 것
④ 감지기의 수광면은 햇빛을 직접 받는 곳에 설치할 것

해설

■ 광전식 분리형 감지기의 설치기준
1) 감지기 수광면은 햇빛을 직접 받지 않도록 설치
2) 광축(송광면과 수광면의 중심을 연결한 선)은 나란한 벽으로부터 0.6 m 이상 이격하여 설치
3) 감지기의 송광부와 수광부는 설치된 뒷벽으로부터 1 m 이내 위치에 설치
4) 광축의 높이는 천장 등 높이의 80 % 이상
5) 감지기의 광축의 길이 공칭감시거리 범위 이내

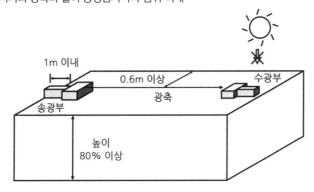

36 근린생활시설로서 13층(지하층은 제외한다)의 소방대상물 5층에서 발화한 경우 비상방송설비 우선경보 해당 층의 기준으로 옳은 것은?

① 발화층, 그 직상층
② 발화층, 그 직하층
③ 발화층 및 그 직상 4개 층
④ 발화층, 그 직상층 및 기타의 지하층

Tip
[일제경보방식]
화재 시 전 층에 경보하는 방식(소규모)

◼ 우선경보방식

1) 대상 : 층수가 11층(공동주택 16층) 이상의 특정소방대상물
2) 경보방식

우선경보방식	
2층 이상	발화층 + 직상 4개 층
1층	발화층 + 직상 4개 층 + 지하층
지하층	발화층 + 직상층 + 기타 지하층

37 펌프의 체절운전 시 수온이 상승하면 펌프에 무리가 발생하므로 순환배관상의 어떠한 밸브를 통해 과압을 방출하여 수온상승을 방지한다. 이 밸브를 고르시오.

① 개폐밸브　　　　　② 후드밸브
③ 체크밸브　　　　　④ 릴리프밸브

[기어식 버터플라이밸브]

해 설

◼ 밸브

1) 풋밸브(후드밸브) : 수원이 펌프보다 아래에 설치된 경우 흡입 측 배관의 말단에 설치하며, 이물질을 제거하는 여과기능과 흡입배관 내의 물이 수조로 다시 빠져 나가는 것을 막는 체크기능이 있다.
2) 개폐밸브 : 개폐밸브는 배관을 열고 닫음으로써 유체의 흐름을 제어하는 밸브이다.
　(1) 개폐표시형 개폐밸브 : 개폐표시형 개폐밸브는 외부에서도 밸브가 개방되었는지 폐쇄되었는지를 쉽게 알 수 있는 밸브를 말한다. 옥내소화전의 급수배관에 개폐밸브를 설치할 때는 개폐표시형을 설치하여야 하며, 주로 OS & Y밸브와 버터플라이밸브가 설치되나 버터플라이밸브는 마찰손실이 크므로 펌프 흡입 측에는 설치할 수 없다.
　(2) 체크밸브 : 배관 내 유체의 흐름을 한쪽 방향으로만 흐르게 하는 기능(역류방지 기능)이 있는 밸브를 체크밸브라고 하며, 현재 많이 사용하고 있는 체크밸브는 스모렌스키 체크밸브와 스윙체크밸브가 있다.
　　① 스모렌스키 체크밸브 : 스프링이 내장된 리프트 체크밸브로서 평상시에는 체크밸브 기능을 하며, 수격이 발생할 수 있는 펌프 토출 측과 연결송수구 연결 배관 등에 주로 설치된다.
　　② 스윙체크밸브 : 주 급수배관이 아닌 물올림장치의 펌프 연결배관, 유수검지장치의 주변배관과 같은 유량이 적은 배관상에 사용된다.
3) 릴리프밸브 : 순환배관에 설치하여 설정압력 이상이 되면 과압을 방출하여 수온상승 방지

[레버식 버터플라이밸브]

정답

37 ④

38 다음 중 인명구조기구가 아닌 것은?

① 방열복
② 인공소생기
③ 방화복
④ 자동제세동기(AED)

> **해설**

■ 용도 및 장소별 인명구조기구

특정소방대상물	종류	설치수량
지하층을 포함하는 층수가 7층 이상인 관광호텔 및 5층 이상인 병원	방열복, 방화복 공기호흡기 인공소생기	각 2개 이상 (병원의 경우 인공소생기 설치 제외 가능)
수용인원 100명 이상의 영화상영관, 대규모 점포, 지하역사, 지하상가	공기호흡기	층마다 2개 이상
이산화탄소소화설비 설치대상	공기호흡기	이산화탄소소화설비가 설치된 장소의 출입구 외부 인근에 1대 이상

39 객석 내의 통로의 직선부분의 길이가 85 m이다. 객석유도등을 몇 개 설치하여야 하는가?

① 17개
② 19개
③ 21개
④ 22개

> **해설**

■ 유도등
1) 피난구유도등 : 바닥으로부터 1.5 m 이상 높이에 설치
2) 통로유도등 : 복도, 거실, 계단으로 구분
3) 객석유도등

$$설치개수 = \frac{객석 통로 직선부분길이}{4} - 1$$

$$= \frac{85}{4} - 1 = 20.25 = 21개$$

40 **유도표지의 설치기준 중 틀린 것은?**

① 계단에 설치하는 것을 제외하고는 각층마다 복도 및 통로의 각 부분으로부터 하나의 유도 표지까지의 보행거리가 15 m 이하가 되는 곳에 설치한다.
② 피난구유도표지는 출입구 상단에 설치한다.
③ 통로유도표지는 바닥으로부터 높이 1.5 m 이하의 위치에 설치한다.
④ 주위에는 이와 유사한 등화·광고물·게시물 등을 설치하지 않는다.

해설

■ 유도표지의 설치기준
1) 계단에 설치하는 것을 제외하고는 각 층마다 복도 및 통로의 각 부분으로부터 하나의 유도표지까지의 보행거리가 15 m 이하가 되는 곳과 구부러진 모퉁이의 벽에 설치
2) 주위에는 이와 유사한 등화·광고물·게시물 등을 설치하지 아니할 것
3) 유도표지는 부착판 등을 사용하여 쉽게 떨어지지 아니하도록 설치

41 **국가는 소방업무에 필요한 경비의 일부를 국고에서 보조한다. 국고보조 대상 소화활동장비 및 설비로서 옳지 않은 것은?**

① 소방헬리콥터 및 소방정 구입
② 소방전용 통신설비 설치
③ 소방관서 직원숙소 건립
④ 소방자동차 구입

해설

■ 국고보조
1) 다음 각 목의 소방활동장비와 설비의 구입 및 설치
　① 소방자동차
　② 소방헬리콥터 및 소방정
　③ 소방전용통신설비 및 전산설비
　④ 그 밖에 방화복 등 소방활동에 필요한 소방장비
2) 소방관서용 청사의 건축(「건축법」 제2조 제1항 제8호에 따른 건축을 말한다)
　① 소방활동장비 및 설비의 종류와 규격은 행정안전부령으로 정한다.
　② 국고보조 대상사업의 기준보조율은 「보조금 관리에 관한 법률 시행령」에서 정하는 바에 따른다.

정답

40 ③　41 ③

용도	노유자시설
규모	지상 12층 / 지하 4층, 연면적 15000 m^2
소방시설	소화기, 스프링클러설비, 옥내소화전설비, 자동화재탐지설비, 연결송수관설비, 유도등, 비상조명등, 휴대용비상조명등, 비상방송설비
소방안전관리자 현황	선임일자 : 2024년 9월 11일
	강습교육 : 2024년 7월 15일 이수

※ 상기 조건을 제외한 나머지 조건은 무시한다.

42 소방안전관리자의 실무교육 이수기한을 고르시오.

① 2024년 10월 11일   ② 2024년 12월 31일
③ 2026년 7월 14일   ④ 2026년 9월 10일

해설

▣ 실무교육 이수기한
강습교육을 받은 후 1년 이내에 선임되었기 때문에 선임 후 6개월 이내의 최초교육은 받지 않아도 되며, 교육날을 기준으로 2년마다 1번씩 받는다.

43 소방안전관리자의 선임신고 기한을 고르시오.

① 2024년 9월 24일   ② 2024년 5월 24일
③ 2026년 9월 24일   ④ 2025년 9월 24일

해설

▣ 소방안전관리자 선임
1) 선임권자 : 관계인
2) 선임기한 : 30일 이내에 선임하고, 14일 이내에 소방본부장이나 소방서장에게 신고

선임기준	해당일
신축·증축·개축·재축·대수선 또는 용도변경 시 신규 선임	특정소방대상물의 사용승인일
증축 또는 용도변경	특정소방대상물의 사용승인일 또는 용도변경 사실을 건축물관리대장에 기재한 날
양수하거나 경매, 환가, 압류재산의 매각	• 해당 권리를 취득한 날 • 관할 소방서장으로부터 소방안전관리자 선임안내를 받은 날

정답
42 ③   43 ①

선임기준	해당일
공동 소방안전관리대상이 되는 경우	소방본부장 또는 소방서장이 공동 소방안전관리대상으로 지정한 날
소방안전관리자를 해임, 퇴직 등으로 업무가 종료된 경우	소방안전관리자를 해임, 퇴직 등 근무를 종료한 날
소방안전관리업무를 대행하는 자를 감독하는 자를 소방안전관리자로 선임한 경우로서 그 업무대행 계약이 해지 또는 종료된 경우	소방안전관리업무 대행이 끝난 날
소방안전관리자 자격이 정지 또는 취소된 경우	소방안전관리자 자격이 정지 또는 취소된 날

※ 소방안전관리자 선임일자 2024년 9월 11일로부터 14일 이내에 신고를 한다.

44 해당 소방안전관리대상물의 등급과 소방안전관리보조자 선임인원을 옳게 짝지은 것을 고르시오.

① 1급, 소방안전관리보조자 선임대상이 아님
② 1급, 1명
③ 2급, 소방안전관리보조자 선임대상이 아님
④ 2급, 1명

해설

■ 소방안전관리대상물 등급

특급 대상물	1급 대상물	2급 대상물	3급 대상물
[아파트] • 50층 이상 (지하층 제외) • 높이 200 m 이상 (지상부터)	[아파트] • 30층 이상 (지하층 제외) • 높이 120 m 이상 (지상부터)	• 지하구 • 공동주택 (의무관리) • 보물·국보목조건축물 • 옥내·스프링클러·간이스프링클러·물분무등 설치대상 (호스릴 제외)	자동화재탐지설비 설치된 특정소방대상물
[아파트 제외한 모든 건축물] • 30층 이상 (지하층 포함) • 높이 120 m 이상 (지상부터)	[아파트 제외한 모든 건축물] • 11층 이상 (지하층 제외)		
[모든 건축물] • 연면적 10만 m² 이상	[모든 건축물] • 연면적 1만 5천 m² 이상		
-	[가연성 가스] 1000 t 이상	[가연성 가스] 100 ~ 1000 t 가스제조설비 도시가스 허가시설	-

※ 11층 이상인 건축물이기 때문에 1급 대상물이다.

정답
44 ②

■ 소방안전관리보조자 선임대상

보조자선임대상 특정소방대상물	최소 선임기준
300세대 이상인 아파트	1명(300세대마다 1명 이상 추가)
연면적이 1만 5천 m² 이상인 특정소방대상물(아파트 및 연립주택 제외)	1명(연면적 1만 5천 m²마다 1명 이상 추가) 다만 특정소방대상물의 종합방재실에 자위소방대가 24시간 상시 근무하고, 소방자동차 중 소방펌프차, 소방물탱크차, 소방화학차, 무인방수차를 운용하는 경우 3000 m² 초과마다 1명 추가 선임한다.
1) 공동주택 중 기숙사 2) 의료시설 3) 노유자시설 4) 수련시설 5) 숙박시설(숙박시설로 사용되는 바닥면적의 합계가 1500 m² 미만이고 관계인이 24시간 상시 근무하고 있는 숙박시설은 제외)	1명 다만 해당 특정소방대상물이 소재하는 지역을 관할하는 소방서장이 야간이나 휴일에 해당 특정소방대상물이 이용되지 않는다는 것을 확인한 경우에는 선임하지 않을 수 있다.

※ 연면적 15000 m² 이상인 특정소방대상물이므로 소방안전관리보조자 선임대상이며 15000/15000 = 1명을 선임한다.

45 다음 중 방화셔터의 구성방식에 대한 설명으로 틀린 것은?

방화셔터는 화재 발생 시 (㉠)감지기에 의해 일부폐쇄, (㉡)감지기 동작 시 완전폐쇄가 이루어질 수 있는 구조를 가질 것

① ㉠ 연기, ㉡ 열   ② ㉠ 연기, ㉡ 불꽃
③ ㉠ 열, ㉡ 연기   ④ ㉠ 열, ㉡ 불꽃

해설

■ 자동방화셔터
방화구획의 용도로, 내화구조로 된 벽을 설치하지 못하는 경우 화재 시 연기 및 열을 감지하여 자동 폐쇄되는 것
1) 자동방화셔터의 설치기준 및 구조
  ⑴ 피난이 가능한 60분+ 방화문 또는 60분 방화문으로부터 3 m 이내에 별도로 설치할 것
  ⑵ 전동방식이나 수동방식으로 개폐할 수 있을 것
  ⑶ 불꽃감지기 또는 연기감지기 중 하나와 열감지기를 설치할 것
  ⑷ 불꽃이나 연기를 감지한 경우 일부 폐쇄되는 구조일 것
  ⑸ 열을 감지한 경우 완전 폐쇄되는 구조일 것
2) 자동방화셔터 성능기준 및 구성
  ⑴ 자동방화셔터는 상기 1)에 따른 구조를 가진 것이어야 하나, 수직방향으로 폐쇄되는 구조가 아닌 경우는 불꽃, 연기 및 열감지에 의해 완전폐쇄가 될 수 있는 구

Tip

[방화문]
화재의 확대, 연소를 방지하기 위해 방화구획의 개구부에 설치하는 문이다.

정답
45 ①

조여야 한다.

⑵ 자동방화셔터의 상부는 상층 바닥에 직접 닿도록 하여야 하며, 그렇지 않은 경우 방화구획 처리를 하여 연기와 화염의 이동통로가 되지 않도록 하여야 한다.

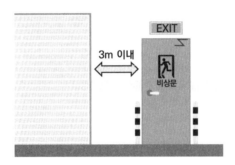

46 침대가 없는 숙박시설로서 종사자의 수는 10명이고, 바닥면적이 1500 m²일 때 수용인원은?

① 500명　　　　　　② 510명
③ 520명　　　　　　④ 530명

해설

■ 수용인원 산정방법

구분	조건	수용인원 산정방법
숙박 시설	침대 있음	종사자 수 + 침대 수(2인용 : 2인)
	침대 없음	종사자 수 + 바닥면적 합계 / 3 m²

1) 바닥면적 산정 시 복도, 계단 및 화장실은 바닥면적을 포함하지 않는다.
2) 소수점 이하의 수는 반올림한다.

$$\therefore \text{종사자 수} + \frac{\text{바닥면적 합계}}{3m^2} = 10 + \frac{1500}{3} = 510\text{명}$$

47 다음 소방시설의 종류 중 피난기구가 아닌 것을 고르시오.

① 공기호흡기
② 피난사다리
③ 구조대
④ 완강기

Tip

[숙박시설 이외일 경우 수용인원 산정]

• 강의실 · 교무실 · 상담실 · 실습실 · 휴게실용도로 쓰이는 특정소방대상물 : 바닥면적 합계 / 1.9 m²
• 강당 · 문화 및 집회시설 · 운동시설 · 종교시설 : 바닥면적 합계 / 4.6 m²
• 관람석에 고정식 의자가 있는 경우 : 의자 수
• 관람석에 긴 의자가 있는 경우 : 바닥면적 합계 / 3 m²

정답

46 ② 47 ①

▣ 피난구조설비

1) 피난기구
   ① 피난사다리   ② 구조대
   ③ 완강기   ④ 간이완강기 등
2) 인명구조기구
   ① 방열복   ② 방화복
   ③ 공기호흡기   ④ 인공소생기
3) 유도등
   ① 피난구유도등   ② 통로유도등
   ③ 객석유도등   ④ 피난유도선
   ⑤ 유도표지
4) 비상조명등 및 휴대용 비상조명등

48 특수장소에 대한 소방계획은 누가 작성하는가?

① 소방서장   ② 소방안전관리자
③ 소방안전협회장   ④ 소방설비기사

▣ 소방안전관리자

소방계획은 소방안전관리자가 선임되어 건물 내 화재로 인한 재난발생을 예방·대비하고 화재 발생 시 신속하고 효율적으로 대응·복구함으로써 인명 및 재산의 피해를 최소화하기 위해 소방계획을 작성·운영하고 유지·관리하는 위험관리계획

49 3선식 유도등이 자동으로 점등되어야 하는 경우가 아닌 것을 고르시오.

① 비상경보설비의 발신기가 작동되는 때
② 자동화재탐지설비의 감지기 또는 발신기가 작동되는 때
③ 상용전원이 정전되거나 전원선이 단선되는 때
④ 수동소화설비가 작동했을 때

▣ 3선식 유도등

1) 자동화재탐지설비의 감지기 또는 발신기가 작동되는 때
2) 비상경보설비의 발신기가 작동되는 때
3) 상용전원이 정전되거나 전원선이 단선되는 때
4) 방재업무를 통제하는 곳 또는 전기실의 배전반에 수동으로 점등하는 때
5) 자동소화설비가 작동되는 때

Tip

[유도등 배선]
(1) 유도등은 전기회로에 점멸기를 설치하지 않고 항상 점등 상태(2선식) 유지
(2) 특정소방대상물 또는 그 부분에 사람이 없거나 다음의 어느 하나에 해당하는 장소로서 3선식 배선에 따라 상시 충전되는 구조인 경우에는 제외
   ① 외부의 빛에 의해 피난구 또는 피난방향을 쉽게 식별할 수 있는 장소
   ② 공연장, 암실(暗室) 등으로서 어두워야 할 필요가 있는 장소
   ③ 특정소방대상물의 관계인 또는 종사원이 주로 사용하는 장소

정답

48 ②	49 ④

50 소방안전관리자를 선임할 때에는 누구에게 신고하여야 하는가?

① 경찰서장　　　　　　　　② 시·도지사

③ 행정안전부장관　　　　　④ 소방서장

해설

■ 소방안전관리자

해당하는 날로부터 30일 이내에 선임하고, 14일 이내에 소방본부장이나 소방서장에게 신고

선임기준	해당일
신축·증축·개축·재축·대수선 또는 용도변경 시 신규 선임	특정소방대상물의 사용승인일
증축 또는 용도변경	특정소방대상물의 사용승인일 또는 용도변경 사실을 건축물관리대장에 기재한 날
양수하거나 경매, 환가, 압류재산의 매각	해당 권리를 취득한 날 관할 소방서장으로부터 소방안전관리자 선임 안내를 받은 날
공동 소방안전관리대상이 되는 경우	소방본부장 또는 소방서장이 공동 소방안전관리 대상으로 지정한 날
소방안전관리자를 해임, 퇴직 등으로 업무가 종료된 경우	소방안전관리자를 해임, 퇴직 등 근무를 종료한 날
소방안전관리업무를 대행하는 자를 감독하는 자를 소방안전관리자로 선임한 경우로서 그 업무대행 계약이 해지 또는 종료된 경우	소방안전관리업무 대행이 끝난 날
소방안전관리자 자격이 정지 또는 취소된 경우	소방안전관리자 자격이 정지 또는 취소된 날

실전모의고사

01 다음은 어떤 점검을 하고 있는 것인지 알맞게 짝지어진 것을 고르시오.

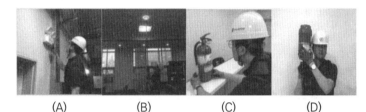

(A)　　　　　(B)　　　　　(C)　　　　　(D)

※ 출처 : 한국소방안전원

① A : 소화기 약제상태 점검, B : 화재감지기 작동점검,
　 C : 소화기 충압상태점검, D : 비상조명등 점검
② A : 비상조명등 점검, B : 화재감지기 작동점검,
　 C : 소화기충압상태점검, D : 소화기 약제상태점검
③ A : 비상조명등 점검, B : 화재감지기 작동점검,
　 C : 소화기 약제상태 점검, D : 소화기 충압상태점검
④ A : 화재감지기 작동점검, B : 비상조명등 점검,
　 C : 소화기충압상태점검, D : 소화기 약제상태점검

해설

■ 점검사진

소화기 총압상태 점검

소화기 약제상태 점검

소화전함 점검

동력제어반 작동점검

소화전 방수시험 실시

화재수신기 작동점검

정답

01 ②

화재감지기 작동점검 　　 피난구유도등 점검 　　 비상조명등 점검

※ 출처 : 한국소방안전원

02 다음 사진에 해당하는 소화기구는?

① 간이소화용구　　　② 자동확산소화기
③ K급소화기　　　　④ 할론소화기

해 설

▣ 소화기구

K급소화기　　　간이소화용구

03 건축물의 주요구조부에 해당되지 않는 것은?

① 내력벽
② 기둥
③ 주계단
④ 작은 보

y

Tip

[리모델링]
건축물의 노후화를 억제하거
나 기능 향상 등을 위하여 대
수선하거나 건축물의 일부를
증축 또는 개축하는 행위

정답

02 ②	03 ④

y

해설

▣ 주요구조부

1) 건축물의 구조 내력상의 주요한 부분

2) 주요구조부의 종류

    ⑴ 벽   ⑵ 보(작은 보 제외)

    ⑶ 기둥(사잇기둥 제외)   ⑷ 바닥(최하층 바닥 제외)

    ⑸ 지붕틀(차양 제외)   ⑹ 주계단(옥외계단 제외)

---

04 다음 중 종합점검에 해당하는 기술인력이 아닌 자를 고르시오.

① 관리업에 등록된 소방시설관리사

② 소방안전관리자로 선임된 소방시설관리사

③ 소방안전관리자로 선임된 소방기술사

④ 특급 소방안전관리자

해설

▣ 소방시설 설치 및 관리에 관한 법률 시행규칙 [별표 3]

소방시설등 자체점검의구분및대상, 점검자의 자격, 점검 장비,
점검 방법 및 횟수 등 자체점검 시 준수해야 할 사항

나. 종합점검은 다음 어느 하나에 해당하는 기술인력이 점검할 수 있다.

    1) 관리업에 등록된 소방시설관리사

    2) 소방안전관리자로 선임된 소방시설관리사 및 소방기술사

---

05 다음과 같은 소방대상물의 수평적 경계구역을 산정하시오. (단, 한 변의 길이는 50 m 이하이다)

- 1층의 바닥면적 : 1100 m^2
- 2층의 바닥면적 : 900 m^2
- 3층의 바닥면적 : 700 m^2
- 4층의 바닥면적 : 300 m^2
- 5층의 바닥면적 : 150 m^2

① 6개   ② 7개

③ 10개   ④ 12개

해설

▣ 자동화재탐지설비 수평적경계구역

경계구역 : 특정소방대상물 중 화재신호를 발신하고 그 신호를 수신 및 유효하게 제어할 수 있는 구역

Tip

[수직적 경계구역]

계단 · 경사로(에스컬레이터 경사로 포함) · 엘리베이터 승강로(권상기실이 있는 경우에는 권상기실) · 린넨슈트 · 파이프 피트 및 덕트 기타 이와 유사한 부분은 별도로 경계구역을 설정하되, 하나의 경계구역은 높이 45 m 이하(계단 및 경사로에 한한다)로 하고, 지하층의 계단 및 경사로(지하층의 층수가 한 개 층일 경우는 제외한다)는 별도로 하나의 경계구역으로 해야 한다.

정답

04 ④   05 ②

1) 하나의 경계구역이 2개 이상의 건축물 및 각 층에 미치지 아니하도록 할 것
  (단, 500 m² 이하 범위 안에서는 2개 층을 하나의 경계구역으로 산정)
2) 하나의 경계구역의 면적은 600 m² 이하, 한 변의 길이는 50 m 이하로 할 것
  (단, 주된 출입구에서 그 내부 전체가 보이는 것에 있어서는 한 변의 길이가 50
  m의 범위 내에서 1000 m² 이하)
  (1) 1층 : 1100 ÷ 600 ≒ 2개(절상)
  (2) 2층 : 900 ÷ 600 ≒ 2개(절상)
  (3) 3층 : 700 ÷ 600 ≒ 2개(절상)
  (4) 4층 + 5층 : 1개(2개 층의 바닥면적 합계가 500 m² 이하인 경우에는 하나의 경
    계구역으로 설성 가능)
  (5) 2 + 2 + 2 + 1 = 7

06 인체 전기 감전 시 위험도를 결정하는 종류가 아닌 것을 고르시오.

① 통전전류의 크기 ② 통전시간
③ 전압의 종별 ④ 통전장소

해설

◼ 전기 감전 시 위험도
전격에 의한 인체 반응 및 사망 한계는 인체실험이 어려울 뿐 아니라 어떠한 실험결
과가 나와도 검증이 어렵다는 점과 인간의 다양성, 재해 당시 상황 등의 이유로 획일
적으로 정하기는 어렵다. 다만 그 위험도는 아래에 의해 결정된다.
• 통전전류의 크기
• 통전시간
• 통전경로
• 전압의 종별

07 가연성 가스가 아닌 것은?

① 암모니아 ② 아세틸렌
③ 메탄(메테인) ④ 네온

해설

◼ 가연물이 될 수 없는 물질

구분	해당 물질	이유
산소와 결합하여 더 이상 산소와 반응하지 않는 물질	물(H_2O) 이산화탄소(CO_2) 산화알루미늄(Al_2O_3)	산소와 이미 결합되어 산화반응을 하지 않음 → 완전연소생성물 산소공급원
0족의 불활성 기체	헬륨(He), 네온(Ne) 아르곤(Ar), 크립톤(Kr) 크세논(Xe), 라돈(Rn)	최외곽 전자가 8개로 안정되어 더 이상 화학 반응을 하지 않음

[질소]
질소는 흡열반응 물질로 열을 흡수하여 주변을 냉각시켜서 화학 반응이 원활하지 않기 때문에 불연성 가스이다.

정답
06 ④ 07 ④

용도	아파트
규모	지상 27층, 지하 3층 건축물의 높이 : 125 m 연면적 : 60000 m², 900세대
소방시설설치현황	소화기, 옥내소화전설비, 스프링클러설비, 자동화재탐지설비, 유도등, 연결송수관설비, 비상방송설비
소방안전관리자 선임일자	2024년 11월 05일

※ 상기조건을 제외한 나머지는 무시한다.

08 해당 소방안전관리대상물의 등급을 고르시오.

① 특급 소방안전관리대상물
② 1급 소방안전관리대상물
③ 2급 소방안전관리대상물
④ 3급 소방안전관리대상물

해설

■ 소방안전관리대상물

특급 대상물	1급 대상물	2급 대상물	3급 대상물
[아파트] • 50층 이상 (지하층 제외) • 높이 200 m 이상 (지상부터)	[아파트] • 30층 이상 (지하층 제외) • 높이 120 m 이상 (지상부터)	• 지하구 • 공동주택 (의무관리) • 보물·국보목조건축물 • 옥내·스프링클러·간이스프링클러·물분무등 설치대상 (호스릴 제외)	자동화재탐지설비 설치된 특정소방대상물
[아파트 제외한 모든 건축물] • 30층 이상 (지하층 포함) • 높이 120 m 이상 (지상부터)	[아파트 제외한 모든 건축물] • 11층 이상 (지하층 제외)		
[모든 건축물] • 연면적 10만 m² 이상	[모든 건축물] • 연면적 1만 5천 m² 이상		
–	[가연성 가스] 1000 t 이상	[가연성 가스] 100 ~ 1000 t 가스제조설비 도시가스 허가시설	–

※ 높이가 120 m 이상인 아파트이므로 1급 소방안전관리대상물이다.

정답

08 ②

09 소방안전관리자의 선임 후 최초 실무교육 이수기한을 고르시오. (단, 소방안전관리자로 선임 전 1년 이내에 강습 및 실무교육의 이력이 없다)

① 2025년 5월 04일 　　② 2025년 11월 04일
③ 2026년 11월 04일 　　④ 2026년 1월 04일

[실무교육 이수기한]
1년 이내에 강습 및 실무교육의 이력이 없으므로 선임된 날부터 6개월 이내인 2025년 5월 4일까지 받아야 한다.

해설

■ 실무교육 이수기한

강습 및 실무교육		내용
실시권자		소방청장(한국소방안전원장에게 위임)
대상자		1) 소방안전관리자 및 소방안전관리보조자 2) 소방안전관리 업무를 대행하는 자를 감독할 수 있는 소방안전관리자 3) 소방안전관리자의 자격을 인정받으려는 자
실무교육 통보		교육실시 30일 전
실무교육 주기		선임된 날부터 6개월 이내, 교육실시 후에는 2년마다 실시 다만 강습교육 또는 실무교육 수료 후 1년 이내에 선임 시, 6개월 교육은 면제된다(즉, 선임 후 2년마다 실무교육 실시).
실무 교육 미이행 시	벌칙	과태료 50만 원
	자격 정지	1) 처분권자 : 소방청장 2) 1년 이하의 기간을 정하여 자격을 정지시킬 수 있음 　(1) 1차 : 경고(시정명령) 　(2) 2차 : 자격정지(3개월) 　(3) 3차 : 자격정지(6개월)

10 소방안전관리보조자 인원으로 알맞은 것을 고르시오.

① 2명 　　② 3명
③ 4명 　　④ 5명

[소방안전관리보조자]
900세대이므로
900/300 = 3명 선임한다.
소방안전관리보조자는 계산 결과 소숫점은 절삭한다.

해설

■ 소방안전관리보조자 선임대상

보조자선임대상 특정소방대상물	최소 선임기준
300세대 이상인 아파트	1명(300세대마다 1명 이상 추가)
연면적이 1만 5천 m^2 이상인 특정소방대상물(아파트 및 연립주택 제외)	1명(연면적 1만 5천 m^2마다 1명 이상 추가) 다만 특정소방대상물의 종합방재실에 자위소방대가 24시간 상시 근무하고, 소방자동차 중 소방펌프차, 소방물탱크차, 소방화학차, 무인방수차를 운용하는 경우 3000 m^2 초과마다 1명 추가 선임한다.

정답

09 ① 　10 ②

보조자선임대상 특정소방대상물	최소 선임기준
1) 공동주택 중 기숙사 2) 의료시설 3) 노유자시설 4) 수련시설 5) 숙박시설(숙박시설로 사용되는 바닥면적의 합계가 1500 m² 미만이고 관계인이 24시간 상시 근무하고 있는 숙박시설은 제외)	1명 다만 해당 특정소방대상물이 소재하는 지역을 관할하는 소방서장이 야간이나 휴일에 해당 특정소방대상물이 이용되지 않는다는 것을 확인한 경우에는 선임하지 않을 수 있다.

※ 300세대 이상인 아파트이므로 소방안전관리보조자 선임대상이며 900/300 = 3명을 선임한다.

11 방화구획의 설치기준 중 스프링클러설비, 기타 이와 유사한 자동식소화설비를 설치한 10층 이하의 층은 몇 m²마다 구획하는지 고르시오.

① 600
② 1000
③ 1500
④ 3000

해설

■ 방화구획의 기준

구획의 분류	구획단위
면적별	• 지상 10층 이하 : 바닥면적 1000 m² 이내마다 구획 • 지상 11층 이상 : 바닥면적 200 m² 이내마다 구획 • 지상 11층 이상 → 마감재가 불연재료 : 바닥면적 500 m² 이내마다 구획 • 자동식 소화설비구역은 상기바닥면적 × 3배 이내마다 구획
층별	• 매 층마다 구획할 것 (단, 지하 1층에서 지상으로 직접 연결하는 경사로 부위는 제외)
용도별	• 필로티나 그 밖에 이와 비슷한 구조(벽면적의 2분의 1 이상이 그 층의 바닥면에서 위층 바닥 아래면까지 공간으로 된 것만 해당한다)의 부분을 주차장으로 사용하는 경우 그 부분은 건축물의 다른 부분과 구획할 것 • 주요 구조부를 내화구조로 하여야 하는 대상 부분과 기타 부분 사이
수직 관통부별	• 수직 관통 부분과 타 부분을 내화성능 벽이나 방화문으로 구획 • 계단실, 승강로, 린넨슈트, 에스컬레이터, 파이프 피트 등

※ 10층 이하의 층이기 때문에 바닥면적 1000 m² 이내마다 구획하지만 자동식소화설비를 설치하였으므로 3배인 3000 m² 이내마다 구획한다.

정답

11 ④

12 옥내소화전설비의 방수압력이 0.2 MPa일 때 방수량을 구하고 정상 여부를 고르시오.

① 130 L/min, 정상 ② 155 L/min, 정상
③ 170 L/min, 정상 ④ 350 L/min, 정상

Tip
[관경]
D : 관경 또는 노즐의 구경
옥내소화전 : 13 mm
옥외소화전 : 19 mm
분당 130 L/min 이상이어
야 하므로 정상이다.

해설

■ 방수압력 및 방수량 측정

1) 반드시 직사형 관창을 이용하여 측정
2) 초기 방수 시 물속에 존재하는 이물질이나 공기 등이 완전히 배출된 후에 측정하여야 방수압력측정계(피토게이지)의 입구 구경이 작기 때문에 발생하는 막힘이나 고장 방지 가능
3) 방수압력측정계(피토게이지)는 봉상주수 상태에서 직각으로 측정
4) 노즐선단에 방수압력측정계(피토게이지)를 노즐구경 절반(D/2)에 위치
5) 방수량 : $Q = 2.065 \times D^2 \times \sqrt{p}$

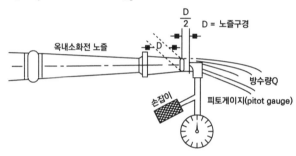

$$\therefore Q = 2.065 \times 13^2 \times \sqrt{0.2} = 155 L/min$$

13 소방계획의 주요원리로 틀린 것을 고르시오.

① 종합적 안전관리 ② 통합적 안전관리
③ 상대적 발전모델 ④ 지속적 발전모델

해설

■ 소방계획

(1) 종합적 안전관리
　　① 모든 형태의 위험을 포괄
　　② 재난의 전 주기적(예방 → 대응 → 복구) 단계의 위험성평가
(2) 통합적 안전관리
　　① 외부 : 거버넌스(정부 – 대상처 – 전문기관) 및 안전관리 네트워크 구축
　　② 내부 : 협력 및 파트너십 구축, 전원 참여
(3) 지속적 발전모델 PDCA CYCLE(계획, 이행, 모니터링, 개선)

정답
12 ②　13 ③

14 건축법에서 사용하는 용어 중 "이전"의 정의로 알맞은 것을 고르시오.

① 기존 건축물이 있는 대지에서 건축물의 건축면적, 연면적, 층수 또는 높이를 늘리는 것
② 건축물이 천재지변이나 그 밖의 재해(災害)로 멸실된 경우 그대지에 다시 축조하는 것
③ 건축물의 주요구조부를 해체하지 아니하고 같은 대지의 다른 위치로 옮기는 것
④ 건축물이 없는 대지(기존 건축물이 해체되거나 멸실된 대지를 포함한다)에 새로 건축물을 축조(築造)하는 것

해설

■ **건축**

1) 신축
건축물이 없는 대지(기존 건축물이 해체되거나 멸실된 대지를 포함한다)에 새로 건축물을 축조하는 것(부속건축물만 있는 대지에 새로 주된 건축물을 축조하는 것을 포함하되, 개축 또는 재축하는 것은 제외한다)
2) 증축
기존 건축물이 있는 대지에서 건축물의 건축면적, 연면적, 층수 또는 높이를 늘리는 것
3) 개축
기존 건축물의 전부 또는 일부(내력벽·기둥·보·지붕틀 중 셋 이상이 포함되는 경우를 말한다)를 해체하고 그 대지에 종전과 같은 규모의 범위에서 건축물을 다시 축조하는 것
4) 재축
건축물이 천재지변이나 그 밖의 재해(災害)로 멸실된 경우 그 대지에 다음의 요건을 모두 갖추어 다시 축조하는 것
⑴ 연면적 합계는 종전 규모 이하로 할 것
⑵ 동수, 층수 및 높이는 다음의 어느 하나에 해당할 것
① 동수, 층수 및 높이가 모두 종전 규모 이하일 것
② 동수, 층수 또는 높이의 어느 하나가 종전 규모를 초과하는 경우에는 해당 동수, 층수 및 높이가 건축법령에 모두 적합할 것
5) 이전
건축물의 주요구조부를 해체하지 아니하고 같은 대지의 다른 위치로 옮기는 것

15 목재 화재 시 다량의 물을 부려 소화하고자 한다. 이때 가장 큰 소화효과는?

① 제거소화효과   ② 냉각소화효과
③ 부촉매소화효과   ④ 희석소화효과

Tip

[대수선]
건축물의 기둥, 보, 내력벽, 주계단 등의 구조나 외부 형태를 수선·변경하거나 증설하는 것으로서 대통령령으로 정하는 다음 어느 하나에 해당하는 것으로서 증축·개축 또는 재축에 해당하지 아니하는 것을 말한다.

⑴ 내력벽을 증설 또는 해체하거나 그 벽면적을 30 m² 이상 수선 또는 변경하는 것
⑵ 기둥을 증설 또는 해체하거나 세 개 이상 수선 또는 변경하는 것
⑶ 보를 증설 또는 해체하거나 세 개 이상 수선 또는 변경하는 것
⑷ 지붕틀(한옥의 경우에는 지붕틀의 범위에서 서까래는 제외한다)을 증설 또는 해체하거나 세 개 이상 수선 또는 변경하는 것
⑸ 방화벽 또는 방화구획을 위한 바닥 또는 벽을 증설 또는 해체하거나 수선 또는 변경하는 것
⑹ 주계단·피난계단 또는 특별피난계단을 증설 또는 해체하거나 수선 또는 변경하는 것
⑺ 다가구주택의 가구 간 경계벽 또는 다세대주택의 세대 간 경계벽을 증설 또는 해체하거나 수선 또는 변경하는 것
⑻ 건축물의 외벽에 사용하는 마감재료를 증설 또는 해체하거나 벽면적 30 m² 이상 수선 또는 변경하는 것

정답

14 ③   15 ②

해설

■ 물의 주된 소화효과

물은 수소결합을 하므로 비열과 증발잠열이 매우 커서 냉각소화효과가 우수하다.

구분	소화	내용
불리적 소화	냉각소화	• 점화원을 냉각하여 소화 • 주수로 물의 증발잠열(기화잠열)을 이용 • CO_2 소화설비 : 줄 - 톰슨효과에 의한 냉각 • 적용 : 스프링클러설비, 옥내·옥외소화전, 포소화설비 등
	질식소화	• 산소농도를 15 % 이하로 희박하게 하여 소화 • 유류화재에서의 포소화설비 • CO_2 소화설비 : 피복을 입혀 소화 • 적용 : 마른모래, 팽창질석, 팽창진주암
	제거소화	• 가연물을 이동·제거하여 소화 • 적용 : 산림벌목, 촛불 끄기
화학적 소화	부촉매 소화	• 연쇄반응 차단에 의한 소화 • 적용 : 할론소화설비, 청정할로겐 강화액 및 분말소화설비 등

16 정격토출압력 1 MPa의 릴리프밸브 개방압력에 해당하는 것을 고르시오.

① 1.2 MPa
② 1.5 MPa
③ 1.75 MPa
④ 2 MPa

해설

■ 펌프 성능시험

성능시험	유량	압력
체절운전	0	140 % 이하
정격운전	100 %	100 % 이상
최대운전	150 %	65 % 이상

릴리프밸브 개방압력은 정격토출압력인 1 MPa보다 크고 체절압력인 1.4 MPa보다 작아야 한다.

Tip

[릴리프밸브]
순환배관에 설치하여 설정압력 이상이 되면 과압을 방출하여 수온상승 방지

16 ①

17 다음 중 건설현장 소방안전관리자 선임 대상물은?

① 연면적 5000 m² 이상, 지하층의 층수가 2개 층 이상인 신축 건설현장
② 신축을 하려는 연면적 10000 m² 이상인 건설현장
③ 연면적 5000 m² 이상, 지상층의 층수가 10층 이상인 증축인 건설현장
④ 연면적 3000 m² 이상, 냉동창고 건설현장

> **해 설**

■ 건설현장 소방안전관리대상물
1) 신축·증축·개축·재축·이전·용도변경 또는 대수선을 하려는 부분의 연면적 15000 m² 이상인 것
2) 신축·증축·개축·재축·이전·용도변경 또는 대수선을 하려는 부분의 연면적 5000 m² 이상인 것으로서 다음 어느 하나에 해당하는 것
　⑴ 지하층의 층수가 2개 층 이상인 것
　⑵ 지상층의 층수가 11층 이상인 것
　⑶ 냉동창고, 냉장창고 또는 냉동·냉장창고

18 유도등 및 유도표지의 화재안전기술기준(NFTC 303)에 따라 운동시설에 설치하지 아니할 수 있는 유도등은?

① 통로유도등　　　　② 객석유도등
③ 대형피난구유도등　④ 중형피난구유도등

Tip

[운동시설]
운동시설은 무대가 있는 부분으로 객석유도등이 필요하다.

> **해 설**

■ 유도등

설치장소	유도등 및 유도표지
1. 공연장·집회장(종교집회장 포함)·관람장·운동시설	• 대형피난구유도등 • 통로유도등 • 객석유도등
2. 유흥주점영업시설(유흥주점영업중 손님이 춤을 출 수 있는 무대가 설치된 카바레, 나이트클럽 등 영업시설만 해당)	
3. 위락시설·판매시설·운수시설·관광숙박업·의료시설·장례식장·방송통신시설·전시장·지하상가·지하철역사	• 대형피난구유도등 • 통로유도등
4. 숙박시설(관광숙박업 외의 것)·오피스텔	• 중형피난구유도등 • 통로유도등
5. 1~3 외 건축물로서 지하층·무창층 또는 층수가 11층 이상 특정소방대상물	

설치장소	유도등 및 유도표지
6. 1 ~ 5 외 건축물로서 근린생활시설·노유자시설·업무시설·발전시설·종교시설(집회장 용도로 사용하는 부분 제외)·교육연구시설·수련시설·공장·교정 및 군사시설 (국방·군사시설 제외)·자동차정비공장·운전학원 및 정비학원·다중이용업소·복합건축물	• 소형피난구유도등 • 통로유도등
7. 그 밖의 것	• 피난구유도표지 • 통로유도표지

• 소방서장은 특정소방대상물의 위치·구조 및 설비의 상황을 판단하여 대형피난구유도등을 설치하여야 할 장소에 중형피난구유도등 또는 소형피난구유도등을 설치하게 할 수 있다.
• 복합건축물의 경우 주택의 세대 내에는 유도등을 설치하지 아니할 수 있다.

19 다음은 옥내소화전설비의 계통도이다. 계통도에서 가리키는 곳의 명칭을 고르시오.

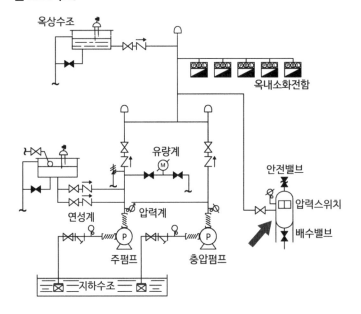

① 수격방지기
② 물올림탱크
③ 압력챔버
④ 후드밸브

🌀Tip

[물올림탱크]
수원의 위치가 펌프보다 낮은 경우에만 설치하며, 펌프 흡입 측 배관 및 펌프에 물이 없을 경우 펌프의 공회전을 방지하기 위해 보충수를 공급

정답

19 ③

■ 옥내소화전설비

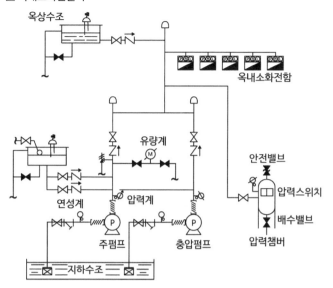

20 다음 조건을 보고 설치해야 하는 소화기 개수를 산정하시오.

> 해당 특정소방대상물의 바닥면적은 700 m²이다.
> 특정소방대상물의 용도는 관람장이다.
> 주요구조부가 내화구조이다.
> ABC분말소화기 3단위를 설치한다.

① 6개   ② 5개
③ 3개   ④ 2개

■ 소화기 개수 산정

특정소방대상물	소화기구의 능력단위(이상)
위락시설	바닥면적 30 m²마다 1단위
공연장, 집회장, 관람장, 문화재, 장례식장 및 의료시설	바닥면적 50 m²마다 1단위
근린생활시설, 판매시설, 운수시설, 숙박시설, 노유자시설, 전시장, 공동주택, 업무시설, 방송통신시설, 공장, 창고시설, 항공기 및 자동차 관련 시설 및 관광휴게시설	바닥면적 100 m²마다 1단위

Tip

[소화기구]
소화약제를 압력에 따라 방사하는 기구로서 사람이 수동으로 조작하여 소화

[설치대상]
(1) 연면적 33 m² 이상
(2) 위에 해당하지 않는 국가유산 및 가스시설, 전기저장시설
(3) 터널, 지하구

특정소방대상물	소화기구의 능력단위(이상)
그 밖의 것	바닥면적 200 m²마다 1단위

소화기구의 능력단위를 산출함에 있어서 건축물의 주요구조부가 내화구조이고, 벽 및 반자의 실내에 면하는 부분이 불연재료·준불연재료 또는 난연재료로 된 특정소방대상물에 있어서는 위 표의 기준면적의 2배를 해당 특정소방대상물의 기준면적으로 한다.

주요 구조부가 내화구조이지만, 벽 및 반자의 실내와 면하는 부분이 불연재료로 되었다는 조건이 없으므로 기준연석을 석봉한다. 따라서 700/50 = 14단위 이상이어야 한다. 이때 3단위 소화기를 설치하므로 14/3 = 4.67이며 절상하여 5개가 필요하다.

21 다음은 분말소화기 내용연수 및 폐기방법에 대한 설명이다. 옳지 않은 것을 고르시오.

① 분말소화기는 폐기물관리법에 따라 생활폐기물로 구분한다.
② 분말소화기는 신고필증(스티커)을 구매, 부착하여 지정된 장소에 배출하여야 한다.
③ 소화기의 내용연수는 10년이며, 내용연수가 지난 제품은 바로 폐기하여야 한다.
④ 지방자치단체의 조례에 따라 폐기방법이 다를 수 있다.

해설

◼ 분말소화기 내용연수
1) 소화기의 내용연수를 10년으로 하고 내용연수가 지난 제품은 교체 또는 성능검사에 합격한 소화기는 내용연수 등이 경과한 날의 다음 달부터 다음 기간 동안 사용
  (1) 내용연수 경과 후 10년 미만 : 3년
  (2) 내용연수 경과 후 10년 이상 : 1년
2) 분말소화기의 폐기방법
  폐기물관리법에 따라 생활폐기물 신고필증을 구매·부착하여 지정된 장소에 배출
  (지방자치단체 조례에 따라 폐기방법이 다를 수 있음)

정답

21 ③

22 다음 계통도를 보고 지시하는 곳에 들어갈 알맞은 것을 고르시오.

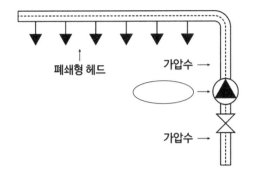

① 프리액션밸브　　② 건식밸브
③ 알람밸브　　④ 일제살수밸브

해 설

■ 습식 스프링클러설비

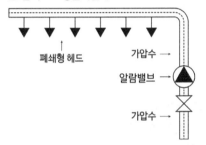

습식 밸브(알람밸브) 기준으로 1차 측과 2차 측 배관이 가압수로 유지

23 다음 위험물의 공통적인 특징으로 틀린 것을 고르시오.

경유, 중유, 휘발유

① 물보다 가볍고 증기는 공기보다 무겁다.
② 인화가 용이하다.
③ 주수소화가 가능하다.
④ 산소를 함유하고 있지 않다.

Tip

[습식 스프링클러설비]
⑴ 감지기가 없는 설비로서 구조가 간단하고, 공사비 저렴하여 가장 많이 사용
⑵ 소화가 빠르고 유지관리 용이
⑶ 동결 우려 장소 사용 제한
⑷ 헤드 오동작 시 수손피해 및 배관 부식 우려

Tip

[위험물]

구분	개요
제1류 위험물	산화성 고체 (강산화성 물질)
제2류 위험물	가연성 고체 (환원성 물질)
제3류 위험물	자연발화성 · 금수성 물질
제4류 위험물	인화성 액체
제5류 위험물	자기반응성 물질
제6류 위험물	산화성 액체

정답

22 ③　23 ③

실전모의고사 9회　**281**

해 설

■ 〈4류 위험물〉

품명		지정수량	품명		지정수량
특수인화물		50 L	제3 석유류	비수용성	2000 L
제1석유류	비수용성	200 L		수용성	4000 L
	수용성	400 L	제4석유류		6000 L
알코올류		400 L	동·식물유류		10000 L
제2석유류	비수용성	1000 L			
	수용성	2000 L			

1) 인화하기 쉬움
2) 화기 엄금, 정전기 방지 조치
3) 대부분 물보다 가볍고, 증기는 공기보다 무거움
4) 증기는 공기와 혼합되어 연소·폭발
5) 착화온도가 낮은 것은 위험
6) 소화방법
   (1) 포, CO_2, 할론, 할로겐화합물 및 불활성기체 소화약제 등으로 질식소화
   (2) 대부분 물에 녹지 않아 주수소화 불가능

24 소방안전관리대상물의 관계인은 피난 유도 안내정보 제공 방법 중 1가지의 방법을 선택하여 정기적으로 피난 유도 안내정보를 제공해야 한다. 피난유도 안내정보를 제공하는 방법으로 옳은 것을 모두 고르시오.

> ㄱ. 연 2회 피난안내 교육을 실시
> ㄴ. 반기별 1회 이상 피난안내방송을 실시
> ㄷ. 피난안내도를 층마다 보기 쉬운 위치에 게시
> ㄹ. 엘리베이터, 출입구 등 시청이 용이한 지역에 피난안내영상을 제공

① ㄱ
② ㄱ, ㄴ, ㄷ
③ ㄱ, ㄷ, ㄹ
④ ㄱ, ㄴ, ㄷ, ㄹ

해 설

■ 피난유도 안내정보
1) 연 2회 피난안내 교육을 실시하는 방법
2) 분기별 1회 이상 피난안내방송을 실시하는 방법
3) 피난안내도를 층마다 보기 쉬운 위치에 게시하는 방법
4) 엘리베이터, 출입구 등 시청이 용이한 지역에 피난안내영상을 제공하는 방법

정답

24 ③

25 건식 스프링클러설비의 작동순서로 옳은 것을 고르시오.

① 화재발생 → 헤드개방 → 2차 측 공기압 저하 → 1차 측 물의 2차 측 유수 → 클래퍼 개방 → 펌프기동

② 화재발생 → 헤드개방 → 2차 측 공기압 저하 → 클래퍼 개방 → 1차 측 물의 2차 측 유수 → 펌프기동

③ 화재발생 → 헤드개방 → 1차 측 물의 2차 측 유수 → 클리퍼 개방 → 2차 측 공기압 저하 → 펌프기동

④ 화재발생 → 헤드개방 → 클래퍼 개방 → 2차 측 공기압 저하 → 1차 측 물의 2차 측 유수 → 펌프기동

해설

■ 건식 스프링클러설비

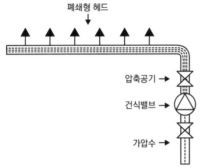

1) 화재발생
2) 열에 의해 폐쇄형 헤드 개방 및 압축공기 방출
3) 2차 측 배관 압력 저하
4) 1차 측 압력에 의해 건식 유수검지장치(건식 밸브)의 클래퍼 개방
5) 1차 측 가압수의 2차 측으로의 유수를 통해 헤드로 방출 및 건식 밸브의 압력스위치 작동
6) 사이렌 경보, 감시제어반의 화재표시등 및 밸브개방표시등 점등
7) 배관 내 압력저하로 기동용 수압개폐장치(압력챔버)의 압력스위치 작동
8) 펌프 기동

Tip

[습식 스프링클러설비 작동순서]
화재발생 → 열에 의해 폐쇄형 헤드 개방 및 방수 → 유수검지장치의 클래퍼 개방 → 압력스위치 작동 → 사이렌 경보와 감시제어반의 화재표시등 및 밸브개방표시등 점등 → 압력챔버의 압력스위치 작동 → 펌프 기동

[준비작동식 스프링클러설비 작동순서]
화재발생 → 교차회로 방식의 A or B 감지기 작동(경종 또는 사이렌 경보, 감시제어반의 화재표시등 점등) → A and B 감지기 모두 작동 → 준비작동식 유수검지장치(준비작동식 밸브)의 전자밸브(솔레노이드밸브) 작동 → 중간챔버에 채워져 있던 물이 배수되며(감압) 준비작동식 밸브 개방 → 1차 측 가압수의 2차 측으로의 유수를 통해 준비작동식 밸브의 압력스위치 작동 → 감시제어반의 밸브개방표시등 점등 → 감열에 의한 폐쇄형 헤드 개방 → 배관 내 압력저하로 기동용 수압개방장치(압력챔버)의 압력스위치 작동 → 펌프 기동

26 다음 중 1류 위험물에 해당하지 않는 것을 고르시오.

① 아염소산 염류   ② 염소산 염류
③ 질산   ④ 과염소산 염류

해설

■ 제1류 위험물(산화성 고체)

위험물	지정수량	위험물	지정수량
아염소산 염류		브로민산 염류	
염소산 염류		질산 염류	300 kg
과염소산 염류	50 kg	아이오드산 염류	
무기과산화물		과망가니즈산 염류	1000 kg
-	-	다이크로뮴산염류	

※ [27 ~ 29] 다음 표를 보고 각 물음에 답하시오.

용도	의료시설
규모	지상 15층, 지하 3층, 연면적 10000 m²
소방시설	스프링클러설비, 소화기, 옥내소화전설비, 자동화재탐지설비, 유도등, 연결송수관설비, 비상조명등, 비상방송설비
소방안전관리자 현황	선임날짜 : 2024년 4월 12일
	강습 및 실무교육 : 이수이력 없음

※ 상기조건을 제외한 나머지 조건은 무시한다.

27 소방안전관리자의 실무교육 이수기한을 고르시오.

① 2024년 4월 30일   ② 2024년 5월 11일
③ 2024년 10월 11일   ④ 2025년 4월 11일

해설

■ 소방안전관리자 실무교육

강습 및 실무교육	내용
실시권자	소방청장(한국소방안전원장에게 위임)
대상자	1) 소방안전관리자 및 소방안전관리보조자 2) 소방안전관리 업무를 대행하는 자를 감독할 수 있는 소방안전관리자 3) 소방안전관리자의 자격을 인정받으려는 자

Tip

[소방안전관리자 실무교육]
(1) 소방안전관리 강습교육 또는 실무교육을 받은 후 1년 이내에 소방안전관리자로 선임된 사람은 해당 강습교육을 수료하거나 실무교육을 이수한 날에 실무교육을 이수한 것으로 본다.
(2) 소방안전관리보조자의 경우 소방안전관리자 강습교육 또는 실무교육이나 소방안전관리보조자 실무교육을 받은 후 1년 이내에 소방안전관리보조자로 선임된 사람은 해당 강습교육을 수료하거나 실무교육을 이수한 날에 실무교육을 이수한 것으로 본다.

정답

26 ③   27 ③

강습 및 실무교육		내용
실무교육 통보		교육실시 30일 전
실무교육 주기		선임된 날부터 6개월 이내, 교육실시 후에는 2년마다 실시 다만 강습교육 또는 실무교육 수료 후 1년 이내에 선임 시, 6개월 교육은 면제된다(즉, 선임 후 2년마다 실무교육 실시).
실무 교육 미이행 시	벌칙	과태료 50만 원
	자격 정지	1) 처분권자 : 소방청장 2) 1년 이하의 기간을 정하여 자격을 정지시킬 수 있음 (1) 1차 : 경고(시정명령) (2) 2차 : 자격정지(3개월) (3) 3차 : 자격정지(6개월)

※ 선임된 날인 2024년 4월 12일로부터 6개월 이내인 2024년 10월 11일이다.

28 소방안전관리대상물의 등급을 고르시오.

① 특급 ② 1급
③ 2급 ④ 3급

해 설

■ 소방안전관리자의 선임대상물

특급 대상물	1급 대상물	2급 대상물	3급 대상물
[아파트] • 50층 이상 (지하층 제외) • 높이 200 m 이상(지상부터)	[아파트] • 30층 이상 (지하층 제외) • 높이 120 m 이상(지상부터)	• 지하구 • 공동주택(의무 관리) • 보물·국보목조 건축물 • 옥내·스프링클 러·간이스프링 클러·물분무등 설치대상(호스 릴 제외)	자동화재 탐지설비 설치된 특정소방 대상물
[아파트 제외한 모든 건축물] • 30층 이상 (지하층 포함) • 높이 120 m 이상(지상부터)	[아파트 제외한 모든 건축물] • 11층 이상 (지하층 제외)		
[모든 건축물] • 연면적 10만 m² 이상	[모든 건축물] • 연면적 1만 5천 m² 이상		
-	[가연성 가스] 1000 t 이상	[가연성 가스] 100 ~ 1000 t 가스제조설비 도 시가스 허가시설	-

※ 11층 이상이기 때문에 1급 대상물이다.

정답

28 ②

29 소방안전관리보조자 선임인원을 고르시오.

① 1명　　　　　　　② 2명
③ 3명　　　　　　　④ 대상이 아님

해설

■ 소방안전관리보조자 선임대상

보조자선임대상 특정소방대상물	최소 선임기준
300세대 이상인 아파트	1명(300세대마다 1명 이상 추가)
연면적이 1만 5천 m² 이상인 특정소방대상물(아파트 및 연립주택 제외)	1명(연면적 1만 5천 m²마다 1명 이상 추가) 다만 특정소방대상물의 종합방재실에 자위소방대가 24시간 상시 근무하고, 소방자동차 중 소방펌프차, 소방물탱크차, 소방화학차, 무인방수차를 운용하는 경우 3000 m² 초과마다 1명 추가 선임한다.
1) 공동주택 중 기숙사 2) 의료시설 3) 노유자시설 4) 수련시설 5) 숙박시설(숙박시설로 사용되는 바닥면적의 합계가 1500 m² 미만이고 관계인이 24시간 상시 근무하고 있는 숙박시설은 제외)	1명 다만 해당 특정소방대상물이 소재하는 지역을 관할하는 소방서장이 야간이나 휴일에 해당 특정소방대상물이 이용되지 않는다는 것을 확인한 경우에는 선임하지 않을 수 있다.

※ 의료시설이므로 연면적이 1만 5천 m² 이상인 특정소방대상물이 아니어도 1명을 선임한다.

30 다음에서 보여주는 소화기구로 알맞게 짝지어진 것을 고르시오.

(ㄱ)　　　　　　(ㄴ)　　　　　　(ㄷ)

※ 출처 : 한국소방안전원

① ㄱ : 간이소화용구, ㄴ : 자동확산소화기, ㄷ : 소화기
② ㄱ : 자동확산소화기, ㄴ : 자동확산소화기, ㄷ : 소화기
③ ㄱ : 소화기, ㄴ : 자동확산소화기, ㄷ : 간이소화용구
④ ㄱ : 소화기, ㄴ : 간이소화용구, ㄷ : 자동확산소화기

Tip

[자동확산소화기 점검방법]
(1) 설치장소는 적합한가?
(2) 고정상태는 견고한가?
(3) 외관은 깨끗하게 보관되는가?
(4) 지시압력계의 바늘은 정상에 있는가?
　① 녹색 : 정상
　② 황색 : 압력 부족
　③ 적색 : 과압

정답

29 ①　30 ④

■ 소화기구

1) 소화기 : 소화약제를 압력에 따라 방사하는 기구로서 사람이 수동으로 조작하여 작동

2) 간이소화용구 : 능력단위 1단위 미만의 소화용구 및 소화약제 외의 것을 이용한 소화용구

3) 자동확산소화기 : 화재를 감지하여 자동으로 소화약제를 방출, 확산시켜 국소적으로 소화하는 소화기

31 **인화성 액체의 연소점, 인화점, 발화점을 온도가 높은 것부터 옳게 나열한 것은?**

① 발화점 > 연소점 > 인화점

② 연소점 > 인화점 > 발화점

③ 인화점 > 발화점 > 연소점

④ 인화점 > 연소점 > 발화점

해설

■ 인화점, 연소점, 발화점

인화점 < 연소점 < 발화점

인화점	점화원을 가했을 때 연소가 시작되는 최저온도
연소점	• 외부 점화원에 의해 발화 후 연소를 지속시킬 수 있는 최저온도 • 인화점보다 5 ~ 10 ℃ 높고, 불꽃이 최소 5초 이상 지속되는 온도
발화점	가연성 물질에 불꽃을 접하지 아니하였을 때 연소가 가능한 최저온도

※ 온도가 올라갈수록 액체 위험물의 점도가 낮아져서 쉽게 점화할 수 있으므로 위험성이 더 크다.

32 최상층의 옥내소화전설비 방수압력을 시험하고 있다. 그림 중 옥내소화전설비의 동력제어반 상태, 점검결과, 불량내용 순으로 옳은 것은? (단, 동력제어반 정상위치 여부만 판단한다)

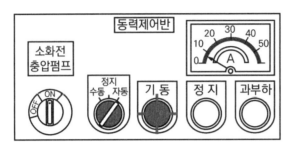

① 펌프자동기동, ○, 이상 없음
② 펌프수동기동, ×, 펌프 자동 기동불가
③ 펌프수동기동, ×, 이상 없음
④ 펌프자동기동, ×, 이상 없음

해설

▣ 옥내소화전설비의 동력제어반
선택스위치가 자동위치에 있으며, 기동램프가 점등되어 있으므로 동력제어반 상태는 자동기동이다.
또한 점검결과 불량내용이 이상 없으므로 ○, 불량내용 이상 없음이다.

※ [33 ~ 35] 다음에서 보여주는 소방안전관리대상물의 조건을 보고 각 물음에 답하시오.

용도	수련시설
규모	지상 13층, 지하 2층, 연면적 8000 m²
소방시설	스프링클러설비, 소화기, 옥내소화전설비, 자동화재탐지설비, 유도등, 연결송수관설비, 비상방송설비
소방안전관리자 현황	선임날짜 : 2024년 2월 12일
	강습 및 실무교육 : 이수이력 없음

※ 상기조건을 제외한 나머지 조건은 무시한다.

33 소방안전관리자 실무교육 이수기한을 고르시오.
① 2024년 8월 11일   ② 2024년 9월 11일
③ 2026년 8월 11일   ④ 2026년 9월 11일

Tip

[동력제어반]
(1) 목적
각종 동력(전원)장치의 감시 및 제어기능이 있는 것을 말하며 일반적으로 소화펌프의 직근에 설치
(2) 동력제어반의 주요 기능
① 각 펌프의 동력 공급 또는 정지(ON/OFF)
② 각 펌프의 자동 또는 수동기동
(3) 동력제어반의 설치기준
① 앞면은 적색
② "옥내소화전설비용 동력제어반" 표시 및 설치
③ 외함은 두께 1.5 mm 이상 강판 또는 이와 동등 이상의 강도·내열성능이 있는 것으로 할 것

정답

32 ①   33 ①

■ 소방안전관리자 실무교육

강습 및 실무교육		내용
실시권자		소방청장(한국소방안전원장에게 위임)
대상자		1) 소방안전관리자 및 소방안전관리보조자 2) 소방안전관리 업무를 대행하는 자를 감독할 수 있는 소방안전관리자 3) 소방안전관리자의 자격을 인정받으려는 자
실무교육 통보		교육실시 30일 전
실무교육 주기		선임된 날부터 6개월 이내, 교육실시 후에는 2년마다 실시 다만 강습교육 또는 실무교육 수료 후 1년 이내에 선임 시, 6개월 교육은 면제된다(즉, 선임 후 2년마다 실무교육 실시).
실무 교육 미이행 시	벌칙	과태료 50만 원

	자격 정지	1) 처분권자 : 소방청장
		2) 1년 이하의 기간을 정하여 자격을 정지시킬 수 있음
		  ⑴ 1차 : 경고(시정명령)
		  ⑵ 2차 : 자격정지(3개월)
		  ⑶ 3차 : 자격정지(6개월)

※ 선임된 날인 2024년 2월 12일로부터 6개월 이내인 2024년 8월 11일이다.

34 해당 소방안전관리대상물의 소방안전관리자로 선임될 수 있는 사람을 고르시오.

① 소방안전공학 학사학위를 취득한 사람
② 소방공무원으로 3년 근무한 경력이 있는 사람
③ 산업안전산업기사를 취득한 사람
④ 소방설비기사를 취득한 사람

■ 소방안전관리자의 선임대상물

특급 대상물	1급 대상물	2급 대상물	3급 대상물

[아파트]
• 50층 이상
  (지하층 제외)
• 높이 200 m
  이상(지상부터)
	[아파트]
	• 30층 이상
	  (지하층 제외)
	• 높이 120 m
	  이상(지상부터)
		• 지하구
		• 공동주택
		  (의무관리)
		• 보물·국보목조
		  건축물
		• 옥내·스프링클러·간이스프링클러·물분무등
		  설치대상(호스릴 제외)
			자동화재
			탐지설비
			설치된
			특정소방
			대상물

[아파트 제외한 모든 건축물]
• 30층 이상
  (지하층 포함)
	[아파트 제외한 모든 건축물]
	• 11층 이상
	  (지하층 제외)		

Tip

[1급 소방안전관리대상물 자격]
⑴ 소방설비기사 또는 소방설비산업기사 자격
⑵ 소방공무원 7년 이상 근무 경력
⑶ 특급 소방안전관리자 자격이 인정되는 사람
⑷ 1급 소방안전관리대상물의 소방안전관리에 관한 시험에 합격

특급 대상물	1급 대상물	2급 대상물	3급 대상물
• 높이 120 m 이상(지상부터)			
[모든 건축물] • 연면적 10만 m² 이상	[모든 건축물] • 연면적 1만 5천 m² 이상		
-	[가연성 가스] 1000 t 이상	[가연성 가스] 100 ~ 1000 t 가스제조실비 도시 가스 허가시설	-

35 해당 소방안전관리대상물의 등급과 소방안전관리보조자 선임인원을 옳게 짝지은 것을 고르시오.

① 특급, 소방안전관리보조자 1명
② 특급, 소방안전관리보조자 2명
③ 1급, 소방안전관리보조자 선임대상이 아님
④ 1급, 소방안전관리보조자 1명

해설

■ 소방안전관리보조자 선임대상

보조자선임대상 특정소방대상물	최소 선임기준
300세대 이상인 아파트	1명(300세대마다 1명 이상 추가)
연면적이 1만 5천 m² 이상인 특정소방대상물(아파트 및 연립주택 제외)	1명(연면적 1만 5천 m²마다 1명 이상 추가) 다만 특정소방대상물의 종합방재실에 자위소방대가 24시간 상시 근무하고, 소방자동차 중 소방펌프차, 소방물탱크차, 소방화학차, 무인방수차를 운용하는 경우 3000 m² 초과마다 1명 추가 선임한다.
1) 공동주택 중 기숙사 2) 의료시설 3) 노유자시설 4) 수련시설 5) 숙박시설(숙박시설로 사용되는 바닥면적의 합계가 1500 m² 미만이고 관계인이 24시간 상시 근무하고 있는 숙박시설은 제외)	1명 다만 해당 특정소방대상물이 소재하는 지역을 관할하는 소방서장이 야간이나 휴일에 해당 특정소방대상물이 이용되지 않는다는 것을 확인한 경우에는 선임하지 않을 수 있다.

※ 수련시설이므로 연면적이 1만 5천 m² 이상인 특정소방대상물이 아니어도 1명의 소방안전관리보조자를 선임한다.

Tip

[소방안전관리보조자]
수련시설이기 때문에 소방안전관리보조자는 1명이다.
※ 소방안전관리보조자 선임인원 산정 시 아파트는 300세대로 나누어서 소숫점은 절삭하며, 연면적 기준 1만 5천 m²로 나누어서 소숫점을 절삭한다.

정답

35 ④

36 다음과 같이 옥내소화전설비가 설치되어 있을 때 옥내소화전설비의 최소 수원의 양을 구하시오.

> 1. 1층에 옥내소화전설비가 2개 설치되어 있다.
> 2. 2층에 옥내소화전설비가 3개 설치되어 있다.
> 3. 3층에 옥내소화전설비가 4개 설치되어 있다.

① 2.6 m³ ② 5.2 m³
③ 13 m³ ④ 26 m³

해설

▣ 옥내소화전설비 수원의 양
1) 방수량 : 130 L/min 이상
2) 방수압력 : 0.17 MPa 이상 0.7 MPa 이하
3) 펌프 토출량 : 130 L/min × 설치개수
4) 수원의 양 : 130 L/min × 설치개수 × 20분(40분, 60분)
　　수원량(m³) = N × 2.6 m³
　　　　　　 = 2 × 2.6 m³ = 5.2 m³
　　　　　　　　　N : 한 개 층 설치개수(최대개수 층 선정/최대 2개)

[소화수조 수원의 양]
소화수조 수원의 양
 = 옥내소화전 설치 개수
(최대 2개) × 2.6 m³ 이상
• 30 ~ 49층 : 설치 개수(최대 5개) × 5.2 m³ 이상
• 50층 이상 : 설치 개수(최대 5개) × 7.8 m 이상

37 옥내소화전설비의 방수압력 및 방수량 측정에 대한 내용으로 옳지 않은 것은?

① 피토게이지는 봉상주수상태에서 직각으로 측정한다.
② 노즐선단에 방수압력측정계(피토게이지)를 노즐구경 절반(D/2)에 위치시킨다.
③ 방사형 관창을 이용한다.
④ 방수량 산정식은 $Q = 2.065 \times D^2 \times \sqrt{p}$ 이다.

해설

▣ 방수압력 및 방수량 측정
1) 반드시 직사형 관창을 이용하여 측정
2) 초기 방수 시 물속에 존재하는 이물질이나 공기 등이 완전히 배출된 후에 측정하여야 방수압력측정계(피토게이지)의 입구 구경이 작기 때문에 발생하는 막힘이나 고장 방지 가능
3) 방수압력측정계(피토게이지)는 봉상주수 상태에서 직각으로 측정
4) 노즐선단에 방수압력측정계(피토게이지)를 노즐구경 절반(D/2)에 위치
5) 방수량 : $Q = 2.065 \times D^2 \times \sqrt{p}$

[방수압력 및 방수량 측정]
방수압력과 방수량의 측정은 어느 층에 있어서도 2개 이상 설치된 경우에는 2개(설치개수가 1개인 경우에는 1개)를 개방시켜 놓고 측정

정답

36 ② 37 ③

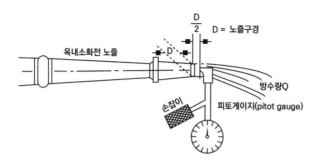

옥내소화전 노즐

$\dfrac{D}{2}$ D = 노즐구경

D

방수량Q

손잡이   피토게이지(pitot gauge)

38 다음 중 스프링클러설비의 배관에 대한 설명으로 옳지 않은 것은?

① 교차배관에서 분기되는 지점을 기준으로 한쪽 가지배관에 설치되는 헤드의 개수는 8개 이하로 한다.

② 교차배관 끝에는 청소구를 설치하고 나사보호용 캡으로 마감한다.

③ 가지배관은 토너먼트방식으로 설치한다.

④ 교차배관은 가지배관과 수평 또는 밑에 설치한다.

[해 설]

■ 스프링클러설비의 배관

1) 가지배관 : 스프링클러설비가 설치되어 있는 배관
   ⑴ 토너먼트방식이 아닐 것
   ⑵ 교차배관에서 분기되는 지점을 기준으로 한쪽 가지배관에 설치되는 헤드의 개수 : 8개 이하
2) 교차배관 : 직접 또는 수직배관을 통하여 가지배관에 급수하는 배관
   ⑴ 위치 : 가지배관과 수평 또는 밑에 설치
   ⑵ 교차배관 끝에 청소구를 설치하고 나사보호용의 캡으로 마감
3) 배관부속품, 물올림장치, 순환배관, 펌프성능시험배관은 옥내소화전설비 준용

🔁Tip

[유수검지장치]
배관 내의 유수현상을 자동 검지하여 신호 또는 경보를 발하는 장치로 습식, 건식, 준비작동식으로 구분된다.

정답

38 ③

39 소방안전관리대상물의 소방계획서에 포함되어야 하는 사항이 아닌 것은?

① 예방규정을 정하는 제조소 등의 위험물 저장·취급에 관한 사항
② 소방시설·피난시설 및 방화시설의 점검·정비계획
③ 특정소방대상물의 근무자 및 거주자의 자위소방대 조직과 대원의 임무에 관한 사항
④ 방화구획, 제연구획, 건축물의 내부 마감 재료(불연재료·준불연재료 또는 난연재료로 사용된 것) 및 방염물품의 사용현황과 그 밖의 방화구조 및 설비의 유지·관리계획

해설

■ **소방안전관리대상물의 소방계획서 포함사항**

1) 소방안전관리대상물의 위치·구조·연면적·용도 및 수용인원 등 일반 현황
2) 소방안전관리대상물에 설치한 소방시설·방화시설전기시설·가스시설 및 위험물 시설의 현황
3) 화재 예방을 위한 자체점검계획 및 진압대책
4) 소방·피난시설 및 방화시설 점검·정비계획
5) 피난층 및 피난시설의 위치와 피난경로의 설정, 장애인 및 노약자의 피난계획 등을 포함
6) 방화구획, 제연구획, 내부 마감재료(불연·준불연·난연재료) 및 방염물품의 사용현황과 그 밖의 방화구조 및 설비의 유지·관리계획
7) 소방훈련 및 교육에 관한 계획
8) 특정소방대상물의 근무자 및 거주자의 자위소방대 조직과 대원의 임무(장애인 및 노약자의 피난보조 임무 포함)에 관한 사항
9) 증축·개축·재축·이전·대수선 중인 특정소방대상물의 공사장 소방안전관리에 관한 사항
10) 공동 및 분임 소방안전관리에 관한 사항
11) 소화와 연소 방지에 관한 사항
12) 위험물의 저장·취급에 관한 사항(예방규정을 정하는 제조소 등은 제외)
13) 소방안전관리에 대한 업무수행에 관한 기록 및 유지에 관한 사항(월 1회 이상 작성, 2년간 보관)
14) 화재 발생 시 화재경보, 초기소화 및 피난유도 등 초기대응에 관한 사항
15) 그 밖에 소방안전관리를 위하여 소방본부장 또는 소방서장이 소방안전관리대상물의 위치·구조·설비 또는 관리 상황 등을 고려하여 소방안전관리에 필요하여 요청하는 사항

[소방계획서 작성 항목]
(1) 일반사항
(2) 관리계획
(3) 대응계획 및 부록

[소방계획의 작성원칙]
(1) 실현 가능한 계획 : 소방계획의 핵심은 위험관리이며, 대상물의 위험요인을 체계적으로 관리하기 위한 일련의 활동이기 때문에 위험요인의 관리는 반드시 실현 가능한 계획으로 구성
(2) 관계인의 적극적인 참여 : 소방계획의 수립 및 시행에 소방안전관리대상물의 관계인, 재실자 및 방문자 등 전원이 참여하도록 수립
(3) 계획 수립의 구조화 : 체계적이고 전략적인 계획의 수립을 위해 작성 - 검토 - 승인의 3단계의 구조화된 절차를 거쳐야 함
(4) 실행 우선 : 문서로 작성된 계획만으로는 소방계획의 완료로 보기 어려우며, 교육훈련 및 평가 등 이행의 과정이 있어야 비로소 소방계획의 완성

정답

39 ①

40 다음 그림은 P형 수신기이다. 평상시 점등상태를 유지해야 되는 곳의 명칭은?

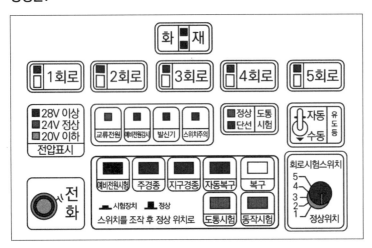

① 교류전원표시등, 도통시험표시등
② 교류전원표시등, 전압표시등(24 V)
③ 교류전원표시등, 스위치주의표시등
④ 교류전원표시등, 예비전원표시등

해설

■ P형 수신기의 평상시 점등
1) 교류전원표시등
2) 전압표시등

41 다음은 소방기본법과 관련된 용어를 설명한 것이다. 이에 대한 내용으로 옳지 않은 것을 모두 고르시오.

> a : 화재 진압 및 화재, 재난·재해, 그 밖의 위급한 상황에서 구조·구급 활동을 하기 위한 조직체
> b : 화재, 재난·재해, 그 밖의 위급한 상황이 발생한 현장에서 소방대를 지휘하는 사람

> 가 : "a"는 소방공무원, 의용소방대원, 소방안전관리자로 구성된다.
> 나 : "a"는 2년마다 1회 교육과 훈련을 받는다.
> 다 : "b"는 시·도지사이다.
> 라 : "b"는 소방대장이다.

① 가, 나
② 가, 라
③ 가, 다
④ 다, 나

Tip

[P형 수신기]
⑴ 화재표시등과 지구표시등은 화재가 발생했을 때 점등된다.
⑵ 발신기표시등은 화재신호가 발신기로부터 왔을 때 점등된다.
⑶ 스위치주의등은 평상시 눌려있으면 안 되는 스위치가 눌려있을 때 점멸한다.

Tip

[소방대장]
⑴ 소방활동구역을 정하여 소방활동에 필요한 사람으로서 대통령령으로 정하는 사람 외에는 그 구역에 출입하는 것을 제한한다.
⑵ 경찰공무원은 소방대가 소방활동구역에 있지 않거나, 소방대장의 요청이 있을 때에는 출입제한 조치를 할 수 있음

정답

40 ②	41 ③

해설

■ 용어 정의

1) 소방대상물
　　⑴ 건축물
　　⑵ 차량
　　⑶ 선박(항구에 매어 둔 것)
　　⑷ 산림, 그 밖의 인공구조물 또는 물건
2) 관계지역
　　소방대상물이 있는 장소 및 그 이웃 지역으로 화재의 예방·경계·진압, 구조·구급 등의 활동에 필요한 지역
3) 관계인
　　소방대상물의 소유자·관리자·점유자
4) 소방대
　　화재 진압 및 화재, 재난·재해, 그 밖의 위급한 상황에서 구조·구급활동
　　⑴ 소방공무원
　　⑵ 의무소방원
　　⑶ 의용소방대원
5) 소방본부장
　　특별시·광역시·특별자치시·도 또는 특별자치도(이하 "시·도"라 한다)에서 화재의 예방·경계·진압·조사 및 구조·구급 등의 업무를 담당하는 부서의 장
6) 소방대장
　　소방본부장 또는 소방서장 등 화재, 재난·재해, 그 밖의 위급한 상황이 발생한 현장에서 소방대를 지휘하는 사람

---

42 바닥면적인 800 m²인 근린생활시설에 3단위 소화기를 설치하려고 한다. 소화기의 최소 설치 개수를 구하시오. (단, 주요구조부는 내화구조이며, 벽 및 반자의 실내와 면하는 부분은 불연재료이다)

① 1개　　　　　　　② 2개
③ 4개　　　　　　　④ 5개

해설

■ 특정소방대상물별 소화기구 능력단위 기준

특정소방대상물	소화기구의 능력단위(이상)
위락시설	바닥면적 30 m²마다 1단위
공연장, 집회장, 관람장, 문화재, 장례식장 및 의료시설	바닥면적 50 m²마다 1단위
근린생활시설, 판매시설, 운수시설, 숙박시설, 노유자시설, 전시장, 공동주택, 업무시설, 방송통신시설, 공장, 창고시설, 항공기 및 자동차 관련 시설 및 관광휴게시설	바닥면적 100 m²마다 1단위

Tip

[소화기구]
소화약제를 압력에 따라 방사하는 기구로서 사람이 수동으로 조작하여 소화

[설치대상]
⑴ 연면적 33 m² 이상
⑵ 위에 해당하지 않는 국가유산 및 가스시설, 전기저장시설
⑶ 터널, 지하구

정답

42 ②

특정소방대상물	소화기구의 능력단위(이상)
그 밖의 것	바닥면적 200 m²마다 1단위

소화기구의 능력단위를 산출함에 있어서 건축물의 주요구조부가 내화구조이고, 벽 및 반자의 실내에 면하는 부분이 불연재료·준불연재료 또는 난연재료로 된 특정소방대상물에 있어서는 위 표의 기준면적의 2배를 해당 특정소방대상물의 기준면적으로 한다.

주요구조부는 내화구조이며, 벽 및 반자의 실내와 면하는 부분은 불연재료이므로 기준면적인 100 m²의 2배를 적용한다. 따라서 800/200 - 4단위 이상이어야 하며, 3단위 소화기를 설치하므로 4/3 = 1.33 절상하여 2개 설치한다.

43 분말소화기의 지시압력계 정상을 나타내는 압력을 고르시오.

[소화기 지시압력계 불량]

[소화기 지시압력계 정상]

※ 출처 : 한국소방안전원

① 0.1 ~ 1.2 MPa ② 0.17 ~ 0.7 MPa
③ 0.7 ~ 0.98 MPa ④ 7 ~ 9.8 MPa

[소화기 지시압력]

해설

■ 소화기 가압방식에 의한 분류

구분	축압식 소화기	가압식 소화기
정의	용기 내 축압가스(질소)로 가압하여 소화약제 방출	별도의 가압용기의 압력에 의해 약제가 방출
압력계	설치(0.7 ~ 0.98 MPa 유지)	불필요

정답

43 ③

※ [44 ~ 45] 다음 그림은 습식 스프링클러설비의 계통도를 나타내고 있다. 다음 물음에 답하시오.

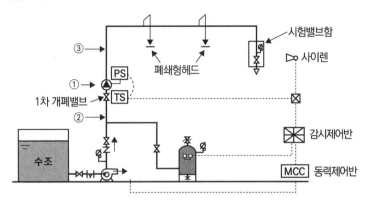

Tip

[계통도]
습식 스프링클러설비의 유수 검지장치는 알람밸브이다.
※ 물올림장치 : 수원의 위치가 펌프보다 낮은 경우에만 설치하며, 펌프 흡입측 배관 및 펌프에 물이 없을 경우 펌프의 공회전을 방지하기 위해 보충수를 공급

44 계통도 내의 ① 명칭을 고르시오.

① 물올림장치 ② 프리액션밸브
③ 펌프 ④ 알람밸브

해설

※ 45번 해설 참조

45 계통도 내의 ②와 ③의 명칭을 순서대로 나열한 것을 고르시오.

① 가압수, 압축공기 ② 가압수, 대기압
③ 가압수, 가압수 ④ 대기압, 압축공기

해설

■ 습식 스프링클러설비 계통도

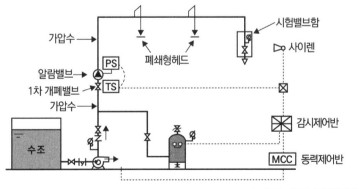

※ 출처 : 한국소방안전원

Tip

[습식 스프링클러설비]
습식 스프링클러설비는 알람밸브를 기준으로 1차 측과 2차 측 배관이 가압수로 유지되어 있다.

정답

44 ④ 45 ③

46 다음의 동력제어반 상태를 확인하고, 감시제어반의 예상되는 모습으로 옳은 것을 고르시오. (단, 현재 감시제어반에서 펌프를 수동 조작하고 있다)

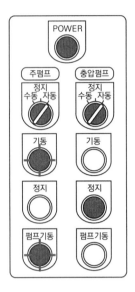

①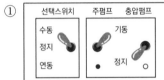

②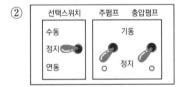

③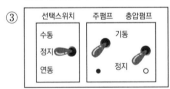

④

해설

■ 동력제어반과 감시제어반

감시제어반에서 펌프를 수동조작하고 있다고 문제에서 주어졌다. 동력제어반의 주펌프의 기동표시등과 펌프 기동표시등이 점등이 되어 있으므로 선택스위치는 수동이며, 주펌프는 기동, 충압펌프는 정지상태이다.

감시제어반	동력제어반
선택스위치 : 수동 주펌프 : 기동 충압펌프 : 정지	POWER : 점등 주펌프 선택스위치 : 위치 상관없음 주펌프 기동표시등 : 점등 주펌프 정지표시등 : 소등 주펌프 펌프 기동표시등 : 점등

47 **용접·용단 작업 시 비산 불티의 특성이 아닌 것은?**

① 비산불티는 약 1000 ℃ 이상의 고온체이다.

② 불티의 직경은 약 0.3 ~ 3 mm이다.

③ 비산 불티는 작업과 동시에 짧게는 수분 사이, 길게는 수 시간 이후에도 화재 가능성이 있다.

④ 비산거리는 작업높이, 철판두께, 풍향, 풍속 등 조건 및 환경에 따라 변화한다.

해설

■ 위험물 분류(위험물 안전관리법)

1) 수천 개의 비산된 불티 발생
2) 비산거리 : 작업높이, 철판두께, 풍향, 풍속 등 조건 및 환경에 따라 상이
3) 온도 : 1600 ℃ 이상의 고온체
4) 불티 직경 : 약 0.3 ~ 3 mm
5) 비산 불티는 작업과 동시에 짧게는 수분 사이, 길게는 수 시간 이후에도 화재 가능성 있음

Tip

[스패터현상]
용접 작업 시 작은 입자의 용적들이 비산되는 현상, 즉 불티가 튀기는 현상

정답
47 ①

48 다음은 감지기 설치유효면적에 대한 설명이다. 빈칸에 들어갈 알맞은 숫자를 고르시오.

부착높이 및 특정소방대상물의 구분		감지기의 종류(단위 : m²)						
		차동식 스포트형		보상식 스포트형		정온식 스포트형		
		1종	2종	1종	2종	특종	1종	2종
4 m 미만	내화 구조	90	㉠	90	70	70	60	20
	기타 구조	50	40	㉡	40	40	30	15
4 m 이상 8 m 미만	내화 구조	45	35	45	㉢	35	30	-
	기타 구조	30	25	30	25	25	15	-

① ㉠ : 70, ㉡ : 45, ㉢ : 30
② ㉠ : 60, ㉡ : 45, ㉢ : 30
③ ㉠ : 70, ㉡ : 50, ㉢ : 35
④ ㉠ : 70, ㉡ : 40, ㉢ : 35

해설

■ 감지기 설치 유효면적

부착높이 및 특정소방대상물의 구분		감지기의 종류(단위 : m²)						
		차동식 스포트형		보상식 스포트형		정온식 스포트형		
		1종	2종	1종	2종	특종	1종	2종
4 m 미만	내화구조	90	70	90	70	70	60	20
	기타구조	50	40	50	40	40	30	15
4 m 이상 8 m 미만	내화구조	45	35	45	35	35	30	-
	기타구조	30	25	30	25	25	15	-

49 다음은 무엇을 점검하고 있는 것인가?

※ 출처 : 한국소방안전원

① 2선식 유도등 점검   ② 3선식 유도등 점검
③ 예비전원 점검   ④ 유도등 조도 점검

해설

■ 예비전원 점검

예비전원 상태의 점검은 외부에 있는 점검스위치(배터리상태 점검스위치)를 당겨보는 방법 또는 점검버튼을 눌러서 점등상태 확인

50 P형 수신기의 도통시험 시 결과가 정상임을 알려주는 것은?

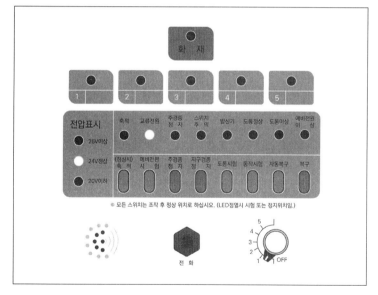

① 전압지시계 - 녹색등
② 교류전압표시등 – 녹색등
③ 도통시험표시등 – 녹색등
④ 단선표시등 – 적색

Tip

[회로도통시험]
수신기에서 감지기 사이 회로의 단선 유무와 기기 등의 접속 상황을 확인하기 위한 시험

(1) 시험순서
　① 도통시험 스위치를 누름
　② 로터리 방식 : 회로선택스위치를 차례로 회전시켜 시험
　　버튼 방식 : 각 경계구역별 동작버튼을 누른 후 시험

(2) 적부 판정방법
　① 전압계 방식 : 정상(4 ~ 8 V), 단선(0 V)
　② 도통시험 확인등 : 정상 확인등 점등(녹색), 단선 확인등 점등(적색)

(3) 복구방법
　① 회로선택스위치를 초기(정상) 위치로 복구(로터리 방식만 해당)
　② 도통시험스위치 복구

정답

49 ③   50 ③

■ P형 수신기 도통시험방법

1) 주경종, 지구경종 스위치 정지

2) 회로시험스위치를 회로별 전환

3) 도통시험결과 "정상"인 녹색등이 점등

4) 도통시험결과 "단선"인 적색등의 경우 선로 이상으로 선로 점검이 필요

    ※ 예비전원표시등은 수신기 내부 배터리와 수신기 접속을 하지 않은 상태에 점등

10회 실전모의고사

01 건축물에 설치하는 방화구획의 기준에 관한 설명으로 옳지 않은 것은?

① 매 층마다 구획한다.

② 10층 이하의 층은 바닥면적 1000 m² 이내마다 구획한다.

③ 11층 이상의 층은 바닥면적 200 m² 이내마다 구획한다.

④ 스프링클러소화설비 설치 시 기준면적의 5배 이내마다 방화구획한다.

해 설

▣ 방화구획 기준

구획의 종류	구획의 단위	구획의 구조
면적별 구획	① 10층 이하의 층은 바닥면적 1000 m² 이내마다 구획 ② 11층 이상의 층은 바닥면적 200 m² 이내마다 구획(불연재료 : 500 m²) → 스프링클러 등 자동식 소화설비의 설치 부분은 위 면적의 3배 적용	① 내화구조 바닥, 벽 ② 60분+ 방화문 또는 60분 방화문 ③ 자동방화셔터
층별 구획	매 층마다 구획(지하 1층에서 지상으로 직접 연결하는 경사로 부위 제외)	
용도별 구획	주요구조부를 내화구조로 해야 하는 대상 부분과 기타 부분 사이의 구획	

※ 스프링클러소화설비는 자동식소화설비이며 자동식소화설비 설치 시 기준면적의 3배를 적용한다.

정답

01 ④

02 ABC분말소화기로 소화가 가능한 것을 모두 고르시오.

| ㄱ. 인화성액체 | ㄴ. 플라스틱 |
| ㄷ. 전기기기 | ㄹ. 식용유 |

① ㄱ, ㄴ, ㄹ   ② ㄱ, ㄴ
③ ㄱ, ㄹ   ④ ㄱ, ㄴ, ㄷ

Tip
식용유는 K급 화재이므로 해당사항 없음

해설

■ 화재의 구분

등급	화재	표시색	적응물질
A급 화재	일반화재	백색	목재, 섬유, 합성섬유
B급 화재	유류화재	황색	인화성 액체
C급 화재	전기화재	청색	통전 중인 전기설비, 기기화재
D급 화재	금속화재	무색	가연성 금속
K급 화재	식용유화재	황색	식용유

03 연소 우려가 있는 건축물의 구조에 대한 기준 중 다음 빈칸 (㉠), (㉡) 에 들어갈 수치로 알맞은 것은?

건축물대장의 건축물 현황도에 표시된 대지경계선 안에 2 이상의 건축물이 있는 경우로서 각각의 건축물이 다른 건축물의 외벽으로부터 수평거리가 1층에 있어서는 (㉠) m 이하, 2층 이상의 층에 있어서는 (㉡) m 이하이고, 개구부가 다른 건축물을 향하여 설치된 구조를 말한다.

① ㉠ 5, ㉡ 10   ② ㉠ 6, ㉡ 10
③ ㉠ 10, ㉡ 5   ④ ㉠ 10, ㉡ 6

해설

■ 연소우려가 있는 건축물
1) 건축물대장의 건축물 현황도에 표시된 대지경계선 안에 둘 이상의 건축물이 있는 경우
2) 다른 건축물의 외벽으로부터 수평거리 : 1층은 6 m 이하, 2층 이상 10 m 이하
3) 개구부가 다른 건축물을 향하여 설치되어 있는 경우

02 ④   03 ②

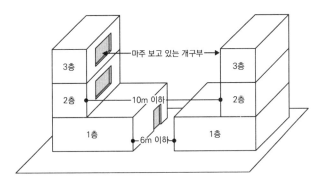

마주 보고 있는 개구부 →

3층 / 2층 / 1층 (왼쪽 건물)

10m 이하

6m 이하

3층 / 2층 / 1층 (오른쪽 건물)

04 소방안전관리자 선임에 대한 설명 중 옳은 것은?

> 소방안전관리대상물의 관계인이 소방안전관리자를 선임한 경우에는 행정안전부령으로 정하는 바에 따라 선임한 날부터 (㉠) 이내에 (㉡) 에게 신고하여야 한다.

① ㉠ 14일, ㉡ 시·도지사
② ㉠ 14일, ㉡ 소방본부장이나 소방서장
③ ㉠ 30일, ㉡ 시·도지사
④ ㉠ 30일, ㉡ 소방본부장이나 소방서장

해설

■ 소방안전관리자 선임
1) 신고 : 소방본부장 또는 소방서장
2) 기간 : 30일 이내
3) 미선임 시 : 300만 원 이하의 벌금

05 소방기본법령상 불꽃을 사용하는 용접·용단 기구의 용접 또는 용단 작업장에서 지켜야 하는 사항 중 다음 ( ) 안에 알맞은 것은?

> • 용접 또는 용단 작업자로부터 반경 (㉠) m 이내에 소화기를 갖추어 둘 것
> • 용접 또는 용단 작업장 주변 반경 (㉡) m 이내에는 가연물을 쌓아 두거나 놓아두지 말 것. 다만 가연물의 제거가 곤란하여 방지포 등으로 방호조치를 한 경우는 제외한다.

① ㉠ 3, ㉡ 5
② ㉠ 5, ㉡ 3
③ ㉠ 5, ㉡ 10
④ ㉠ 10, ㉡ 5

Tip
소방안전관리자 선임 기준일과 위험물안전관리자 선임 기준일은 동일하다.

정답
04 ② 05 ③

해설

▣ 불꽃을 사용하는 용접·용단기구
1) 용접·용단 작업장 주변 반경 5 m 이내 소화기 갖출 것
2) 용접·용단 작업장 주변 반경 10 m 이내에는 가연물을 쌓아 두거나 놓아두지 말 것

06 액화천연가스(LNG)를 사용하는 주방에 가스탐지기의 설치위치로 옳은 것은?

① 하단은 천장면의 하방 30 cm 이내
② 상단은 천장면의 하방 30 cm 이내
③ 하단은 바닥면의 상방 30 cm 이내
④ 상단은 바닥면의 상방 30 cm 이내

Tip

LNG의 주성분인 메탄(메테인)은 분자량이 16이며 공기분자량 29보다 가볍기 때문에 누설 시 천장면에 체류한다.

해설

▣ 연료가스의 특성

구분	액화석유가스(LPG)	액화천연가스(LNG)
주성분	프로판(프로페인)(C_3H_8), 부탄(부테인)(C_4H_{10})	메탄(메테인)(CH_4)
증기비중	LPG는 공기보다 1.5 ~ 2배 무겁다.	LNG는 공기보다 0.55배 가볍다.
누출 시 특징	공기보다 무거워 낮은 곳에 체류	공기보다 가벼워 높은 곳에 체류
용도	가정용, 공업용, 자동차 연료	도시가스

07 비상콘센트설비의 설치기준으로 옳지 않은 것은?

① 비상콘센트는 지하층 및 지상 8층 이상의 전 층에 설치할 것
② 비상콘센트는 바닥으로부터 높이 0.8 m 이상 1.5 m 이하의 위치에 설치할 것
③ 하나의 전원회로에 설치하는 비상콘센트는 10개 이하로 한다.
④ 전원으로부터 각층의 비상콘센트에 분기되는 경우에는 분기배선용 차단기를 보호함 안에 설치할 것

정답

06 ① 07 ①

해 설

■ 설치대상

소방대상물	설치대상
층수가 11층 이상인 특정소방대상물	11층 이상의 층
지하층의 층수가 3층 이상이고, 지하층의 바닥면적의 합계가 1000 m² 이상인 것	지하층의 모든 층
지하가 중 터널	길이 500 m 이상
위험물 저장 및 처리 시설 중 가스시설 또는 지하구는 제외	

■ 전원회로 설치기준

1) 전원회로 : 단상교류는 220 V , 공급용량은 1.5 kVA 이상
2) 전원회로는 각 층에 2 이상이 되도록 설치, 다만 설치하여야 할 층의 비상콘센트가 1개인 때에는 하나의 회로로 할 수 있다.
3) 전원회로는 주배전반에서 전용회로로 할 것
4) 전원으로부터 각 층의 비상콘센트에 분기되는 경우에는 분기배선용 차단기를 보호함 안에 설치할 것
5) 콘센트마다 배선용 차단기를 설치하여야 하며, 충전부가 노출되지 아니하도록 할 것
6) 개폐기에는 "비상콘센트"라고 표시한 표지를 할 것
7) 비상콘센트용의 풀박스 등은 방청도장을 한 것으로서, 두께 1.6 mm 이상의 철판으로 할 것
8) 하나의 전용회로에 설치하는 비상콘센트는 10개 이하로 할 것. 이 경우 전선 용량은 각 비상콘센트(비상콘센트가 3개 이상인 경우에는 3개)의 공급용량을 합한 용량 이상의 것으로 하여야 한다.

08 **발신기의 설치기준에 적합하지 않은 것은?**

① 조작스위치는 바닥에서 0.5 m 이상 1.5 m 이하의 높이에 설치하여야 한다.
② 소방대상물의 각 부분으로부터 하나의 발신기까지의 수평거리가 25 m 이하가 되도록 한다.
③ 표시등은 함의 상부에 설치하되, 그 불빛은 부착면으로부터 15° 이상의 범위에서 부착지점으로부터 10 m 이내의 어느 곳에서도 쉽게 식별할 수 있는 적색등으로 한다.
④ 조작이 쉬운 장소에 설치한다.

해 설

■ 발신기의 설치기준

1) 조작이 쉬운 장소에 설치하고, 스위치는 바닥으로부터 0.8 m 이상 1.5 m 이하의 높이에 설치할 것

[발신기 동작]
⑴ 동작
　① 발신기 누름버튼 누름
　② 수신기 동작(화재표시등, 지구표시등, 발신기등, 경보장치 동작)
　③ 응답표시등 점등
⑵ 복구
　① 발신기 누름버튼 원 위치로 복구
　② 수신기 복구스위치를 누름
　③ 응답표시등 소등, 수신기의 동작표시등 소등

정답

08 ①

2) 특정소방대상물의 층마다 설치하되, 해당 특정소방대상물의 각 부분으로부터 하나의 발신기까지의 수평거리가 25 m 이하가 되도록 할 것. 다만 복도 또는 별도로 구획된 실로서 보행거리가 40 m 이상일 경우에는 추가로 설치하여야 한다.

3) 2) 기준을 초과하는 경우로서 기둥 또는 벽이 설치되지 아니한 대형 공간의 경우 발신기는 설치 대상 장소의 가장 가까운 장소의 벽 또는 기둥 등에 설치할 것

4) 발신기의 위치를 표시하는 표시등은 함의 상부에 설치하되, 그 불빛은 부착면으로부터 15° 이상의 범위 안에서 부착지점으로부터 10 m 이내의 어느 곳에서도 쉽게 식별할 수 있는 적색등으로 하여야 한다.

09 다음 설명을 보고 모아아파트의 최소 수원의 저수량을 계산하시오.

- 아파트의 층수는 8층이다.
- 각 층에 옥내소화전설비가 4개씩 설치되어 있다.
- 스프링클러설비가 설치되어 있다.

① 18.2 m³   ② 20.2 m³
③ 21.2 m³   ④ 22.2 m³

해설

■ 옥내소화전의 수원의 저수량

수원량(m³) = N × 2.6 m³
         = 2 × 2.6 m³ = 5.2 m³

N : 한 개 층 설치개수(최대개수 층 선정/최대 2개)

■ 설치장소에 따른 헤드의 기준개수

수원량(Q) = N × 1.6 m³ = 10개 × 1.6 m³ = 16 m³

스프링클러설비 설치장소			기준개수
10층 이하 (지하층 제외)	공장	특수가연물 저장·취급	30
		그 밖의 것	20
	근린생활시설 판매시설 운수시설 복합건축물	판매시설 또는 복합건축물 (판매시설이 설치되는 복합건축물)	30
		그 밖의 것	20
	그 밖의 것	헤드부착높이가 8 m 이상	20
		헤드부착높이가 8 m 미만	10
아파트			10
지하층을 제외한 층수가 11층 이상(아파트 제외), 지하가 또는 지하역사			30

※ ∴ 16 + 5.2 = 21.2 m³

10 시험밸브함을 열어 밸브 개방 시 측정되는 압력의 정상 압력(MPa) 범위를 고르시오.

① 0.1 ~ 1.2

② 0.17 ~ 0.7

③ 0.25 ~ 0.7

④ 1.0 ~ 1.5

해설

■ 습식 스프링클러설비의 유지관리

압력계 밑에 부착된 개폐밸브는 평상시에 개방하여 시험밸브 배관 내의 압력이 정상 압력(0.1 MPa 이상 1.2 MPa 이하)인지 여부를 확인해주어야 하며 가압수 배출을 위한 시험밸브는 평상시에 폐쇄 상태로 유지·관리되어야 한다.

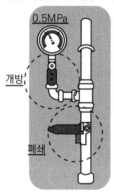

11 다음 수신기를 보고 틀린 설명을 고르시오.

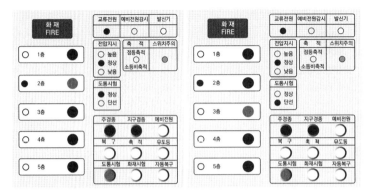

① 전압지시는 정상이다.
② 스위치주의표시등이 점등되었으므로 확인이 필요하다.
③ 전원은 예비전원을 받고 있다.
④ 3층의 도통시험결과 단선이다.

해설

▣ 수신기

• 수신기의 도통시험스위치를 눌러서 3층의 도통시험을 하였더니 단선에 점등이 되었다. 따라서 도통시험결과 단선임을 알 수 있다.
• 스위치주의등이 점등되었는데 이는 도통시험을 위해 주경종과 지구경종스위치를 눌러둔 상태이므로 정상이다.
• 교류전원표시등에 점등이 되어 있으므로 전원은 교류전원을 받고 있다.

12 준비작동식 스프링클러설비의 수동조작함(SVP) 누름버튼스위치를 누를 경우 다음의 감시제어반 표시등 중 점등되어야 하는 것으로 알맞은 것을 고르시오.

Tip
알람밸브는 습식 스프링클러설비에 해당한다.

① 1, 2   ② 2, 6
③ 3, 4   ④ 4, 5

해설

▣ SVP
준비작동식 스프링클러설비의 수동조작함 누름버튼스위치를 누르면 화재신호가 전송되므로 화재표시등과 준비작동식 스프링클러설비의 밸브(프리액션밸브)가 점등한다.

정답
11 ③   12 ②

13 다음과 같이 감시제어반이 유지되고 있다. 이때 화재발생 시 주펌프를 수동기동하는 방법과 기동 시 작동되는 음향장치(ⓔ)를 올바르게 나열하시오.

ⓐ 선택스위치   ⓑ 주펌프   ⓒ 충압펌프

① ⓐ 수동   ⓑ 기동   ⓒ 정지   ⓔ 부저
② ⓐ 연동   ⓑ 기동   ⓒ 정지   ⓔ 부저
③ ⓐ 수동   ⓑ 기동   ⓒ 정지   ⓔ 사이렌
④ ⓐ 연동   ⓑ 기동   ⓒ 정지   ⓔ 사이렌

해설

◼ 감시제어반
화재발생 시 주펌프를 수동기동하는 방법은 선택스위치를 수동으로 둔 후 주펌프만 기동, 충압펌프는 정지에 두는 것이다. 이때 부저가 작동한다.

14 다음 중 연소와 가장 관련이 있는 화학반응은?

① 산화반응   ② 환원반응
③ 치환반응   ④ 중화반응

해설

◼ 연소
1) 가연물이 공기 중의 산소와 결합하여 빛과 열을 수반하는 산화반응이다.
2) 연소는 발열반응한다.
3) 화학반응이 진행되기 위한 최소한의 활성화에너지가 필요하다.

Tip
[연소의 3요소]
(1) 연소가 시작할 수 있는 필수요소
(2) 가연물, 산소공급원, 점화원

[연소의 4요소]
(1) 연소가 지속될 수 있는 필수요소
(2) 연소의 3요소(가연물, 산소공급원, 점화원)+연쇄반응

15 280 m²의 발전실에 부속용도별로 추가하여야 할 적응성이 있는 소화기의 수량은 몇 개 이상이어야 하는가?

① 2개   ② 4개
③ 6개   ④ 12개

Tip
[소화기구]
소화기의 수량은 절상한다.

정답

13 ①   14 ①   15 ③

■ 부속용도별로 추가할 소화기구

소화기 수량

$$= \frac{바닥면적[m^2]}{50[m^2]} = \frac{280}{50} = 5.6 \rightarrow 절상해서 6개$$

용도별	소화기구의 능력단위
• 발전실 · 변전실 · 송전실 • 변압기실 · 배전반실 · 통신기기실 · 전산기기실	해당 용도의 바닥면적 50 m²마다 적응성이 있는 소화기 1개 이상 또는 유효설치방호체적 이내의 기스 · 말 · 고체에어로졸 자동소화장치, 캐비닛형자동소화장치

16 습식 스프링클러설비에서 시험배관을 설치하는 이유로서 가장 옳은 것은?

① 정기적인 배관의 통수소제를 위해
② 배관 내 수압의 정상상태 여부를 수시로 확인하기 위해
③ 실제로 헤드를 개방하지 않고도 방수압력을 측정하기 위해
④ 유수검지장치의 기능을 점검하기 위해

Tip

[시험배관의 설치기준]
(1) 습식, 부압식 : 유수검지장치 2차 측 배관에 연결할 것
(2) 건식 : 유수검지장치에서 가장 먼 가지배관의 끝으로부터 연결하여 설치할 것
(3) 구경 : 25 mm 이상이고, 그 끝에 개폐밸브 및 개방형 헤드를 설치할 것
(4) 시험배관 끝에 물받이통 및 배수관을 설치할 것

■ 시험배관의 설치목적
1) 유수검지장치의 기능(성능) 확인
2) 규정방수량 및 방수압 확인
3) 음향경보장치의 작동 확인
4) 제어반 화재표시등 및 밸브개방표시등의 점등 확인
5) 펌프의 자동기동 확인

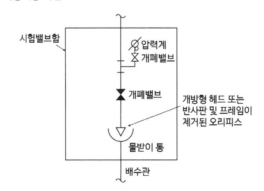

17 광전식 분리형 감지기의 설치기준으로 옳은 것은?

① 광축은 나란한 벽으로부터 1 m 이상 이격하여 설치할 것
② 광축의 높이는 천장 등 (천장의 실내에 면한 부분) 높이의 80 % 이상일 것
③ 감지기의 송광부와 수광부는 설치된 뒷벽으로부터 0.6 m 이내 위치에 설치할 것
④ 감지기의 수광면은 햇빛을 직접 받는 곳에 설치할 것

해설

◼ 광전식 분리형 감지기의 설치기준
1) 감지기 수광면은 햇빛을 직접 받지 않도록 설치
2) 광축(송광면과 수광면의 중심을 연결한 선)은 나란한 벽으로부터 0.6 m 이상 이격하여 설치
3) 감지기의 송광부와 수광부는 설치된 뒷벽으로부터 1 m 이내 위치에 설치
4) 광축의 높이는 천장 등 높이의 80 % 이상
5) 감지기의 광축의 길이 공칭감시거리 범위 이내

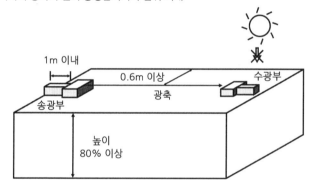

18 다음 중 건축과 관련한 용어의 설명으로 옳지 않은 것은?

① 바닥면적 : 건축물의 각층 또는 그 일부벽, 기둥 등 기타 유사한 구획의 중심선으로 둘러싸인 부분의 수평투영면적
② 용적률 : 연면적/대지면적
③ 연면적 : 하나의 건축물 각층의 바닥면적의 합계
④ 건폐율 : 대지면적에 대한 바닥면적의 비율

해설

◼ 건폐율
대지면적에 대한 건축면적으로 나눈 값

🖋Tip
[대지면적]
대지의 수평투영면적으로 하되 다음에 해당하는 면적은 제외한다.
⑴ 대지 안에 건축선이 정하여진 경우 그 건축선과 도로 사이의 대지면적
⑵ 대지에 도시·군계획시설인 도로·공원등이 있는 경우 그 도시·군계획시설에 포함되는 대지면적

정답
17 ② 18 ④

19 소방안전관리자의 업무수행 기록·유지에 관한 사항으로 틀린 것을 고르시오.

① 소방안전관리자는 소방안전관리업무 수행에 관한 기록을 소방안전관리 업무수행 기록표에 월 1회 이상 작성·관리해야 한다.
② 당해 연도 소방계획서 및 소방시설등(최초점검, 작동점검, 종합점검) 점검표에 따른 점검항목 참고하여 작성한다.
③ 경보설비의 수신기, 소화설비의 제어반 및 가압송수장치(펌프 등)를 중점적으로 확인하여 작성한다.
④ 업무 수행에 관한 기록을 작성한 날부터 1년간 보관한다.

> **[해설]**
>
> ■ 소방안전관리자의 업무수행 기록의 작성·유지
> 1) 소방안전관리자는 소방안전관리업무 수행에 관한 기록을 소방안전관리 업무수행 기록표에 월 1회 이상 작성·관리해야 하며, 소방안전관리업무 수행 중 보수 또는 정비가 필요한 사항을 발견한 경우에는 이를 지체 없이 관계인에게 알리고, 소방안전관리 업무수행 기록표에 기록
> 2) 당해 연도 소방계획서 및 소방시설등(최초점검, 작동점검, 종합점검) 점검표에 따른 점검항목 참고하여 작성
> 3) 소방안전관리대상물의 특성에 따라 기타사항에 추가항목 작성
> 4) 경보설비의 수신기, 소화설비의 제어반 및 가압송수장치(펌프 등)를 중점적으로 확인하여 작성
> 5) 업무 수행에 관한 기록을 작성한 날부터 2년간 보관

20 화기취급작업의 관리감독절차로 옳지 않은 것은?

① 화재안전 감독관은 예상되는 화기작업의 위치를 확정하고, 화기작업의 시작 전, 작업현장의 화재안전조치 상태 및 예방책을 확인한다.
② 화기작업허가서는 작업구역 내 게시하여, 해당 작업현장 내의 작업자와 관리자는 화기 작업에 대한 사항을 인지한다.
③ 작업완료 시 화재감시자는 해당 작업구역 내에 30분 이상 더 상주하면서 발화 및 착화 발생 여부에 대한 감시를 진행해야 한다.
④ 화재안전 감독관에게 작업 종료를 통보하고 이후 현장 관찰은 진행하지 않아도 된다.

> **[해설]**
>
> ■ 화재위험작업의 관리감독 절차
> 1) 화재안전 감독관은 예상되는 화기작업의 위치를 확정하고, 화기작업의 시작 전, 작업현장의 화재안전조치 상태 및 예방책 확인

Tip

[화기취급작업 절차]
(1) 사전허가
　① 처리절차 : 작업허가
　② 업무내용
　　㉠ 작업요청
　　㉡ 승인검토 및 허가서 발급
(2) 안전조치
　① 처리절차
　　㉠ 화재예방조치
　　㉡ 안전교육
　② 업무내용
　　㉠ 가연물 이동 및 보호조치
　　㉡ 소방시설 작동 확인
　　㉢ 용접·용단장비·보호구 점검
　　㉣ 화재안전교육
　　㉤ 비상시 행동요령 교육
(3) 작업·감독
　① 처리절차
　　㉠ 화재감시자 입회 및 감독
　　㉡ 최종 작업 확인
　② 업무내용
　　㉠ 화재감시자 입회
　　㉡ 화기취급 감독
　　㉢ 현장상주 및 화재감시
　　㉣ 작업종료 확인

[정답]
19 ④　20 ④

2) 작업현장의 준비상태가 확인되고, 화재안전 감시자가 현장에 배치된 후, 화재안전 감독관은 서명을 하고 화기작업허가서 발급

3) 화기작업허가서는 작업구역 내 게시하여, 해당 작업현장 내의 작업자와 관리자는 화기 작업에 대한 사항 인지

4) 화기작업 중 화재감시자는 작업 중은 물론, 휴식시간 및 식사시간 등에도 해당 현장에 대한 감시활동 진행하며, 화재발생 시 초동대처가 가능한 상태의 대응준비 갖추어야 함

5) 작업완료 시 화재감시자는 해당작업구역 내에 30분 이상 더 상주하면서 발화 및 착화 발생 여부에 대한 감시(작업구역의 직상, 직하층에 대한 점검 병행) 후 허가서 확인란에 서명

6) 화재안전 감독관에게 작업 종료 통보(작업통보 이후 추가 3시간 이후까지는 순찰 점검 등을 통한 현장 관찰 필요)

7) 전체 작업 및 감시감독시간 완료 시 화재안전 감독관은 해당 구역에 대한 최종 점검 및 확인 후 허가서에 서명하여 작업완료 확인(확인 날인된 허가서는 작업기록으로 보관)

21 다음은 소방안전관리자가 실무교육을 받지 않은 경우 행정처분기준에 관한 사항이다. 옳게 짝지어진 것을 고르시오.

위반사항	행정처분기준		
실무교육을 받지 아니한 경우	1차	2차	3차
	㉠	㉡	㉢

① ㉠ 경고(시정명령), ㉡ 자격정지(1개월), ㉢ 자격정지(3개월)

② ㉠ 경고(시정명령), ㉡ 자격정지(3개월), ㉢ 자격정지(6개월)

③ ㉠ 자격정지(1개월), ㉡ 자격정지(3개월), ㉢ 자격정지(6개월)

④ ㉠ 자격정지(1개월), ㉡ 자격정지(3개월), ㉢ 자격취소

해설

■ 소방안전관리자 자격의 정지 및 취소 기준

위반사항	근거법령	행정처분기준		
		1차 위반	2차 위반	3차 이상 위반
가. 거짓이나 그 밖의 부정한 방법으로 소방안전관리자 자격증을 발급받은 경우	법 제31조 제1항 제1호	자격취소		
나. 법 제24조 제5항에 따른 소방안전관리업무를 게을리한 경우	법 제31조 제1항 제2호	경고 (시정 명령)	자격정지 (3개월)	자격정지 (6개월)

위반사항	근거법령	행정처분기준		
		1차 위반	2차 위반	3차 이상 위반
다. 법 제30조 제4항을 위반하여 소방안전관리자 자격증을 다른 사람에게 빌려준 경우	법 제31조 제1항 제3호	자격취소		
라. 제34조에 따른 실무교육을 받지 않는 경우	법 제31조 제1항 제4호	경고 (시정 명령)	자격정지 (3개월)	자격정지 (6개월)

22 자체점검 결과 중대위반사항에 해당하는 경우를 모두 고르시오.

> 가. 소화펌프(가압송수장치를 포함한다. 이하 같다), 동력·감시 제어반 또는 소방시설용 전원(비상전원을 포함한다)의 고장으로 소방시설이 작동되지 않는 경우
> 나. 화재 수신기의 고장으로 화재경보음이 자동으로 울리지 않거나 화재 수신기와 연동된 소방시설의 작동이 불가능한 경우
> 다. 소화배관 등이 부식된 경우
> 라. 방화문 또는 자동방화셔터가 훼손되거나 철거되어 본래의 기능을 못하는 경우

① 가
② 가, 나
③ 가, 나, 라
④ 가, 나, 다, 라

[해설]

■ 자체점검 결과 중대위반사항
1) 소화펌프(가압송수장치를 포함한다. 이하 같다), 동력·감시 제어반 또는 소방시설용 전원(비상전원을 포함한다)의 고장으로 소방시설이 작동되지 않는 경우
2) 화재 수신기의 고장으로 화재경보음이 자동으로 울리지 않거나 화재 수신기와 연동된 소방시설의 작동이 불가능한 경우
3) 소화배관 등이 폐쇄·차단되어 소화수(消火水) 또는 소화약제가 자동 방출되지 않는 경우
4) 방화문 또는 자동방화셔터가 훼손되거나 철거되어 본래의 기능을 못하는 경우

Tip

관리업자 등은 자체점검 결과 중대위반사항을 발견한 경우 즉시 관계인에게 알려야 한다. 이 경우 관계인은 지체 없이 수리 등 필요한 조치를 하여야 함

23 다음은 건축물 면적 산정에 관한 설명이다. 틀린 것을 고르시오.

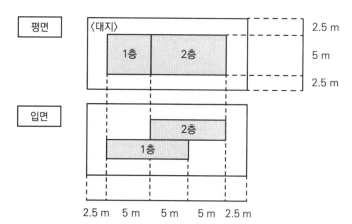

① 건축면적 : 15 m × 5 m = 75 m²
② 연면적 : (15 m × 5 m) + (10 m × 5 m) = 125 m²
③ 건폐율 : (75 m² ÷ 200 m²) × 100 = 37.5 %
④ 용적률 : (100 m² ÷ 200 m²) × 100 = 50 %

해설

■ 건축물 면적의 산정
1) 대지면적
대지의 수평투영면적으로 하되 다음에 해당하는 면적은 제외한다.
⑴ 대지 안에 건축선이 정하여진 경우 그 건축선과 도로 사이의 대지면적
⑵ 대지에 도시 · 군계획시설인 도로 · 공원 등이 있는 경우 그 도시 · 군계획시설에 포함되는 대지면적
2) 건축면적
건축물의 외벽(외벽이 없는 경우에는 외곽 부분의 기둥)의 중심선으로 둘러싸인 부분의 수평투영면적으로 한다.
3) 바닥면적
건축물의 각 층 또는 그 일부로서 벽 · 기둥 기타 이와 유사한 구획의 중심선으로 둘러싸인 부분의 수평투영면적으로 한다.
4) 연면적
하나의 건축물의 각 층의 바닥면적의 합계로 한다. 다만 용적률의 산정에 있어서는 지하층의 면적과 지상층의 주차용(해당 건축물의 부속용도인 경우만 해당)으로 사용되는 면적, 피난안전구역의 면적, 건축물의 경사지붕 아래 설치하는 대피공간의 면적은 산입하지 않는다.
5) 건폐율
대지면적에 대한 건축면적(대지에 건축물이 둘 이상 있는 경우에는 이들 건축면적의 합계로 한다)의 비율
6) 용적률
대지면적에 대한 연면적(대지에 건축물이 둘 이상 있는 경우에는 이들 연면적의 합계로 한다)의 비율
※ 문제 그림상의 연면적 : (10 m × 5 m) + (10 m × 5 m) = 100 m²

정답

23 ②

24 화재발생 시 옥내소화전을 사용하여 충압펌프가 작동하였다. 다음 그림을 보고 표시등(㉠ ~ ㉤) 중 점등되는 것을 모두 고르시오. (단, 설비는 정상상태이며 제시된 조건을 제외하고 나머지 조건은 무시한다)

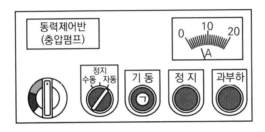

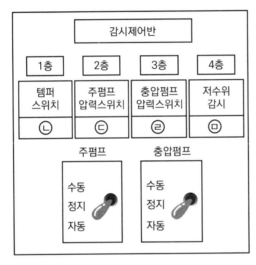

① ㉠, ㉡
② ㉠, ㉣
③ ㉠, ㉡, ㉣
④ ㉠, ㉡, ㉢

해설

■ 옥내소화전설비

충압펌프가 작동하였으므로 동력제어반에서 기동표시등이 점등이 되며, 감시제어반에서 충압펌프 압력스위치가 점등됨

정답
24 ②

25 방수압력시험장비를 이용하여 방수압력시험을 할 때 장비의 측정 모습으로 옳은 것을 고르시오.

Tip

방수압력과 방수량의 측정은 어느 층에 있어서도 2개 이상 설치된 경우에는 2개(설치개수가 1개인 경우에는 1개)를 개방시켜 놓고 측정

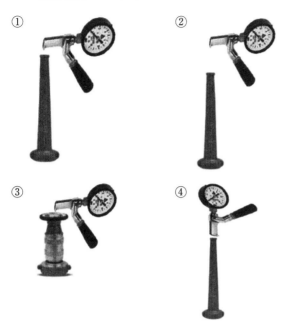

① ② ③ ④

※ 출처 : 한국소방안전원

해설

□ 방수압력 및 방수량 측정

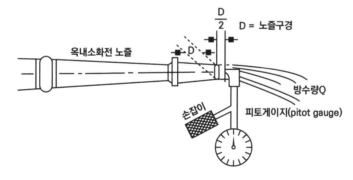

정답

25 ①

26 다음의 옥내소화전함을 보고 동력제어반의 모습으로 옳은 것을 모두 고르시오. (단, 주펌프 자동기동 시 충압펌프는 정지한 상태이다)

동력 제어반	충압펌프		
	기동표시등	정지표시등	펌프 기동표시등
㉠	소등	점등	소등
㉡	소등	소등	점등
㉢	점등	소등	점등
㉣	소등	점등	점등

동력 제어반	주펌프		
	기동표시등	정지표시등	펌프 기동표시등
㉤	점등	소등	소등
㉥	점등	소등	점등
㉦	점등	점등	소등
㉧	소등	점등	소등

① ㉠, ㉥ ② ㉡, ㉥
③ ㉣, ㉧ ④ ㉢, ㉦

해설

◼ 옥내소화전
1) 옥내소화전의 위치표시등은 상시 점등이며, 주펌프 기동표시등은 주펌프가 기동 시 점등된다.
2) 옥내소화전함의 주펌프 기동표시등이 점등된 상태이므로 주펌프가 기동중이다. 또한 주펌프가 기동되면 충압펌프는 정지점에 도달하여 자동 정지한다.

27 다음은 옥내소화전설비의 동력제어반과 감시제어반을 나타낸 것이다.
옳지 않은 것을 고르시오.

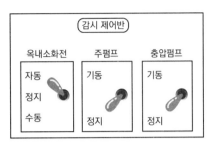

※ 출처 : 한국소방안전원

① 감시제어반은 정상상태로 유지관리되는 중이다.
② 감시제어반에서 주펌프스위치를 기동위치로 전환하면 주펌프
는 기동한다.
③ 동력제어반에서 주펌프 ON을 눌러도 주펌프는 기동하지 않는다.
④ 동력제어반에서 충압펌프를 자동위치로 전환하면 모든 제어반
은 정상상태로 된다.

해설

■ 동력제어반과 감시제어반
1) 동력제어반의 주펌프 선택스위치가 자동인 상태에서는 ON버튼을 눌러도 주펌프
는 기동하지 않는다.
2) 감시제어반에서 주펌프를 수동기동하기 위해서는 감시제어반의 선택스위치를 수
동으로 전환한 후 주펌프스위치를 기동으로 전환하여야 한다.

Tip
평상시에 감시제어반의 선택
스위치는 자동위치에 두어야
하며 주펌프와 충압펌프는
정지에 있다.

정답
27 ②

28 다음과 같은 건축물의 용적률과 건폐율을 계산하시오.

Tip

용적률은 연면적이 계산식에 적용되기 때문에 100 % 초과가 가능하지만, 건폐율은 건축면적이 적용되기 때문에 100 % 이하의 값이다.

바닥면적 700 m²
바닥면적 700 m²
바닥면적 700 m²

대지면적 : 1500 m²

① 용적률 : 140 %, 건폐율 : 47 %
② 용적률 : 47 %, 건폐율 : 150 %
③ 용적률 : 47 % 건폐율 : 100 %
④ 용적률 : 140 % 건폐율 : 100 %

해 설

■ 건축면적 산정

1) 건축면적 : 건축물의 외벽의 중심선으로 둘러싸인 부분의 수평투영면적으로 한다.

2) 바닥면적 : 건축물의 각층 또는 그 일부로서 벽, 기둥 기타 이와 유사한 구획의 중심선으로 둘러싸인 부분의 수평투영면적으로 한다.

3) 연면적 : 하나의 건축물 각층 바닥면적의 합계로 한다. 다만 용적률의 산정에 있어서는 지하층의 면적과 지상층의 주차용으로 사용되는 면적, 피난안전구역의 면적, 건축물의 경사지붕 아래 설치하는 대피공간의 면적은 산입하지 않는다.

4) 건폐율 : 대지면적에 대한 건축면적(대지에 2 이상의 건축물이 있는 경우에는 이들 건축면적의 합계로 한다)의 비율을 말한다.

※ $\frac{700}{1500} \times 100 = 47\%$

5) 용적률 : 대지면적에 대한 연면적(대지에 2 이상의 건축물이 있는 경우 이들 연면적의 합계로 한다)의 비율을 말한다.

※ $\frac{2100}{1500} \times 100 = 140\%$

29 건식 스프링클러설비의 작동순서로 옳은 것을 고르시오.

① 화재발생 → 열에 의해 폐쇄형 헤드 개방 및 방수 → 유수검지장치의 클래퍼 개방 → 압력스위치 작동 → 사이렌 경보와 감시제어반의 화재표시등 및 밸브개방표시등 점등 → 압력챔버의 압력스위치 작동 → 펌프 기동

② 화재발생 → 열에 의해 폐쇄형 헤드 개방 및 압축공기 방출 → 유수검지장치의 클래퍼 개방 → 압력스위치 작동 → 사이렌 경보와 감시제어반의 화재표시등 및 밸브개방표시등 점등 → 압력챔버의 압력스위치 작동 → 펌프 기동

③ 화재발생 → 교차회로 방식의 A or B 감지기 작동 → 경종 또는 사이렌 경보, 감시제어반의 화재표시등 점등 → A and B 감지기 모두 작동 → 전자밸브(솔레노이드밸브) 작동 → 중간챔버에 채워져 있던 물이 배수되며(감압) 밸브 개방 → 압력스위치 작동 → 감시제어반의 밸브개방표시등 점등 → 감열에 의한 폐쇄형 헤드 개방 → 압력챔버의 압력스위치 작동 → 펌프 기동

④ 화재발생 → 교차회로 방식의 A or B 감지기 작동 → 경종 또는 사이렌 경보, 감시제어반의 화재표시등 점등 → A and B 감지기 모두 작동 → 전자밸브(솔레노이드밸브) 작동 → 중간챔버에 채워져 있던 물이 배수되며(감압) 밸브 개방 → 압력스위치 작동 → 감시제어반의 밸브개방표시등 점등 → 모든 개방형 헤드에서 소화수 방출 → 압력챔버의 압력스위치 작동 → 펌프 기동

Tip

습식 스프링클러설비와 준비작동식 스프링클러설비가 가장 많이 출제되고 있다.

해설

▣ 스프링클러설비 작동순서

1) 습식 스프링클러설비 : 화재발생 → 열에 의해 폐쇄형 헤드 개방 및 방수 → 유수검지장치의 클래퍼 개방 → 압력스위치 작동 → 사이렌 경보와 감시제어반의 화재표시등 및 밸브개방표시등 점등 → 압력챔버의 압력스위치 작동 → 펌프 기동

2) 건식 스프링클러설비 : 화재발생 → 열에 의해 폐쇄형 헤드 개방 및 압축공기 방출 → 유수검지장치의 클래퍼 개방 → 압력스위치 작동 → 사이렌 경보와 감시제어반의 화재표시등 및 밸브개방표시등 점등 → 압력챔버의 압력스위치 작동 → 펌프 기동

3) 준비작동식 스프링클러설비 : 화재발생 → 교차회로 방식의 A or B 감지기 작동 → 경종 또는 사이렌 경보, 감시제어반의 화재표시등 점등 → A and B 감지기 모두 작동 → 전자밸브(솔레노이드밸브) 작동 → 중간챔버에 채워져 있던 물이 배수되며(감압) 밸브 개방 → 압력스위치 작동 → 감시제어반의 밸브개방표시등 점등 → 감열에 의한 폐쇄형 헤드 개방 → 압력챔버의 압력스위치 작동 → 펌프 기동

4) 일제살수식 스프링클러설비 : 화재발생 → 교차회로 방식의 A or B 감지기 작동 → 경종 또는 사이렌 경보, 감시제어반의 화재표시등 점등 → A and B 감지기 모두 작동 → 전자밸브(솔레노이드밸브) 작동 → 중간챔버에 채워져 있던 물이 배수되며(감압) 밸브 개방 → 압력스위치 작동 → 감시제어반의 밸브개방표시등 점등 → 모든 개방형 헤드에서 소화수 방출 → 압력챔버의 압력스위치 작동 → 펌프 기동

정답

29 ②

30 수신기 점검 시 1층 발신기를 눌렀을 때 건물 어디에서도 경종이 울리지 않았다. 이때 수신기 스위치 상태로 옳은 것을 고르시오.

Tip
이때 스위치주의등은 점멸상태이다.

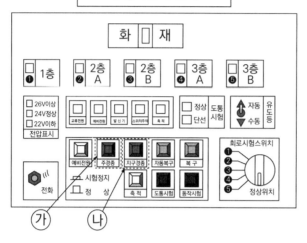

① "가" 스위치가 눌려 있다.
② "나" 스위치가 눌려 있다.
③ "가", "나" 스위치가 눌려 있다.
④ 스위치가 눌려 있지 않다.

해설

■ P형 수신기

1) 주경종 스위치가 눌려있으면 감지기 또는 발신기가 동작하더라도 주경종이 울리지 않는다.
2) 지구경종 스위치가 눌려있으면 감지기 또는 발신기가 동작하더라도 지구경종이 울리지 않는다.
3) 따라서 1층 발신기를 눌렀을 때 주경종 스위치 "가"와 지구경종 스위치 "나"가 눌려 있는 경우 건물 어디에서도 경종이 울리지 않는다.

31 소화기구의 화재안전기준상 소화설비가 설치되지 아니한 특정소방대상물의 보일러실에 자동확산소화기를 설치하려 한다. 보일러실 바닥면적이 19 m²면 자동확산소화기를 몇 개 설치하여야 하는가?

① 1개   ② 2개
③ 3개   ④ 4개

해설

■ 자동확산소화기 설치개수
바닥면적 10 m² 이하는 1개, 10 m² 초과는 2개를 설치할 것

정답
30 ③   31 ②

32 층수가 10층인 일반창고에 습식의 폐쇄형 스프링클러헤드가 설치되어 있다면 이 설비에 필요한 수원의 양은 얼마 이상이어야 하는가? (단, 이 창고는 특수가연물을 저장·취급하지 않는 일반물품을 적용함)

① 16 m³   ② 24 m³
③ 32 m³   ④ 48 m³

해설

■ 설치장소에 따른 헤드의 기준개수

수원량(Q) = N × 1.6 m³ = 20개 × 1.6 m³ = 32 m³

스프링클러설비 설치장소			기준개수
10층 이하 (지하층 제외)	공장	특수가연물 저장·취급	30
		그 밖의 것	20
	근린생활시설 판매시설 운수시설 복합건축물	판매시설 또는 복합건축물 (판매시설이 설치되는 복합건축물)	30
		그 밖의 것	20
	그 밖의 것	헤드부착높이가 8 m 이상	20
		헤드부착높이가 8 m 미만	10
지하층을 제외한 층수가 11층 이상(아파트 제외), 지하가 또는 지하역사			30

※ [33 ~ 35] 다음 소방안전관리대상물의 조건을 보고 각 물음에 답하시오.

용도	의료시설
규모	지상 14층 / 지하 2층, 연면적 12000 m²
소방시설	소화기, 스프링클러설비, 옥내소화전설비, 자동화재탐지설비, 연결송수관설비, 유도등, 비상조명등, 비상방송설비
소방안전관리자 현황	선임일자 : 2024년 5월 4일
	강습교육 : 2024년 4월 15일 이수

※ 상기 조건을 제외한 나머지 조건은 무시한다.

33 소방안전관리자의 선임신고 기한을 고르시오.

① 2024년 5월 17일 ② 2024년 5월 24일
③ 2024년 5월 31일 ④ 2024년 5월 4일

해 설

■ 소방안전관리자(보조자) 선임
1) 선임권자 : 관계인
2) 선임기한 : 30일 이내에 선임하고, 14일 이내에 소방본부장이나 소방서장에게 신고

선임기준	해당일
신축·증축·개축·재축·대수선 또는 용도변경 시 신규 선임	특정소방대상물의 사용승인일
증축 또는 용도변경	특정소방대상물의 사용승인일 또는 용도변경 사실을 건축물관리대장에 기재한 날
양수하거나 경매, 환가, 압류재산의 매각	• 해당 권리를 취득한 날 • 관할 소방서장으로부터 소방안전관리자 선임안내를 받은 날
공동 소방안전관리대상이 되는 경우	소방본부장 또는 소방서장이 공동 소방안전관리대상으로 지정한 날
소방안전관리자를 해임, 퇴직 등으로 업무가 종료된 경우	소방안전관리자를 해임, 퇴직 등 근무를 종료한 날
소방안전관리업무를 대행하는 자를 감독하는 자를 소방안전관리자로 선임한 경우로서 그 업무대행 계약이 해지 또는 종료된 경우	소방안전관리업무 대행이 끝난 날
소방안전관리자 자격이 정지 또는 취소된 경우	소방안전관리자 자격이 정지 또는 취소된 날

34 소방안전관리자의 실무교육 이수기한을 고르시오.

① 2024년 10월 15일 ② 2024년 11월 15일
③ 2026년 5월 1일 ④ 2026년 4월 14일

Tip
선임일자로부터 14일 이내에 소방본부장이나 소방서장에게 신고해야 하므로 2024년 5월 17일이 선임신고 기한이다.

Tip
강습교육 수료 후 1년 이내에 선임되었으므로 6개월 교육은 면제되며 2년마다 실무교육을 실시한다. 이때 기준은 강습교육 수료날이 기준이다. 따라서 강습교육 수료날인 2024년 4월 15일로부터 2년 이내인 2026년 4월 14일이다.

해설

■ 소방안전관리자 실무교육

강습 및 실무교육		내용
실시권자		소방청장(한국소방안전원장에게 위임)
대상자		1) 소방안전관리자 및 소방안전관리보조자 2) 소방안전관리 업무를 대행하는 자를 감독할 수 있는 소방안전관리자 3) 소방안전관리자의 자격을 인정받으려는 자
실무교육 통보		교육실시 30일 전
실무교육 주기		선임된 날부터 6개월 이내, 교육실시 후에는 2년마다 실시 다만 강습교육 또는 실무교육 수료 후 1년 이내에 선임 시, 6개월 교육은 면제된다(즉, 선임 후 2년마다 실무교육 실시).
실무 교육 미이행 시	벌칙	과태료 50만 원
	자격 정지	1) 처분권자 : 소방청장 2) 1년 이하의 기간을 정하여 자격을 정지시킬 수 있음 　⑴ 1차 : 경고(시정명령) 　⑵ 2차 : 자격정지(3개월) 　⑶ 3차 : 자격정지(6개월)

> ① 소방안전관리 강습교육 또는 실무교육을 받은 후 1년 이내에 소방안전관리자로 선임된 사람은 해당 강습교육을 수료하거나 실무교육을 이수한 날에 실무교육을 이수한 것으로 본다.
> ② 소방안전관리보조자의 경우 소방안전관리자 강습교육 또는 실무교육이나 소방안전관리보조자 실무교육을 받은 후 1년 이내에 소방안전관리보조자로 선임된 사람은 해당 강습교육을 수료하거나 실무교육을 이수한 날에 실무교육을 이수한 것으로 본다.

※ 강습교육 또는 실무교육 수료 후 1년 이내에 선임되었기 때문에 2년 이내에 실무교육을 실시하면 된다.

35 해당 소방안전관리대상물의 등급과 소방안전관리보조자 선임인원을 옳게 짝지은 것을 고르시오.

① 1급, 소방안전관리보조자 선임대상이 아님
② 1급, 1명
③ 2급, 소방안전관리보조자 선임대상이 아님
④ 2급, 1명

Tip

소방안전관리자는 특정소방대상물 등급에 따라 1명을 선임한다.

정답

35 ②

▣ 소방안전관리대상물 등급

특급 대상물	1급 대상물	2급 대상물	3급 대상물

[아파트]
• 50층 이상
  (지하층 제외)
• 높이 200 m 이상
  (지상부터)
 	
[아파트 제외한
모든 건축물]
• 30층 이상
  (지하층 포함)
• 높이 120 m 이상
  (지상부터)
 	
[모든 건축물]
• 연면적 10만 m^2
  이상
	[아파트]
	• 30층 이상
	  (지하층 제외)
	• 높이 120 m 이상
	  (지상부터)
	
	[아파트 제외한
	모든 건축물]
	• 11층 이상
	  (지하층 제외)
	
	[모든 건축물]
	• 연면적 1만
	  5천 m^2 이상
		• 지하구
		• 공동주택
		  (의무관리)
		• 보물 · 국보목조건
		  축물
		• 옥내 · 스프링클러 ·
		  간이스프링클러 ·
		  물분무등 설치대상
		  (호스릴 제외)
			자동화재
			탐지설비
			설치된
			특정소방
			대상물

–	[가연성 가스] 1000 t 이상	[가연성 가스] 100 ~ 1000 t 가스제조설비 도시 가스 허가시설	–

※ 11층 이상인 건축물이기 때문에 1급 대상물이다.

▣ 소방안전관리보조자 선임대상

보조자선임대상 특정소방대상물	최소 선임기준
300세대 이상인 아파트	1명(300세대마다 1명 이상 추가)
연면적이 1만 5천 m^2 이상인 특정소 방대상물(아파트 및 연립주택 제외)	1명(연면적 1만 5천 m^2마다 1명 이상 추가) 다만 특정소방대상물의 종합방재실에 자위소방대가 24시간 상시 근무하고, 소방자동차 중 소방펌프차, 소방물탱크 차, 소방화학차, 무인방수차를 운용하는 경우 3000 m^2 초과마다 1명 추가 선임 한다.

1) 공동주택 중 기숙사
2) 의료시설
3) 노유자시설
4) 수련시설
5) 숙박시설(숙박시설로 사용되는 바
   닥면적의 합계가 1500 m^2 미만이
   고 관계인이 24시간 상시 근무하고
   있는 숙박시설은 제외)
	1명
	다만 해당 특정소방대상물이 소재하는
	지역을 관할하는 소방서장이 야간이나
	휴일에 해당 특정소방대상물이 이용되
	지 않는다는 것을 확인한 경우에는 선
	임하지 않을 수 있다.

※ 의료시설이기 때문에 연면적이 1만 5천 m^2 이상인 특정소방대상물이 아니어도
1명을 선임한다.

36 **고층건물의 방화계획 시 고려해야 할 사항이 아닌 것은?**

① 발화요인을 줄인다.
② 화재 확대 방지를 위해 구획한다.
③ 자동소화장치를 설치한다.
④ 복도 끝에는 계단보다 엘리베이터를 집중 배치한다.

해설

▣ 고층건물의 방화계획 시 고려할 사항
• 고층건축물의 복도 끝에는 계단을 배치한다.
• 화재 시 엘리베이터는 굴뚝현상에 의한 매우 빠른 화재 확산으로 인해 위험성이 매우 높다.

37 **피난계획의 일반적 원칙으로 옳지 않은 것은?**

① 피난경로는 간단명료할 것
② 피난수단은 이동식 시설을 원칙으로 할 것
③ 두 방향의 피난동선을 항상 확보하여 둘 것
④ 인간의 특성을 고려하여 피난계획을 세울 것

해설

▣ 피난계획의 일반적 원칙
1) 피난경로는 간단명료할 것
2) 양방향 피난로를 상시 확보해둘 것
3) 피난수단은 원시적인 방법에 따를 것
4) 피난수단은 고정식 시설을 원칙으로 할 것
5) 인간의 특성을 고려하여 피난계획을 세울 것

정답
36 ④ 37 ②

38 그림과 같이 감지기 점검 시 점등되는 표시등으로 옳은 것을 고르시오.

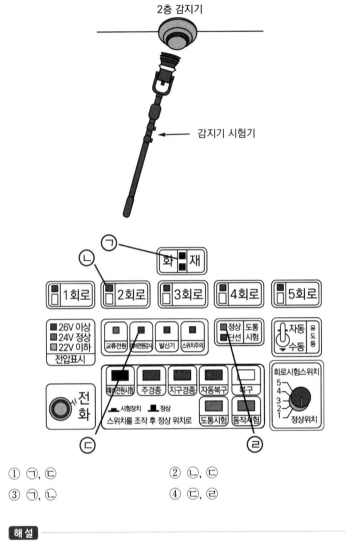

2층 감지기

감지기 시험기

① ㉠, ㉢　　　　　② ㉡, ㉢
③ ㉠, ㉡　　　　　④ ㉢, ㉣

해설

■ 감지기 점검
2층 감지기가 동작하면 화재표시등 '㉠'과 지구표시등 '㉡'이 점등된다.

39 다음의 분말소화기를 보고 틀린 설명을 고르시오.

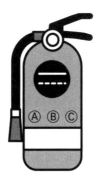

① 일반화재, 유류화재, 전기화재에 적응성이 있다.
② 약제의 주성분은 제1인산암모늄이다.
③ 약제의 색상은 흑색이다.
④ 주요 소화효과는 질식소화, 부촉매효과이다.

해 설

◻ 분말소화기

1) 소화약제 및 적응화재

적응화재	소화약제	소화효과
ABC급	제1인산암모늄($NH_4H_2PO_4$)	질식효과, 억제(부촉매) 효과
BC급	탄산수소나트륨(Na_2HCO_3)	
	탄산수소칼륨($KHCO_3$)	
	탄산수소칼륨+요소($KHCO_3$ + $(NH_2)_2CO$)	

※ 제1인산암모늄 분말소화약제는 담홍색이다.

2) 가압방식에 의한 분류

구분	축압식 소화기	가압식 소화기
정의	용기 내 축압가스(질소)로 가압하여 소화약제 방출	별도의 가압용기의 압력에 의해 약제가 방출
압력계	설치(0.7 ~ 0.98 MPa 유지)	불필요

[화재의 구분]

등급	화재
A급 화재	일반화재
B급 화재	유류화재
C급 화재	전기화재
D급 화재	금속화재
K급 화재	식용유화재

정답

39 ③

40 공기의 요동이 심하면 불꽃이 노즐에 정착하지 못하고 떨어지게 되어 꺼지는 현상을 무엇이라 하는가?

① 역화
② 블로우 오프
③ 불완전연소
④ 플래시 오버

Tip

[플래시 오버]
화재로 인하여 실내의 온도가 급격히 상승하여 화재가 순간적으로 실내 전체에 확산되는 현상

해설

■ 연소 시 이상현상

이상현상	내용
불완전연소	연소 요소가 부적합하여 완전연소되지 못하여 가연물 일부가 미연소되는 현상
리프팅(Lifting)	• 연료가스의 분출속도 > 연소속도 • 버너의 염공이 작거나 막힌 경우 • 1차공기가 많아 공급가스 압력이 높은 경우
역화(Back Fire)	• 분출속도 < 연소속도 • 1차공기가 적거나 가스압력이 낮을 때 • 염공의 부식
황염(Yellow Tip)	불완전연소의 일종으로 노란 그을음
블로우 오프(Blow Off)	• 분출속도 > 연소속도 • 공기의 움직임 등에 의해 불꽃이 꺼지는 현상

41 간이소화용구 중 삽을 상비한 80 ℓ의 팽창질석 1포의 능력단위는?

① 0.5단위
② 1단위
③ 1.5단위
④ 2단위

해설

■ 간이소화용구의 능력단위

간이소화용구		능력단위
마른모래	삽을 상비한 50 ℓ 이상의 것 1포	0.5단위
팽창질석 또는 팽창진주암	삽을 상비한 80 ℓ 이상의 것 1포	

42 분말소화기에 표시된 A, B, C 중 A, B의 의미는 무엇인가?

① A급 - 일반화재, B급 화재 - 유류화재
② A급 - 전기화재, B급 화재 - 유류화재
③ A급 - 금속화재, B급 화재 - 유류화재
④ A급 - 주방화재, B급 화재 - 유류화재

해설

■ 화재의 종류에 따른 분류

등급	화재 종류	표시색
A급	일반화재	백색
B급	유류화재	황색
C급	전기화재	청색
D급	금속화재	무색
K급	주방화재	황색

43 배관 내에 헤드까지 물이 항상 차 있어 가압된 상태에 있는 스프링클러 설비는?

① 폐쇄형 습식
② 폐쇄형 건식
③ 개방형 습식
④ 개방형 건식

해설

■ 스프링클러설비 종류

구분	1차 측 (밸브 기준)	2차 측 (밸브 기준)	헤드 종류	밸브의 종류(명칭)	감지기 설치
습식	가압수	가압수	폐쇄형	습식 유수검지장치	×

구분	1차 측 (밸브 기준)	2차 측 (밸브 기준)	헤드 종류	밸브의 종류(명칭)	감지기 설치
건식	가압수	압축공기 또는 질소	폐쇄형	건식 유수검지장치	×
준비작동식	가압수	대기압	폐쇄형	준비작동식 유수검지장치	○
일제살수식	가압수	대기압	개방형	일제개방밸브 (델류지밸브)	○
부압식	가압수 (정압)	소화수 (부압)	폐쇄형	준비작동식 유수검지장치	○

44 소방용수시설의 저수조에 대한 설치기준으로 옳지 않은 것은?

① 지면으로부터의 낙차가 4.5 m 이하일 것
② 흡수부분의 수심이 0.3 m 이상일 것
③ 흡수관의 투입구가 사각형의 경우에는 한 변의 길이가 60 cm 이상일 것
④ 흡수관의 투입구가 원형의 경우에는 지름이 60 cm 이상일 것

해설

▣ 저수조의 설치기준
1) 지면으로부터의 낙차가 4.5 m 이하일 것
2) 흡수부분의 수심이 0.5 m 이상일 것
3) 소방펌프자동차가 쉽게 접근할 수 있도록 할 것
4) 흡수에 지장이 없도록 토사 및 쓰레기 등을 제거할 수 있는 설비를 갖출 것
5) 흡수관의 투입구가 사각형의 경우에는 한 변의 길이가 60 cm 이상, 원형의 경우에는 지름이 60 cm 이상일 것

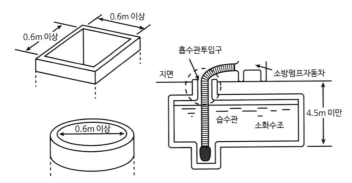

정답
44 ②

45 다음 중 방화셔터의 구성방식에 대한 설명으로 틀린 것은?

방화셔터는 화재 발생 시 (㉠)감지기에 의해 일부폐쇄, (㉡)감지기
동작 시 완전폐쇄가 이루어질 수 있는 구조를 가질 것

① ㉠ 연기, ㉡ 열　　　　② ㉠ 연기, ㉡ 불꽃
③ ㉠ 열, ㉡ 연기　　　　④ ㉠ 열, ㉡ 불꽃

해설

■ 자동방화셔터
방화구획의 용도로, 내화구조로 된 벽을 설치하지 못하는 경우 화재 시 연기 및 열을
감지하여 자동 폐쇄되는 것
1) 자동방화셔터의 설치기준 및 구조
　⑴ 피난이 가능한 60분+ 방화문 또는 60분 방화문으로부터 3 m 이내에 별도로
　　설치할 것
　⑵ 전동방식이나 수동방식으로 개폐할 수 있을 것
　⑶ 불꽃감지기 또는 연기감지기 중 하나와 열감지기를 설치할 것
　⑷ 불꽃이나 연기를 감지한 경우 일부 폐쇄되는 구조일 것
　⑸ 열을 감지한 경우 완전 폐쇄되는 구조일 것
2) 자동방화셔터 성능기준 및 구성
　⑴ 자동방화셔터는 상기 1)에 따른 구조를 가진 것이어야 하나, 수직방향으로 폐
　　쇄되는 구조가 아닌 경우는 불꽃, 연기 및 열감지에 의해 완전폐쇄가 될 수 있
　　는 구조여야 한다.
　⑵ 자동방화셔터의 상부는 상층 바닥에 직접 닿도록 하여야 하며, 그렇지 않은 경
　　우 방화구획 처리를 하여 연기와 화염의 이동통로가 되지 않도록 하여야 한다.

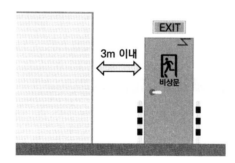

46 다음은 펌프성능시험측정 결과표이다. 틀린 것을 고르시오.

구분		체절운전	정격운전 (100 %)	정격유량의 150 % 운전
토출량 (L/min)	주	0	2000	3000
	예비	-	-	-
토출압 (MPa)	주	1.4	1.1	0.85
	예비	-	-	-

〈적정 여부〉

1. 체절운전 시 토출압은 정격토출압의 140 % 이하일 것 (○)
2. 정격운전 시 토출량과 토출압이 규정치 이상일 것 (○)
3. 정격토출량의 150 %에서 토출압은 정격토출압의 65 % 이상일 것 (○)
※ 릴리프밸브의 작동압력은 1.3 MPa이다.

① 예비펌프는 없기 때문에 성능시험측정을 하지 않았다.
② 주펌프의 정격양정은 100 m이다.
③ 릴리프밸브의 작동압력이 적정하다.
④ 주펌프의 정격토출량은 2000 L/min이다.

■ 펌프성능시험

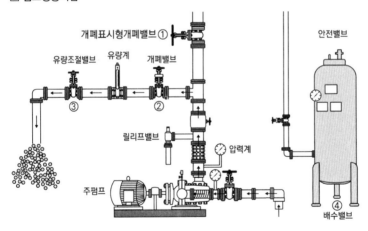

※ 출처 : 한국소방안전원

1) 체절운전
 (1) 펌프토출 측 밸브[①]와 성능시험배관상의 유량조절밸브[③] 폐쇄 상태, 즉 토출량이 "0"인 상태에서 펌프 기동
 (2) 이때의 압력(체절압력)을 확인하여 정격토출압력의 140 % 이하인지 확인
 (3) 정격토출압력이 140 %를 초과하는 경우 순환배관상의 릴리프밸브를 개방(조절볼트 반시계방향으로 돌림)하여 정격토출압력의 140 % 이하로 조절

[펌프성능시험]

성능 시험	유량	압력
체절 운전	0	140 % 이하
정격 운전	100 %	100 % 이상
최대 운전	150 %	65 % 이상

정답

46 ②

2) 정격부하운전
  (1) 펌프토출 측 밸브[①] 폐쇄 상태, 성능시험배관상의 개폐밸브[②] 완전 개방, 유량조절밸브[③] 서서히 개방하여 유량계의 지침이 정격토출량의 100 %를 가리킬 때까지 개방
  (2) 압력계 상의 압력을 확인하여 정격토출압력의 100 % 이상인지 확인
3) 최대운전
  (1) 펌프토출 측 밸브[①] 폐쇄 상태, 성능시험배관상의 개폐밸브[②] 완전 개방, 유량조절밸브[③] 더욱 개방하여 유량계의 지침이 정격토출량의 150 %를 가리킬 때까지 개방
  (2) 압력계상의 압력을 확인하여 정격토출압력의 65 % 이상인지 확인
  ※ 예비펌프가 없으므로 펌프성능시험결과표에 작성하지 않는다.
  ※ 주펌프의 정격양정은 펌프성능시험결과표에서는 알 수 없다(펌프명판에 표시).
  ※ 릴리프밸브의 작동압력은 정격압력인 1.1 MPa보다 크고 체절압력인 1.54 MPa보다 작기 때문에 적정하다.
  ※ 주펌프의 정격운전은 정격토출량인 2000 L/min에서의 압력을 측정

47 자동화재탐지설비의 회로도통시험을 하고자 한다. 적부판정으로 옳지 않은 것은?

① 도통시험결과 전압계가 있는 경우 4 ~ 8 V를 가리키면 정상이다.
② 도통시험결과 전압계가 있는 경우 24 V를 가리키면 정상이다.
③ 도통시험확인 등이 정상인 경우 녹색으로 점등된다.
④ 토통시험확인 등이 단선인 경우 적색으로 점등된다.

해설

■ 회로도통시험
수신기에서 감지기 사이 회로의 단선 유무와 기기 등의 접속 상황 확인
1) 시험순서
  (1) 도통시험 스위치를 누름
  (2) 회로선택스위치를 차례로 회전
2) 적부 판정방법
  (1) 전압계 방식 : 정상(4 ~ 8 V), 단선(0 V)
  (2) 도통시험 확인등 : 정상 확인등 점등(녹색), 단선 확인등 점등(적색)

정답

47 ②

48 다음 중 대수선에 해당하지 않는 것은?

① 보를 증설 또는 해체하거나 세 개 이상 수선 또는 변경하는 것
② 내력벽을 증설 또는 해체하거나 그 벽면적을 50제곱미터 이상 수선 또는 변경하는 것
③ 방화벽 또는 방화구획을 위한 바닥 또는 벽을 증설 또는 해체하거나 수선 또는 변경하는 것
④ 건축물의 외벽에 사용하는 마감재료를 증설 또는 해체하거나 벽면적 30제곱미터 이상 수선 또는 변경하는 것

해설

■ 대수선
건축물의 기둥, 보, 내력벽, 주계단 등의 구조나 외부 형태를 수선·변경하거나 증설하는 것으로서 대통령령으로 정하는 다음 어느 하나에 해당하는 것으로서 증축·개축 또는 재축에 해당하지 아니하는 것
1) 내력벽을 증설 또는 해체하거나 그 벽면적을 30제곱미터 이상 수선 또는 변경하는 것
2) 기둥을 증설 또는 해체하거나 세 개 이상 수선 또는 변경하는 것
3) 보를 증설 또는 해체하거나 세 개 이상 수선 또는 변경하는 것
4) 지붕틀(한옥의 경우에는 지붕틀의 범위에서 서까래는 제외한다)을 증설 또는 해체하거나 세 개 이상 수선 또는 변경하는 것
5) 방화벽 또는 방화구획을 위한 바닥 또는 벽을 증설 또는 해체하거나 수선 또는 변경하는 것
6) 주계단·피난계단 또는 특별피난계단을 증설 또는 해체하거나 수선 또는 변경하는 것
7) 다가구주택의 가구 간 경계벽 또는 다세대주택의 세대 간 경계벽을 증설 또는 해체하거나 수선 또는 변경하는 것
8) 건축물의 외벽에 사용하는 마감재료를 증설 또는 해체하거나 벽면적 30제곱미터 이상 수선 또는 변경하는 것

[리모델링]
건축물의 노후화를 억제하거나 기능 향상 등을 위하여 대수선하거나 건축물의 일부를 증축 또는 개축하는 행위

49 아파트에 설치하는 주방용 자동소화장치의 설치기준 중 부적합한 것은?

① 아파트의 각 세대별 주방에 설치한다.
② 소화약제 방출구는 환기구의 청소부분과 분리되어 있어야 한다.
③ 주방용 자동소화장치의 탐지부는 연료를 LPG로 사용할 경우 천정에서 30 cm 이내에 설치한다.
④ 주방용 자동소화장치의 탐지부는 수신부와 분리하여 설치하되, 공기보다 무거운 가스 사용 시 바닥에서 30 cm 이하에 위치한다.

LPG는 주성분인 프로판(프로페인)과 부탄(부테인)의 분자량이 각각 44, 58이므로 공기보다 무겁다.

정답

48 ② 49 ③

■ 주방용 자동소화장치의 설치기준

1) 소화약제방출구는 환기구의 청소부분과 분리되어 있어야 하며, 형식승인을 받은 유효 설치높이 및 방호면적에 따라 설치할 것
2) 감지부는 형식승인 받은 유효한 높이 및 위치에 설치할 것
3) 차단장치는 상시 확인 및 점검이 가능하도록 설치할 것
4) 탐지부는 수신부와 분리하여 설치하되, 공기보다 가벼운 가스 : 천장면으로부터 30 cm 이하, 공기보다 무거운 가스 : 바닥면으로부터 30 cm 이하의 위치에 설치할 것
5) 수신부는 주위의 열기류 또는 습기 등과 주위온도에 영향을 받지 아니하고 사용자가 상시 볼 수 있는 장소에 설치할 것

구분	액화석유가스(LPG)	액화천연가스(LNG)
주성분	프로판(프로페인)(C_3H_8), 부탄(부테인)(C_4H_{10})	메탄(메테인)(CH_4)
증기비중	LPG는 공기보다 1.5 ~ 2배 무겁다.	LNG는 공기보다 0.55배 가볍다.
누출 시 특징	공기보다 무거워 낮은 곳에 체류	공기보다 가벼워 높은 곳에 체류
용도	가정용, 공업용, 자동차 연료	도시가스

50 가스계 소화설비의 방출표시등 작동시험방법 중 압력스위치 테스트 버튼을 당길 때 점등되는 것으로 옳지 않은 것은?

① 방호구역 출입구 상단에 설치된 방출표시등
② 감시제어반 방출표시등
③ 방호구역 내에 설치된 방출표시등
④ 수동조작함 방출등

■ 방출표시등 작동시험방법

1) 압력스위치 테스트 버튼을 당김
2) 방출표시등 작동 확인
   ⑴ 방호구역 출입문 상단 방출표시등 점등 확인
   ⑵ 수동조작함 방출등(적색) 점등 확인
   ⑶ 감시제어반(수신반) 방출표시등 점등 확인
3) 테스트 버튼 다시 눌러 복구
   방호구역 안으로 거주자의 진입 방지를 위해 설치하기 때문에 방호구역 출입문 상단에 설치

정답

50 ③

PART 02

계산문제
MASTER

MOAG

소화기 설치 개수

[예제]

바닥면적이 800 m²인 근린생활시설에 3단위 소화기를 설치하려고 한다. 소화기의 최소 설치 개수를 구하시오. (단, 주요구조부는 내화구조이며, 벽 및 반자의 실내와 면하는 부분은 불연재료이다)

[핵심이론]

특정소방대상물별 소화기구 능력단위기준

특정소방대상물	소화기구(이상)
위락시설	바닥면적 30 m²마다 1단위
공연장, 집회장, 관람장, 문화재, 장례식장 및 의료시설	바닥면적 50 m²마다 1단위
근린생활시설, 판매시설, 운수시설, 숙박시설, 노유자시설, 전시장, 공동주택, 업무시설, 방송통신시설, 공장, 창고시설, 항공기 및 자동차 관련 시설 및 관광휴게시설	바닥면적 100 m²마다 1단위
그 밖의 것	바닥면적 200 m²마다 1단위

소화기구의 능력단위를 산출함에 있어서 건축물의 주요구조부가 내화구조이고, 벽 및 반자의 실내에 면하는 부분이 불연재료·준불연재료 또는 난연재료로 된 특정소방대상물에 있어서는 위 표의 기준면적의 2배를 해당 특정소방대상물의 기준면적으로 한다.

문제풀이

주요 구조부가 내화구조이며, 벽 및 반자의 실내와 면하는 부분이 불연재료로 된 근린생활시설이기 때문에 기준 바닥면적은 근린생활시설 100 m² 준면적의 2배를 적용한 200 m²이다. 따라서 $\dfrac{800}{200}=4$단위 이상의 소화기가 필요하며, 능력단위가 3단위인 소화기를 설치하므로 소화기는 $\dfrac{4단위}{3단위}=1.33 \to$ 절상해서 2개의 소화기를 설치한다.

정답 2개

CHAPTER

02 경계구역 산정

[예제]

다음과 같은 건축물의 수평적 경계구역 개수를 구하시오. (단, 한 변의 길이는 모두 50 m 이하이며, 최소 개수를 산정하시오)

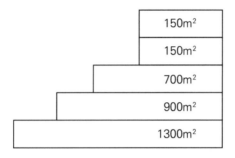

150m²
150m²
700m²
900m²
1300m²

[핵심이론]

자동화재탐지설비 수평적 경계구역

특정소방대상물 중 화재신호를 발신하고 그 신호를 수신 및 유효하게 제어할 수 있는 구역

1) 하나의 경계구역이 2개 이상의 건축물 및 각 층에 미치지 아니하도록 할 것
   (단, 500 m² 이하 범위 안에서는 2개 층을 하나의 경계구역으로 산정)
2) 하나의 경계구역의 면적은 600 m² 이하, 한 변의 길이는 50 m 이하로 할 것
   (단, 주된 출입구에서 그 내부 전체가 보이는 것에 있어서는 한 변의 길이가 50 m의 범위 내에서 1000 m² 이하)

문제풀이

자동화재탐지설비의 경계구역 산정은 면적기준과 길이기준을 전부 만족해야 한다.
이때 길이는 모두 50 m 이하라고 주어져 있으므로 면적기준만 만족하면 된다.
1) 1층 : 1300 ÷ 600 → 3개(절상)
2) 2층 : 900 ÷ 600 → 2개(절상)
3) 3층 : 700 ÷ 600 → 2개(절상)
4) 4층 + 5층 : 1개(2개 층의 바닥면적 합계가 500 m² 이하인 경우에는 하나의 경계구역으로 설정 가능)
5) 3 + 2 + 2 + 1 = 8
※ 경계구역 산정 시 소숫점은 절상한다.

정답 8개

CHAPTER 03 소방안전관리자와 소방안전 관리보조자 선임 인원 산정

[예제]

다음 표를 보고 소방안전관리보조자 선임인원을 구하시오.

용도	아파트
층수	지상 47층
세대수	2200세대
소방안전관리자 현황	선임일자 : 2024년 3월 11일
	강습 및 실무교육 : 이수이력 없음

※ 상기 조건을 제외한 나머지 조건은 무시한다.

[핵심이론]

소방안전관리보조자, 소방안전관리보조관리자 선임대상

보조자선임대상 특정소방대상물	최소 선임기준
300세대 이상인 아파트	1명(300세대마다 1명 이상 추가)
연면적이 1만 5천 m² 이상인 특정소방대상물 (아파트 및 연립주택 제외)	1명(연면적 1만 5천 m²마다 1명 이상 추가) 다만 특정소방대상물의 종합방재실에 자위소방대가 24시간 상시 근무하고, 소방자동차 중 소방펌프차, 소방물탱크차, 소방화학차, 무인방수차를 운용하는 경우 3000 m² 초과마다 1명을 추가 선임한다.
1) 공동주택 중 기숙사 2) 의료시설 3) 노유자시설 4) 수련시설 5) 숙박시설(숙박시설로 사용되는 바닥면적의 합계가 1500 m² 미만이고 관계인이 24시간 상시 근무하고 있는 숙박시설은 제외)	1명 다만 해당 특정소방대상물이 소재하는 지역을 관할하는 소방서장이 야간이나 휴일에 해당 특정소방대상물이 이용되지 않는다는 것을 확인한 경우에는 선임하지 않을 수 있다.

문제풀이

소방안전관리자는 급수에 맞는 인원 1명을 선임하며, 소방안전관리보조자는 아파트인 경우 300세대마다 1명 이상 추가선임한다.

따라서 전체 세대수를 300세대로 나누어서 계산하면 $\frac{2200}{300} = 7.33$이며 7명을 선임한다.

※ 이때 중요한 것은 소방안전관리보조자 계산 후 소수점은 절삭(버림)한다.

정답 7명

감지기 최소수량 산정

[예제]

주요구조부가 일반구조이며 다음 그림과 같은 크기의 실이 있는 건축물에 차동식 스포트형 감지기 2종을 설치할 때 필요한 감지기 최소 수량을 고르시오. (단, 감지기 부착 높이는 4.1 m이다)

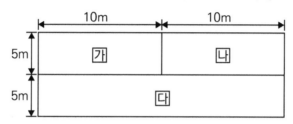

[핵심이론]
열감지기 설치유효면적

부착높이 및 특정소방대상물의 구분		감지기의 종류(단위 m²)						
		차동식 스포트형		보상식 스포트형		정온식 스포트형		
		1종	2종	1종	2종	특종	1종	2종
4 m 미만	내화구조	90	70	90	70	70	60	20
	기타구조	50	40	50	40	40	30	15
4 m 이상 8 m 미만	내화구조	45	35	45	35	35	30	-
	기타구조	30	25	30	25	25	15	-

문제풀이

주요구조부가 일반구조이므로 내화구조가 아닌 기타구조에 해당되며, 차동식 스포트형 2종을 설치하며, 감지기부착높이가 4.1 m로 4 m 이상 8 m 미만에 해당되기 때문에 감지기는 바닥면적 25 m²마다 설치한다.

가 : $\dfrac{10 \times 5}{25} = 2$ 나 : $\dfrac{10 \times 5}{25} = 2$ 다 : $\dfrac{20 \times 5}{25} = 4$

※ 감지기 설치개수를 산정할 때 만약 소숫점이 나오면 감지기는 절상한다(예를 들어 계산결과 2.2가 나왔으면 절상해서 3개의 감지기를 설치하면 된다. 소방안전관리보조자 계산과 다름을 주의한다!).

정답 8개

CHAPTER 05 수용인원 산정

[예제]

다음 도면과 조건을 보고 수용인원을 산정하시오.

301호	302호	303호
복도 50m²		
304호	305호	

- 모든 객실에는 침대가 없으며 301호, 302호, 303호 각각의 바닥면적은 40 m²로 동일하다.
- 304호, 305호의 바닥면적은 각각 60 m²로 동일하다.
- 복도의 길이는 10 m이며, 면적은 50 m²이다.
- 종사자수는 5명이다.

[핵심이론]
수용인원의 산정

대상	용도	수용인원의 산정
숙박시설이 있는 대상물	침대가 있는 숙박시설	종사자 수 + 침대 수
	침대가 없는 숙박시설	종사자 수 + 바닥면적의 합계 $\left[\dfrac{m^2}{3m^2} \right]$
그 외 특정소방대상물	강의실·교무실·상담실·실습실·휴게실 용도	바닥면적의 합계 $\left[\dfrac{m^2}{1.9m^2} \right]$
	강당, 문화 및 집회시설, 운동시설, 종교시설	바닥면적의 합계 $\left[\dfrac{m^2}{4.6m^2} \right]$
		고정식 의자 수
		고정식 긴 의자 $\left[\dfrac{m}{4.5m} \right]$
	그 밖의 특정소방대상물	바닥면적의 합계 $\left[\dfrac{m^2}{3m^2} \right]$

1) 바닥면적 산정 시 복도, 계단 및 화장실은 바닥면적을 포함하지 않는다.
2) 소수점 이하의 수는 반올림한다.

침대가 없는 숙박시설이기 때문에 총 바닥면적의 합계를 3 m²로 나눈다.

$$\frac{(40 \times 3) + (60 \times 2)}{3} = 80$$

여기에, 종사자수 5명을 더하면 85명이다.

※ 가장 중요한 것은, 핵심이론에도 명시되어 있듯 바닥면적 산정 시 복도, 계단, 화장실은 포함하지 않는다. 복도가 도면에 주어져 있지만 복도는 제외하고 바닥면적을 산정한다.

※ 수용인원산정은 소수점 이하의 수는 반올림한다. 예를 들어, 80.3이라는 계산값이 나왔으면 반올림해서 80명이며, 80.7이라는 계산값이 나왔으면 반올림하여 81명이다.

※ 침대가 있는 숙박시설인 경우, 침대가 2인용 침대이면 침대수 × 2를 한다.

정답 85명

건축물 높이 산정

[예제]

다음 그림과 설명을 보고 해당 건축물의 높이를 산정하시오.

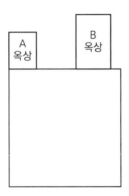

- 건축면적 : 1,800 m^2
- A옥상의 수평투영면적 : 120 m^2
- B옥상의 수평투영면적 : 100 m^2
- A옥상의 높이 : 11 m
- B옥상의 높이 : 25 m
- 건축물 상단까지의 높이 : 90 m

[핵심이론]

1) 건축물 높이의 산정 및 제한

  (1) 원칙

    건축물의 높이는 지표면으로부터 해당 건축물 상단까지의 높이로 한다.

  (2) 건축물의 높이 산정에서 제외되는 부분

    ① 옥상부분(건축물의 옥상에 설치되는 승강기탑·계단탑·망루·장식탑·옥탑 등)으로서 그 수평투영면적의 합계가 해당 건축물 건축면적의 1/8 이하(주택법에 따른 사업계획승인 대상 공동주택으로 세대별 전용면적이 85 m^2 이하인 경우 1/6 이하)인 경우로서 그 부분의 높이가 12 m를 넘는 경우에는 그 넘는 부분만 해당 건축물의 높이에 산입한다.

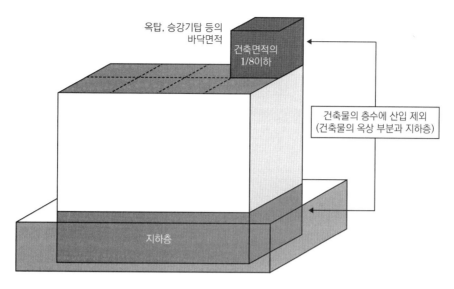

옥탑, 승강기탑 등의 바닥면적

건축면적의 1/8이하

건축물의 층수에 산입 제외
(건축물의 옥상 부분과 지하층)

지하층

② 옥상돌출물(지붕마루장식·굴뚝·방화벽·기타 이와 유사한 옥상돌출부)과 난간벽(그 벽면적의 1/2 이상이 공간으로 된 것에 한함)은 해당 건축물 높이에 산입하지 않는다.

2) 건축물 층수의 산정 및 제한

  (1) 원칙

    ① 건축물의 지상층만을 층수에 산입하며 건축물의 부분에 따라 층수를 달리하는 경우에는 그 중에서 가장 많은 층수를 그 건축물의 층수로 본다.

    ② 층의 구분이 명확하지 아니한 건축물은 높이 4 m마다 하나의 층으로 산정한다.

  (2) 건축물 층수 산정에서 제외되는 부분

    ① 지하층

    ② 건축물의 옥상부분(건축물의 옥상에 설치되는 승강기탑·계단탑·망루·장식탑·옥탑 등)으로서 수평투영면적의 합계가 건축물의 건축면적의 1/8 이하(주택법에 따른 사업계획승인 대상 공동주택으로 세대별 전용면적이 85 m² 이하인 경우 1/6 이하)인 것

문제풀이

A옥상과 B옥상의 수평투영면적의 합계는 220 m²로써 건축면적 1800 m²의 1/8(225 m²) 이하이다. 따라서 12 m를 넘는 경우의 부분만 산입하기 때문에 B옥상의 높이 25 m 중 12 m를 넘는 (25 − 12 = 13 m)를 건축물 상단까지의 높이 90 m에서 더해주면 90 + 13 = 103 m이다.

※ 옥상부분으로서 그 수평투영면적의 합계가 해당 건축물 건축면적의 1/8을 초과하면 건축물의 높이산정에 포함한다.

정답 103 m

PART 03

OMR

소방안전관리자 2급 답안지

답 안 표 기 란

※ OMR카드 작성요령

1. 감독관 지시에 따라 응답지를 작성할 것
2. 반드시 컴퓨터용사인펜을 사용할 것
3. 인적사항은 좌측부터, 성명은 특히 음에 유의하여 작성할 것

번호	①	②	③	④	⑤		번호	①	②	③	④	⑤		번호	①	②	③	④	⑤
1	①	②	③	④	⑤		21	①	②	③	④	⑤		41	①	②	③	④	⑤
2	①	②	③	④	⑤		22	①	②	③	④	⑤		42	①	②	③	④	⑤
3	①	②	③	④	⑤		23	①	②	③	④	⑤		43	①	②	③	④	⑤
4	①	②	③	④	⑤		24	①	②	③	④	⑤		44	①	②	③	④	⑤
5	①	②	③	④	⑤		25	①	②	③	④	⑤		45	①	②	③	④	⑤
6	①	②	③	④	⑤		26	①	②	③	④	⑤		46	①	②	③	④	⑤
7	①	②	③	④	⑤		27	①	②	③	④	⑤		47	①	②	③	④	⑤
8	①	②	③	④	⑤		28	①	②	③	④	⑤		48	①	②	③	④	⑤
9	①	②	③	④	⑤		29	①	②	③	④	⑤		49	①	②	③	④	⑤
10	①	②	③	④	⑤		30	①	②	③	④	⑤		50	①	②	③	④	⑤
11	①	②	③	④	⑤		31	①	②	③	④	⑤							
12	①	②	③	④	⑤		32	①	②	③	④	⑤							
13	①	②	③	④	⑤		33	①	②	③	④	⑤							
14	①	②	③	④	⑤		34	①	②	③	④	⑤							
15	①	②	③	④	⑤		35	①	②	③	④	⑤							
16	①	②	③	④	⑤		36	①	②	③	④	⑤							
17	①	②	③	④	⑤		37	①	②	③	④	⑤							
18	①	②	③	④	⑤		38	①	②	③	④	⑤							
19	①	②	③	④	⑤		39	①	②	③	④	⑤							
20	①	②	③	④	⑤		40	①	②	③	④	⑤							

시험의 분야

감독 확인

수엄 번호

고유번호

성명

생 년 월 일
년 월 일

성별 남 ⑩ 여 ⑩

성 명

* 연습용 답안지

소방안전관리자 2급 답안지

* 연습용 답안지

답 안 표 기 란

번호	1	2	3	4	5		번호	1	2	3	4	5		번호	1	2	3	4	5
1	①	②	③	④	⑤		21	①	②	③	④	⑤		41	①	②	③	④	⑤
2	①	②	③	④	⑤		22	①	②	③	④	⑤		42	①	②	③	④	⑤
3	①	②	③	④	⑤		23	①	②	③	④	⑤		43	①	②	③	④	⑤
4	①	②	③	④	⑤		24	①	②	③	④	⑤		44	①	②	③	④	⑤
5	①	②	③	④	⑤		25	①	②	③	④	⑤		45	①	②	③	④	⑤
6	①	②	③	④	⑤		26	①	②	③	④	⑤		46	①	②	③	④	⑤
7	①	②	③	④	⑤		27	①	②	③	④	⑤		47	①	②	③	④	⑤
8	①	②	③	④	⑤		28	①	②	③	④	⑤		48	①	②	③	④	⑤
9	①	②	③	④	⑤		29	①	②	③	④	⑤		49	①	②	③	④	⑤
10	①	②	③	④	⑤		30	①	②	③	④	⑤		50	①	②	③	④	⑤
11	①	②	③	④	⑤		31	①	②	③	④	⑤							
12	①	②	③	④	⑤		32	①	②	③	④	⑤							
13	①	②	③	④	⑤		33	①	②	③	④	⑤							
14	①	②	③	④	⑤		34	①	②	③	④	⑤							
15	①	②	③	④	⑤		35	①	②	③	④	⑤							
16	①	②	③	④	⑤		36	①	②	③	④	⑤							
17	①	②	③	④	⑤		37	①	②	③	④	⑤							
18	①	②	③	④	⑤		38	①	②	③	④	⑤							
19	①	②	③	④	⑤		39	①	②	③	④	⑤							
20	①	②	③	④	⑤		40	①	②	③	④	⑤							

※ OMR카드 작성요령

1. 감독관 지시에 따라 응답지를 작성할 것

2. 반드시 컴퓨터용사인펜을 사용할 것

3. 인적사항은 좌측부터, 성명은 복모음에 유의하여 작성할 것

성명

시험문야

감독확인

수험번호

고유번호

성 명

		⊙
성	남	
	여	⊙

생년월일

년 월 일

소방안전관리자 2급 답안지

※ OMR카드 작성요령

1. 감독관 지시에 따라 응답지를 작성할 것
2. 반드시 컴퓨터용사인펜을 사용할 것
3. 인적사항은 좌측부터, 성명은 붉은 곳에 유의하여 작성할 것

성명

답 안 표 기 란

번호	①	②	③	④	⑤
1	①	②	③	④	⑤
2	①	②	③	④	⑤
3	①	②	③	④	⑤
4	①	②	③	④	⑤
5	①	②	③	④	⑤
6	①	②	③	④	⑤
7	①	②	③	④	⑤
8	①	②	③	④	⑤
9	①	②	③	④	⑤
10	①	②	③	④	⑤
11	①	②	③	④	⑤
12	①	②	③	④	⑤
13	①	②	③	④	⑤
14	①	②	③	④	⑤
15	①	②	③	④	⑤
16	①	②	③	④	⑤
17	①	②	③	④	⑤
18	①	②	③	④	⑤
19	①	②	③	④	⑤
20	①	②	③	④	⑤
21	①	②	③	④	⑤
22	①	②	③	④	⑤
23	①	②	③	④	⑤
24	①	②	③	④	⑤
25	①	②	③	④	⑤
26	①	②	③	④	⑤
27	①	②	③	④	⑤
28	①	②	③	④	⑤
29	①	②	③	④	⑤
30	①	②	③	④	⑤
31	①	②	③	④	⑤
32	①	②	③	④	⑤
33	①	②	③	④	⑤
34	①	②	③	④	⑤
35	①	②	③	④	⑤
36	①	②	③	④	⑤
37	①	②	③	④	⑤
38	①	②	③	④	⑤
39	①	②	③	④	⑤
40	①	②	③	④	⑤
41	①	②	③	④	⑤
42	①	②	③	④	⑤
43	①	②	③	④	⑤
44	①	②	③	④	⑤
45	①	②	③	④	⑤
46	①	②	③	④	⑤
47	①	②	③	④	⑤
48	①	②	③	④	⑤
49	①	②	③	④	⑤
50	①	②	③	④	⑤

시험
이름

감독확인

수험번호

고유번호

성별 남 ○ 여 ○

생년월일 년 월 일

소방안전관리자 2급 답안지

* 연습용 답안지

답 안 표 기 란

문번	1	2	3	4	5	문번	1	2	3	4	5	문번	1	2	3	4	5
1	①	②	③	④	⑤	21	①	②	③	④	⑤	41	①	②	③	④	⑤
2	①	②	③	④	⑤	22	①	②	③	④	⑤	42	①	②	③	④	⑤
3	①	②	③	④	⑤	23	①	②	③	④	⑤	43	①	②	③	④	⑤
4	①	②	③	④	⑤	24	①	②	③	④	⑤	44	①	②	③	④	⑤
5	①	②	③	④	⑤	25	①	②	③	④	⑤	45	①	②	③	④	⑤
6	①	②	③	④	⑤	26	①	②	③	④	⑤	46	①	②	③	④	⑤
7	①	②	③	④	⑤	27	①	②	③	④	⑤	47	①	②	③	④	⑤
8	①	②	③	④	⑤	28	①	②	③	④	⑤	48	①	②	③	④	⑤
9	①	②	③	④	⑤	29	①	②	③	④	⑤	49	①	②	③	④	⑤
10	①	②	③	④	⑤	30	①	②	③	④	⑤	50	①	②	③	④	⑤
11	①	②	③	④	⑤	31	①	②	③	④	⑤						
12	①	②	③	④	⑤	32	①	②	③	④	⑤						
13	①	②	③	④	⑤	33	①	②	③	④	⑤						
14	①	②	③	④	⑤	34	①	②	③	④	⑤						
15	①	②	③	④	⑤	35	①	②	③	④	⑤						
16	①	②	③	④	⑤	36	①	②	③	④	⑤						
17	①	②	③	④	⑤	37	①	②	③	④	⑤						
18	①	②	③	④	⑤	38	①	②	③	④	⑤						
19	①	②	③	④	⑤	39	①	②	③	④	⑤						
20	①	②	③	④	⑤	40	①	②	③	④	⑤						

※ OMR카드 작성요령

1. 감독관 지시에 따라 응답지를 작성할 것

2. 반드시 컴퓨터용사인펜을 사용할 것

3. 인적사항은 좌측부터, 성명은 복모음에 유의하여 작성할 것

성 명

시 험 장

감 독 확 인

고유번호

수 험 번 호

성 별
남 / 여

성 년 월 일
년 / 월 / 일

소방안전관리자 2급 답안지

응시번호

감독위원

수험번호

고사번호

생년월일

성별

남 / 여

성명

※ OMR카드 작성요령

1. 감독관 지시에 따라 응답지를 작성할 것
2. 반드시 컴퓨터용사인펜을 사용할 것
3. 인적사항은 좌측부터, 성명은 복모음에 유의하여 작성할 것

답 안 표 기 란

번호	①	②	③	④	⑤	번호	①	②	③	④	⑤	번호	①	②	③	④	⑤
1	①	②	③	④	⑤	21	①	②	③	④	⑤	41	①	②	③	④	⑤
2	①	②	③	④	⑤	22	①	②	③	④	⑤	42	①	②	③	④	⑤
3	①	②	③	④	⑤	23	①	②	③	④	⑤	43	①	②	③	④	⑤
4	①	②	③	④	⑤	24	①	②	③	④	⑤	44	①	②	③	④	⑤
5	①	②	③	④	⑤	25	①	②	③	④	⑤	45	①	②	③	④	⑤
6	①	②	③	④	⑤	26	①	②	③	④	⑤	46	①	②	③	④	⑤
7	①	②	③	④	⑤	27	①	②	③	④	⑤	47	①	②	③	④	⑤
8	①	②	③	④	⑤	28	①	②	③	④	⑤	48	①	②	③	④	⑤
9	①	②	③	④	⑤	29	①	②	③	④	⑤	49	①	②	③	④	⑤
10	①	②	③	④	⑤	30	①	②	③	④	⑤	50	①	②	③	④	⑤
11	①	②	③	④	⑤	31	①	②	③	④	⑤						
12	①	②	③	④	⑤	32	①	②	③	④	⑤						
13	①	②	③	④	⑤	33	①	②	③	④	⑤						
14	①	②	③	④	⑤	34	①	②	③	④	⑤						
15	①	②	③	④	⑤	35	①	②	③	④	⑤						
16	①	②	③	④	⑤	36	①	②	③	④	⑤						
17	①	②	③	④	⑤	37	①	②	③	④	⑤						
18	①	②	③	④	⑤	38	①	②	③	④	⑤						
19	①	②	③	④	⑤	39	①	②	③	④	⑤						
20	①	②	③	④	⑤	40	①	②	③	④	⑤						

소방안전관리자 2급 답안지

답 안 표 기 란

1	① ② ③ ④ ⑤	21	① ② ③ ④ ⑤	41	① ② ③ ④ ⑤
2	① ② ③ ④ ⑤	22	① ② ③ ④ ⑤	42	① ② ③ ④ ⑤
3	① ② ③ ④ ⑤	23	① ② ③ ④ ⑤	43	① ② ③ ④ ⑤
4	① ② ③ ④ ⑤	24	① ② ③ ④ ⑤	44	① ② ③ ④ ⑤
5	① ② ③ ④ ⑤	25	① ② ③ ④ ⑤	45	① ② ③ ④ ⑤
6	① ② ③ ④ ⑤	26	① ② ③ ④ ⑤	46	① ② ③ ④ ⑤
7	① ② ③ ④ ⑤	27	① ② ③ ④ ⑤	47	① ② ③ ④ ⑤
8	① ② ③ ④ ⑤	28	① ② ③ ④ ⑤	48	① ② ③ ④ ⑤
9	① ② ③ ④ ⑤	29	① ② ③ ④ ⑤	49	① ② ③ ④ ⑤
10	① ② ③ ④ ⑤	30	① ② ③ ④ ⑤	50	① ② ③ ④ ⑤
11	① ② ③ ④ ⑤	31	① ② ③ ④ ⑤		
12	① ② ③ ④ ⑤	32	① ② ③ ④ ⑤		
13	① ② ③ ④ ⑤	33	① ② ③ ④ ⑤		
14	① ② ③ ④ ⑤	34	① ② ③ ④ ⑤		
15	① ② ③ ④ ⑤	35	① ② ③ ④ ⑤		
16	① ② ③ ④ ⑤	36	① ② ③ ④ ⑤		
17	① ② ③ ④ ⑤	37	① ② ③ ④ ⑤		
18	① ② ③ ④ ⑤	38	① ② ③ ④ ⑤		
19	① ② ③ ④ ⑤	39	① ② ③ ④ ⑤		
20	① ② ③ ④ ⑤	40	① ② ③ ④ ⑤		

* 연습용 답안지

※ OMR카드 작성요령

1. 감독관 지시에 따라 응답지를 작성할 것

2. 반드시 컴퓨터용사인펜을 사용할 것

3. 인적사항은 좌측부터, 성명은 복모음에 유의하여 작성할 것

성 명

고유번호

성 명 | ◎ | ◎

수 험 번 호

생 년 월 일

시 응 부 야

감 독 확 인

소방안전관리자 2급 답안지

시
험
응
시

감
독
확
인

수 험 번 호

고 유 번 호

생 년 월 일
남자 여자

성 별

성명 ◎
본적 ◎

※ OMR카드 작성요령

1. 감독관 지시에 따라 응답지를 작성할 것
2. 반드시 컴퓨터용사인펜을 사용할 것
3. 인적사항은 좌측부터, 성명은 본문음에 유의하여 작성할 것

성 명

답 안 표 기 란

	①	②	③	④	⑤
1	①	②	③	④	⑤
2	①	②	③	④	⑤
3	①	②	③	④	⑤
4	①	②	③	④	⑤
5	①	②	③	④	⑤
6	①	②	③	④	⑤
7	①	②	③	④	⑤
8	①	②	③	④	⑤
9	①	②	③	④	⑤
10	①	②	③	④	⑤
11	①	②	③	④	⑤
12	①	②	③	④	⑤
13	①	②	③	④	⑤
14	①	②	③	④	⑤
15	①	②	③	④	⑤
16	①	②	③	④	⑤
17	①	②	③	④	⑤
18	①	②	③	④	⑤
19	①	②	③	④	⑤
20	①	②	③	④	⑤
21	①	②	③	④	⑤
22	①	②	③	④	⑤
23	①	②	③	④	⑤
24	①	②	③	④	⑤
25	①	②	③	④	⑤
26	①	②	③	④	⑤
27	①	②	③	④	⑤
28	①	②	③	④	⑤
29	①	②	③	④	⑤
30	①	②	③	④	⑤
31	①	②	③	④	⑤
32	①	②	③	④	⑤
33	①	②	③	④	⑤
34	①	②	③	④	⑤
35	①	②	③	④	⑤
36	①	②	③	④	⑤
37	①	②	③	④	⑤
38	①	②	③	④	⑤
39	①	②	③	④	⑤
40	①	②	③	④	⑤
41	①	②	③	④	⑤
42	①	②	③	④	⑤
43	①	②	③	④	⑤
44	①	②	③	④	⑤
45	①	②	③	④	⑤
46	①	②	③	④	⑤
47	①	②	③	④	⑤
48	①	②	③	④	⑤
49	①	②	③	④	⑤
50	①	②	③	④	⑤

* 연습용 답안지

소방안전관리자 2급 답안지

답안표기란

번호	1	2	3	4	5	번호	1	2	3	4	5	번호	1	2	3	4	5
1	①	②	③	④	⑤	21	①	②	③	④	⑤	41	①	②	③	④	⑤
2	①	②	③	④	⑤	22	①	②	③	④	⑤	42	①	②	③	④	⑤
3	①	②	③	④	⑤	23	①	②	③	④	⑤	43	①	②	③	④	⑤
4	①	②	③	④	⑤	24	①	②	③	④	⑤	44	①	②	③	④	⑤
5	①	②	③	④	⑤	25	①	②	③	④	⑤	45	①	②	③	④	⑤
6	①	②	③	④	⑤	26	①	②	③	④	⑤	46	①	②	③	④	⑤
7	①	②	③	④	⑤	27	①	②	③	④	⑤	47	①	②	③	④	⑤
8	①	②	③	④	⑤	28	①	②	③	④	⑤	48	①	②	③	④	⑤
9	①	②	③	④	⑤	29	①	②	③	④	⑤	49	①	②	③	④	⑤
10	①	②	③	④	⑤	30	①	②	③	④	⑤	50	①	②	③	④	⑤
11	①	②	③	④	⑤	31	①	②	③	④	⑤						
12	①	②	③	④	⑤	32	①	②	③	④	⑤						
13	①	②	③	④	⑤	33	①	②	③	④	⑤						
14	①	②	③	④	⑤	34	①	②	③	④	⑤						
15	①	②	③	④	⑤	35	①	②	③	④	⑤						
16	①	②	③	④	⑤	36	①	②	③	④	⑤						
17	①	②	③	④	⑤	37	①	②	③	④	⑤						
18	①	②	③	④	⑤	38	①	②	③	④	⑤						
19	①	②	③	④	⑤	39	①	②	③	④	⑤						
20	①	②	③	④	⑤	40	①	②	③	④	⑤						

* 연습용 답안지

※ OMR카드 작성요령

1. 감독관 지시에 따라 응답지를 작성할 것
2. 반드시 컴퓨터용사인펜을 사용할 것
3. 인적사항은 좌측부터, 성명은 복모음에 유의하여 작성할 것

성명

시험응시분야

감독확인

고유번호

수험번호

성별 남 여

생년월일 년 월 일

소방안전관리자 2급 답안지

| 시 | 험 | 장 |
| 감 독 확 인 | 감 독 위 원 |
| 수 험 번 호 |
| 고 유 번 호 |

| 생 년 월 일 | 년 | 월 | 일 |
| 성 별 | 남 ○ | 여 ○ |

| 성 명 |

※ OMR카드 작성요령

1. 감독관 지시에 따라 응답지를 작성할 것
2. 반드시 컴퓨터용사인펜을 사용할 것
3. 인적사항은 좌측부터, 성명은 복모음에 유의하여 작성할 것

답 안 표 기 란

1	① ② ③ ④ ⑤
2	① ② ③ ④ ⑤
3	① ② ③ ④ ⑤
4	① ② ③ ④ ⑤
5	① ② ③ ④ ⑤
6	① ② ③ ④ ⑤
7	① ② ③ ④ ⑤
8	① ② ③ ④ ⑤
9	① ② ③ ④ ⑤
10	① ② ③ ④ ⑤
11	① ② ③ ④ ⑤
12	① ② ③ ④ ⑤
13	① ② ③ ④ ⑤
14	① ② ③ ④ ⑤
15	① ② ③ ④ ⑤
16	① ② ③ ④ ⑤
17	① ② ③ ④ ⑤
18	① ② ③ ④ ⑤
19	① ② ③ ④ ⑤
20	① ② ③ ④ ⑤
21	① ② ③ ④ ⑤
22	① ② ③ ④ ⑤
23	① ② ③ ④ ⑤
24	① ② ③ ④ ⑤
25	① ② ③ ④ ⑤
26	① ② ③ ④ ⑤
27	① ② ③ ④ ⑤
28	① ② ③ ④ ⑤
29	① ② ③ ④ ⑤
30	① ② ③ ④ ⑤
31	① ② ③ ④ ⑤
32	① ② ③ ④ ⑤
33	① ② ③ ④ ⑤
34	① ② ③ ④ ⑤
35	① ② ③ ④ ⑤
36	① ② ③ ④ ⑤
37	① ② ③ ④ ⑤
38	① ② ③ ④ ⑤
39	① ② ③ ④ ⑤
40	① ② ③ ④ ⑤
41	① ② ③ ④ ⑤
42	① ② ③ ④ ⑤
43	① ② ③ ④ ⑤
44	① ② ③ ④ ⑤
45	① ② ③ ④ ⑤
46	① ② ③ ④ ⑤
47	① ② ③ ④ ⑤
48	① ② ③ ④ ⑤
49	① ② ③ ④ ⑤
50	① ② ③ ④ ⑤

* 연습용 답안지

소방안전관리자 2급 답안지

* 연습용 답안지

답 안 표 기 란

번호	1	2	3	4	5	번호	1	2	3	4	5	번호	1	2	3	4	5
1	①	②	③	④	⑤	21	①	②	③	④	⑤	41	①	②	③	④	⑤
2	①	②	③	④	⑤	22	①	②	③	④	⑤	42	①	②	③	④	⑤
3	①	②	③	④	⑤	23	①	②	③	④	⑤	43	①	②	③	④	⑤
4	①	②	③	④	⑤	24	①	②	③	④	⑤	44	①	②	③	④	⑤
5	①	②	③	④	⑤	25	①	②	③	④	⑤	45	①	②	③	④	⑤
6	①	②	③	④	⑤	26	①	②	③	④	⑤	46	①	②	③	④	⑤
7	①	②	③	④	⑤	27	①	②	③	④	⑤	47	①	②	③	④	⑤
8	①	②	③	④	⑤	28	①	②	③	④	⑤	48	①	②	③	④	⑤
9	①	②	③	④	⑤	29	①	②	③	④	⑤	49	①	②	③	④	⑤
10	①	②	③	④	⑤	30	①	②	③	④	⑤	50	①	②	③	④	⑤
11	①	②	③	④	⑤	31	①	②	③	④	⑤						
12	①	②	③	④	⑤	32	①	②	③	④	⑤						
13	①	②	③	④	⑤	33	①	②	③	④	⑤						
14	①	②	③	④	⑤	34	①	②	③	④	⑤						
15	①	②	③	④	⑤	35	①	②	③	④	⑤						
16	①	②	③	④	⑤	36	①	②	③	④	⑤						
17	①	②	③	④	⑤	37	①	②	③	④	⑤						
18	①	②	③	④	⑤	38	①	②	③	④	⑤						
19	①	②	③	④	⑤	39	①	②	③	④	⑤						
20	①	②	③	④	⑤	40	①	②	③	④	⑤						

※ OMR카드 작성요령

1. 감독관 지시에 따라 응답지를 작성할 것
2. 반드시 컴퓨터용사인펜을 사용할 것
3. 인적사항은 좌측부터, 성명은 복모음에 유의하여 작성할 것

성 명

시 응 분 안

감 독 확 인

고유번호
⓪ ① ② ③ ④ ⑤ ⑥ ⑦ ⑧ ⑨

성 명

	⓪
문	
명	⓪

수 험 번 호
⓪ ① ② ③ ④ ⑤ ⑥ ⑦ ⑧ ⑨

생 년 월 일

일	⓪ ① ② ③ ④ ⑤ ⑥ ⑦ ⑧
월	⓪ ① ② ③ ④ ⑤ ⑥ ⑦ ⑧
년	⓪ ① ② ③ ④ ⑤ ⑥ ⑦ ⑧

모아 소방안전관리자 2급 실전모의고사 [개정판]

발행일   2025년 2월 7일 개정판 1쇄

지은이   오민정

발행인   황모아

발행처   (주)모아교육그룹
주 소   서울특별시 영등포구 영신로 32길 29 세화빌딩 2층
전 화   02-2068-2393(출판, 주문)
등 록   제2015-000006호 (2015.1.16.)
이메일   moagbooks@naver.com
ISBN   979-11-6804-404-3 (13500)

이 책의 가격은 뒤표지에 있습니다.

소방안전관리자 2급 합격!
여러분의 합격은 모아의 보람입니다.

끊임없이 변화를
추구하는 교육기업

⋀ 모아교육그룹

모아를 선택해주신 여러분께 감사드립니다.

✔ 모아는 혁신적인 교육을 통해 인간의 사고(思考)를
   확장 및 변화시킬 수 있다고 믿고 있습니다.

✔ 모아는 미래를 교육으로 변화시킬 수 있다고 믿고 있습니다.

✔ 모아는 청년부터 장년, 중년, 노년까지의
   성인교육에 중점을 두고 사업을 진행하고 있습니다.

초고령화, 불확실성의 시대

모아는 당신의 미래를 함께 하는 혁신적인 교육 플랫폼이 되겠습니다.